A BIOGRAFIA DE
ROGER FEDERER

A BIOGRAFIA DE

ROGER FEDERER

RENÉ STAUFFER

generale

Diretor-presidente
Henrique José Branco Brazão Farinha
Publisher
Eduardo Viegas Meirelles Villela
Editora
Cláudia Elissa Rondelli Ramos
Preparação de Texto
Eugênia Pessotti/Know-how Editorial
Projeto Gráfico
Juliana Midori Horie/Know-how Editorial
Editoração
Cintia da Silva Ferreira/Know-how Editorial
Capa
Listo Comunicação
Foto de capa
Cynthia Lum
Tradução
Felipe Borges
Tradução da parte alemã
Claudia Abeling
Revisão
Leila dos Santos Silva/Know-how Editorial
Revisão Técnica
Chiquinho Leite Moreira
Impressão
Renovagraf

Título original: Das Tennis-genie

Copyright © 2011 by Editora Évora

A tradução desta publicação foi feita sob acordo com Piper Verlag GMBH

Todos os direitos desta edição são reservados à Editora Évora.

Rua Sergipe, 401 – conj. 1310 – Consolação

São Paulo, SP – CEP 01243-906

Telefone: (11) 3717-1247

Site: http://www.editoraevora.com.br

E-mail: contato@editoraevora.com.br

Dados Internacionais de Catalogação na Publicação (CIP)

A813b

Stauffer, René

[Das Tennis-genie. Português]

A biografia de Roger Federer / René Stauffer ; [traduzido por:] Felipe Borges. – São Paulo : Évora, 2011.

376p.

Tradução de: Das Tennis-genie: Die Roger Federer Story

ISBN 978-85-63993-16-8

1. Federer, Roger, 1981-   . 2. Tenistas – Suíça – Biografia. I. Título.

CDD- 927.96342

José Carlos dos Santos Macedo   Bibliotecário CRB7 n.3575

Do autor

Eu tomei a decisão de escrever um livro sobre Roger Federer após Wimbledon, em 2003, quando ele se tornou o primeiro campeão masculino de um torneio de Grand Slam da Suíça. Eu já cobria Wimbledon por mais de 20 anos e sabia muito bem o importantíssimo significado dessa vitória. Conversei com Roger e com seus pais sobre essa ideia, porém eles tinham a opinião de que a história dele estava apenas começando e que ainda era muito cedo para escrever a biografia de um jovem de 22 anos de idade. Eu tive de admitir que eles estavam certos — contudo, poucos anos depois, ficou evidente que Federer já tinha um lugar na história, no grupo dos melhores de todos os tempos, ao lado de jogadores como Björn Borg, Pete Sampras, Rod Laver e Fred Perry.

Este livro tenta mostrar o quão longo e difícil tem sido o caminho de Federer rumo ao topo, o que o impedia de desenvolver o seu tremendo talento mais rapidamente, como ele finalmente conseguiu tirar proveito do seu potencial e o quão extraordinárias têm sido as suas sequências de vitórias nesse esporte internacional tão competitivo. O livro também mostra o ambiente em que Federer vive e as pessoas que foram vitais na sua busca pela perfeição.

Como diz o provérbio: não há profeta sem honra senão em sua pátria. No caso de Federer, os seus feitos e o seu talento como esportista, embaixador e exemplo de pessoa e cidadão universal sempre pareceram ser mais estimados fora das fronteiras da Suíça. Se alguns leitores adquirirem uma maior consciência sobre a dádiva de Deus que Federer é para o tênis, ou para o esporte como um todo, tanto como atleta quanto como pessoa, então este livro já terá alcançado o seu objetivo.

Ao verificar os materiais que juntei em pastas, arquivos eletrônicos e lembranças pessoais sobre ele durante 12 anos, um pensamento me vinha à mente de maneira recorrente: Roger Federer pode ser o atleta que mais tenha dado entrevistas. Não há provavelmente nenhuma pergunta que não lhe tenha sido feita. Federer responde a todas, repetidamente, com uma paciência admirável; ele trata a nós, da mídia, de igual para igual e com cordialidade. Repetidas vezes, ele concede o seu tempo para os seus compatriotas, mesmo não tendo de fazer isso e mesmo quando tudo que tinha para dizer já tenha sido dito. E, com prazer, eu lhe agradeço por toda a colaboração comigo ao longo desses anos.

Ao trabalhar neste livro, também ficou claro, para mim, o tanto de coisas que aconteceram com ele e ao seu redor em tão pouco tempo — fatos que são dignos de se repetir e gravar —, ainda mais porque, algumas vezes, contextos importantes só se tornam visíveis quando vistos a partir de uma distância maior. Uma sensação de assombro sempre recai sobre mim quando penso como esse jovem jogador, ambicioso e insatisfeito, evoluiu para ser uma das figuras mais grandiosas no mundo dos esportes — particularmente, tendo em vista o fato de o seu caráter ter mudado muito pouco. Com exceção de sua ambição como atleta, Roger Federer continuou sendo um homem modesto, que não pensa em ser alguém especial. Quando ele toma, por vezes, decisões malvistas pelo o público, isso, em geral, deve-se ao fato de considerar que tais medidas são necessárias para alcançar os objetivos grandiosos de sua carreira.

Enquanto Federer continua a escrever a sua história, que, assim espero, ainda irá preencher muito mais pastas e arquivos eletrônicos, com uma rapidez de tirar o fôlego, eu gostaria de agradecer a algumas pessoas que me ajudaram na realização deste livro. Quero mencionar especialmente Randy Walker, com quem comecei a me relacionar e a ter muita admiração enquanto ele trabalhava no U.S. Tennis Association — Randy foi a principal força motriz para que a versão em inglês tomasse forma, na New Chapter Press. Trouxe muito entusiasmo para este projeto, e eu fiquei muito satisfeito com processo de atualização e adaptação do livro.

Também gostaria de agradecer à editora Pendo, em Munique e em Zurique, que teve a iniciativa de me oferecer a oportunidade de mudar de

Do autor

carreira e escrever este livro. Gostaria de agradecer às muitas pessoas que entrevistei, que me deram informações, e àquelas que desejaram compartilhar suas lembranças ou conhecimentos sobre Roger comigo — em especial, os seus pais. Eu também quero mencionar os muitos colegas estrangeiros e suíços de dentro do tênis que vêm acompanhando a carreira de Roger durante esses anos, descrevendo-a e chamando a atenção para o fato de que conseguir o que Roger conseguiu não é nada comum, especialmente para uma pequena nação como a Suíça. Além disso, gostaria de citar a ajuda preciosa dos departamentos de imprensa da ATP, comandados por Nicola Arzani e Greg Sharko, fontes confiáveis de estatísticas e informações, e também os departamentos da Federação Internacional de Tênis (FIT), acima de tudo Barbara Travers e Nick Imison.

Também gostaria de agradecer à Tamedia AG, ao meu chefe, Fredy Wettstein, e aos colegas do departamento editorial de esporte da *Tages-Anzeiger* e do *Sonntags-Zeitung*, que me possibilitaram acompanhar o desenvolvimento de Federer a partir de uma perspectiva jornalística distinta, bem como prestar, assim espero, a homenagem apropriada às suas realizações. Gostaria também de agradecer ao meu bom amigo Jürgen Kalwa, de Nova York, que escreveu um livro sobre Tiger Woods, pelos conselhos importantes, e à minha irmã, Jeannine, que foi a primeira pessoa a ler o original do livro, de maneira crítica, dando-me sua opinião valiosa. Por último, mas não menos importante, gostaria de agradecer à minha esposa, Eni, e à nossa filha, Jessica. Não foi fácil para elas me terem em casa um inverno inteiro — especialmente trancado em um quarto e com a cabeça em outro mundo.

René Stauffer
Müllheim, Suíça

Prefácio
UM ENCONTRO COM UM GAROTO DE 15 ANOS

Foi no dia 11 de setembro de 1996. Eu estava a trabalho pela *Tages--Anzeiger* e tinha de escrever uma matéria sobre a World Youth Cup, um tipo de Copa Davis para a categoria juvenil. Estava um tanto descrente. Uma matéria sobre um torneio de times envolvendo tenistas desconhecidos de 15 e 16 anos de idade — o que poderia ter de interessante nisso? Eu encarava essa tarefa como algo cansativo e enfadonho, graças à Federação Suíça de Tênis, pois eles haviam, caridosamente, assumido o torneio, pelo seu aniversário de 100 anos. Não, realmente, essa não seria uma missão muito motivadora.

Nesse dia, eu encontrei com Roger Federer pela primeira vez. Ele jogava em uma quadra distante, rodeada por uma cerca de arame, em um local chamado Guggach, destinado para o tênis e a recreação em geral. Oficiais da Federação Suíça de Tênis me disseram que Federer era um ótimo jogador e que havia pouco para se criticar, com exceção de, às vezes, ser temperamental demais. Ele tinha completado 15 anos havia pouco tempo e era, na verdade, muito novo para esse torneio, mas as suas credenciais eram impressionantes — ele havia ganhado 5 torneios nacionais suíços na categoria juvenil, era o melhor jogador da categoria sub-16 do país e já era o número 88 da Suíça.

Nesse dia, Federer jogou contra um italiano chamado Nohuel Fracassi, de quem, depois desse encontro, eu nunca mais ouvi falar. Fracassi era um ano e pouco mais velho que Federer, também maior e mais forte, e já tinha ganhado o primeiro set quando cheguei. O clima me lembrava o de um torneio insignificante de clube. Havia dois ou três espectadores, um juiz e nenhum pegador de bolas. Os próprios jogadores tinham de pegá-las. Embora estivesse fascinado com o estilo elegante de Federer, eu já tinha visto alguns jogadores ir e vir em meus 15 anos como jornalista esportivo de tênis, mas tive a impressão de que um talento extraordinário estava amadurecendo bem na minha frente. Ele colocava com tanta facilidade efeitos na bola, de maneira que o italiano — mesmo o jogo sendo em uma quadra lenta de saibro —, frequentemente, apenas assistia às bolas passarem por ele para tornarem-se pontos. Quase sem fazer esforço, Federer dava golpes vencedores com sua raquete preta, movendo-se rápida e graciosamente. As suas jogadas eram harmoniosas e tecnicamente brilhantes.

A sua tática era incomum, também. Não havia similaridades com a segura e consistente "Escola Sueca", que tem como característica o tênis de fundo de quadra, o que era muito comum naquela época e normalmente resultava em jogadores promissores em quadra de saibro. Federer não tinha nada disso. Procurava finalizar o ponto o mais rápido possível a cada oportunidade. Parecia já ter dominado todos os golpes, o que era bastante incomum para jogadores de sua faixa etária. Ele controlava com seu saque e com o seu forehand, porém o seu poderoso backhand de apenas uma mão e os ocasionais voleios também pareciam algo tirado de um livro didático sobre tênis.

Roger Federer era, sem dúvida, um diamante ainda a ser lapidado. Eu fiquei surpreso e espantado por ninguém, até então, ter visto ou escrito alguma coisa sobre o jovem tenista. Será que isso se devia ao fato de a mídia ter escrito tão efusiva e prematuramente sobre jovens jogadores talentosos apenas para descobrir, mais tarde, que eles não davam conta de competir no tênis internacional? Nem todo jogador de tênis suíço poderia ser um novo Heinz Güthardt, Jakob Hlasek ou Marc Rosset, provavelmente os 3 melhores tenistas da Suíça até então. Talvez por ninguém estar à procura de novos talentos na Suíça, tendo em vista que o pequeno país estava muito bem representado por Marc Rosset, o campeão olímpico de 1992, e também pela jovem de 15 anos, ainda em desenvolvimento, Martina Hingis, já campeã em Wimbledon nas duplas e semifinalista no US Open.

No entanto, talvez a razão estivesse também no contraste entre a maturidade atlética de Federer e o seu comportamento. Ele era muito irritadiço. Nessa tarde de setembro, o seu temperamento explodiu até mesmo nos erros

Prefácio

mais comuns. Em várias ocasiões, ele arremessou a raquete pela quadra, em um gesto de revolta, e constantemente repreendia a si mesmo. "Duubel!" ou "Idiota!", ele exclamava, quando uma de suas bolas ia para fora, muito próxima à linha. Por vezes, criticava-se em voz alta quando, embora houvesse ganhado o ponto, não estava satisfeito com a jogada.

Federer parecia não perceber o que estava acontecendo ao seu redor. Era somente ele, a bola, a raquete — o seu temperamento difícil — e mais nada. Por ser tão nervoso, teve de lutar mais consigo próprio que com o seu oponente do outro lado da rede, nesse dia. Essa luta contra dois adversários o levou ao limite, e eu presumi que perderia, apesar da sua superioridade técnica. Eu estava errado. Federer venceu a partida por 3-6, 6-3 e 6-1.

Descobri mais tarde que Federer já havia ganhado uma disputa difícil: uma partida de 3 sets, no dia anterior, contra um jovem australiano tenaz, chamado Lleyton Hewitt, com Federer tendo de defender um match point para ganhar de 4-6, 7-6 e 6-4. A partida entre eles aconteceu em frente a 30 espectadores, que tiveram de comprar ingressos para assistir ao jogo — além de mais 4 pessoas que já haviam adquirido ingressos para a série de torneios da temporada toda. Ninguém poderia imaginar que esses jogadores figurariam entre os melhores — ambos alcançando a primeira posição do ranking mundial e competindo nos maiores palcos do esporte, com lotação máxima e em frente a milhões de telespectadores pelo mundo todo.

Eu queria saber mais sobre Federer, então pedi que ele me concedesse uma entrevista. Ele me surpreendeu mais uma vez quando se sentou de frente para mim em uma mesa de madeira no vestiário. Eu receava que o rapaz pudesse se intimidar, ficando reservado e taciturno — na presença de um repórter com quem ele não estava familiarizado e de um jornal de cobertura nacional —, e que ele dificilmente dissesse algo relevante, que valesse a pena ser citado. Porém esse não foi o caso. Federer falou com fluidez e convicção, sempre com um sorriso maroto no rosto. Ele explicou que o seu ídolo era Pete Sampras e que já estava treinando fazia 1 ano no Swiss National Tennis Center, em Ecublens, no Lago de Genebra. Ele também disse que, provavelmente, estava entre os 30 ou 40 melhores jogadores do mundo em sua faixa etária e que tinha o desejo de se tornar um tenista profissional top de linha, mas que ainda precisava melhorar o seu jogo — e o seu comportamento.

"Eu sei que não posso sempre reclamar e gritar, porque isso me deixa chateado e faz meu jogo piorar", disse. "Eu dificilmente me perdoo quando cometo erros, mesmo sendo erros comuns." Federer olhou para o nada e falou para si mesmo: "Alguém tem de ser capaz de fazer um jogo perfeito".

XII — A biografia de Roger Federer

Fazer um jogo perfeito — era isso que o motivava. Ele não queria apenas derrotar os seus oponentes e ganhar troféus, ainda que gostasse da ideia de se tornar rico ou famoso, ou ambas as coisas, como admitiu. Para Federer, instintivamente, a jornada era importante e consistia em rebater e colocar as bolas na quadra com a sua raquete o mais perfeitamente possível. Parecia estar obcecado por essa ideia, o que explicava a sua irritação mesmo depois de ter conseguido vencer o ponto. Ele não queria apenas dominar o seu oponente naquele retângulo com uma rede no meio que o fascinava tanto — queria dominar a bola, que odiava e amava, ao mesmo tempo.

Federer tinha grandes expectativas — muitas das quais, naquela época, já seria capaz de alcançar. Suas emoções o agitavam nesse conflito entre expectativa e realidade. Ele parecia saber do seu grande potencial e de que era capaz de fazer coisas grandiosas — mas ainda não era capaz de transformar o seu talento em realidade.

O seu comportamento incomum com relação à perfeição tinha uma lado positivo, na medida em que não considerava os seus adversários como rivais que queriam "roubar a manteiga de seu pão", como às vezes costumava dizer o recluso Jimmy Connors. Os seus oponentes eram vistos como companheiros no mesmo caminho. Essa atitude o tornou popular e querido dentro dos vestiários. Ele era sociável, uma pessoa com quem você poderia brincar e fazer piadas tranquilamente. Para Federer, o tênis não era um esporte individual, com adversários que precisavam ser intimidados, mas uma atividade de lazer comum com colegas de mesma opinião que, como parte de um grande time, estavam perseguindo os mesmos objetivos.

Federer ficava muito irritado com os seus próprios erros, mas tinha a capacidade de questionar as coisas, observá-las à distância e colocá-las na perspectiva correta, à medida que suas emoções se dissipavam. Ele também admitia as suas fraquezas. "Eu não gosto de treinar e também sempre jogo mal nos treinamentos", fazendo uma observação casual durante a entrevista: "Eu sou muito melhor nas partidas de campeonato."

Essa frase me surpreendeu. Enquanto muitos jogadores se paralisavam quando sob pressão, ele aparentemente mantinha uma mentalidade de vencedor. Essa força, que transbordava nas partidas, nas situações mais importantes do jogo, levava muitos oponentes à distração e permitia a Federer escapar de situações a princípio impossíveis. Isso também o ajudou a estabelecer um dos recordes mais inacreditáveis na história do esporte — 24 vitórias em simples consecutivas em finais no tênis profissional, entre

Prefácio   XIII

julho de 2003 e novembro de 2005 — dobrando os recordes de John McEnroe e Björn Borg.

Os êxitos de Federer na World Youth Cup foram em vão. O time suíço, por ter a carência de outro jogador de simples mais forte e de uma dupla mais experiente, foi derrotado e terminou o torneio em 15º lugar. Roger Federer venceu, mas a Suíça perdeu — um cenário que se repetiria mais tarde, por muitas vezes, durante anos, na própria Copa Davis. O rapaz de pavio curto, no entanto, recebeu os parabéns do então técnico do time australiano na World Youth Cup, Darren Cahill, que já fora uma vez semifinalista do US Open e era responsável por Lleyton Hewitt, naquela época. "Ele tem de tudo para ser bem-sucedido no futuro", disse Cahill.

Eu pude retornar para a redação com material suficiente para uma boa matéria. Seria a minha primeira sobre Roger Federer — porém, não seria a última. O título do artigo era: "Alguém Tem de Ser Capaz de Fazer Um Jogo Perfeito."

Sumário

Apresentação à edição brasileira. XIX
Prefácio à edição brasileira XXI
Introdução: ninguém esperava por ele.   1

PARTE I

1 De Kempton Park à Basileia.   9
2 Um garoto descobre o tênis. 14
3 Saudades de casa. 21
4 O melhor jogador da categoria juvenil 28
5 O estreante chega ao topo 37
6 Novo técnico, novos caminhos 42
7 Experiência olímpica 47
8 Suando a camisa. 52
9 Alvoroço na Copa Davis 57
10 O homem que derrotou Sampras 61
11 O taxista de Bienna 65
12 Uma visita aos 10 melhores do mundo. 68
13 Tragédia na África do Sul. 73

XVI　　　　　　　　　　　　　　　　A biografia de Roger Federer

14　A alvorada vermelha na China. 79

15　O bloqueio do Grand Slam 83

16　Um domingo mágico. 88

17　Uma vaca para o ganhador. 95

18　Alcançando as estrelas. 100

19　Duelos no Texas 104

20　Um fim repentino 110

21　A coroação 114

22　O número 1 119

23　O retorno de Sansão. 126

24　New York, New York 132

25　Estabelecendo recordes pelo mundo 136

26　O outro australiano 141

27　Um verdadeiro campeão 148

28　Pegadas frescas no saibro 153

29　Três homens no Jantar dos Campeões. 157

30　Uma noite em Flushing Meadows 161

31　O salvador de Xangai. 166

32　Caçando fantasmas 171

33　Nasce uma rivalidade. 175

34　Dois novos amigos: Woods e Sampras. 182

35　Nota 10. 188

36　De volta para a terra 193

37　O convidado de honra no camarote real 196

38　Decepções. 201

39　Um duplo retorno para a glória 207

40　Esconde-esconde particular. 211

41　Quebrando recordes 214

PARTE II

1　A pessoa: um cara legal, porém de personalidade forte 223

2　O jogador: igual a um camaleão 230

3　O oponente: apenas para colocá-lo em seu lugar. 237

4　O empreendedor: vestígios do hipopótamo 244

Sumário   XVII

5 Todos o querem: a rotina diária da mídia   256

6 Um homem aclamado: o ponto de vista da imprensa   261

7 O embaixador: uma nobre missão.   268

Histórico de sua carreira   275

Citações sobre Roger Federer   287

Música: O Cara do Grand Slam (Grand Slam Man)   293

Lista de fontes da imprensa para as citações   295

PARTE III

Resultados de Roger Federer.   301

Panorâmica da carreira   333

Suas finais   335

Recordes e séries   339

Os principais recordes e séries de Federer.   341

Semanas como número 1   343

A maioria dos títulos de Grand Slam   345

Glossário   347

Apresentação à edição brasileira

Federer é algo mágico, que nunca pensei ser possível existir, uma pessoa completamente fora dos padrões. Ele chegou a um patamar de excelência jamais visto no tênis, comparável apenas a Michael Jordan, Tiger Woods, Pelé e outros pouquíssimos mortais. Talvez Nadal possa ser comparado a ele no futuro, porém ainda é cedo demais para isso.

Mas que torna Federer um gênio? Em primeiro lugar, o seu senso de equilíbrio é o que mais me impressiona. Nunca vi nenhuma foto sua desequilibrado ao bater na bola — e olha que já vi muitas fotos e jogos de Federer!...

Em segundo lugar, a sua leveza, a impressão de pouco esforço realizado na sua movimentação e no seu deslocamento em direção à bola. O comentário sempre gira em torno de Federer não suar, mesmo em jogos duríssimos de 3 ou 5 sets.

Depois, vem a técnica de Federer, que é imbatível. Ele tem tantas opções para uma mesma jogada que, às vezes, acaba até prejudicando a execução daquela que seria a mais óbvia.

Destacaria também a sua capacidade em ser um jogador totalmente frio nos momentos mais delicados do jogo, apesar disso ter mudado com o passar dos anos.

Federer também é muito veloz e possui um reflexo muito, mas muito privilegiado, que o possibilita prever a jogada, comparado a outros tenistas.

XX
A biografia de Roger Federer

Ah, sim. Federer também não se cansa.

As suas qualidades são inúmeras, entre elas ter sido capaz de dispensar seu treinador de vários anos, mostrando ser possível para um tenista se virar só, sem a ajuda de uma "babá".

Além disso tudo, Federer é simples, respeita seu adversário — dentro e fora das quadras — e se preocupa com o espetáculo em si, valorizando muito o público que o assiste.

Até a chegada de Federer, minha maior referência no tênis havia sido Rod Laver, mas Federer derrubou todos meus conceitos de excelência. Sem dúvida nenhuma, para mim, Federer é o melhor de todos, estando um degrau acima de Sampras, McEnroe, Borg, Connors e Laver.

Thomaz Koch

Um dos maiores tenistas brasileiros de todos os tempos, viveu boa parte da sua carreira na era amadora do tênis, quando o ranking não era computado e não havia registros dos principais resultados. Mesmo assim, estima-se que esteve entre os 15 melhores do mundo. Oficialmente, após a criação da lista, foi o 24º colocado, em 1974. Koch venceu alguns dos maiores nomes do esporte, como Rod Laver, Arthur Ashe, Guillermo Vilas, Ion Tiriac, Andres Gimeno, Manuel Santana, Björn Borg, entre outros. Foi campeão de duplas mistas em Roland-Garros e quadrifinalista de simples, em Wimbledon, no US Open e também em Roland-Garros. Ganhou torneios em diversos países, em simples e duplas, foi campeão Pan-Americano como jogador e capitão e até hoje é o 7º tenista da história com maior número vitórias nas duplas e o quarto, ao lado de Edison Mandarino, como melhor parceria, no Livro dos Recordes. No Brasil, dentro da Copa Davis, Koch é ainda o brasileiro que mais confrontos disputou — 44 em 16 anos —, detendo, no país, todos os recordes da competição. Ídolo de gerações de tenistas e amantes do esporte, é considerado o grande mestre brasileiro do tênis, tendo marcado definitivamente a história do esporte brasileiro, por seus resultados em quadra e pelo ser humano extraordinário que é.

Prefácio à edição brasileira

Roger Federer é, sem dúvida, o maior tenista de todos os tempos.

Por um bom tempo relutei em dizer isso. Considerava o Sampras mais vencedor, mais difícil de bater, mais "encardido". Com o tempo, porém, os seus resultados, as suas jogadas mágicas e a sua genialidade foram me convencendo e mostrando ao mundo que a perfeição existe. Se esta não é completa, pode ser confundida como tal por algumas pessoas.

Por ter participado da geração de Federer, pude assistir a seus jogos, treinar, conviver e bater papo com ele — e ver claramente que um gênio não nasce gênio. Ele é, pelo contrário, trabalhado e lapidado, com muito esforço.

Quem viu Roger jogar antes de virar o melhor tenista do mundo reconhece que ele era um bom jogador, um talentoso tenista, mas estava longe de ser o cara a ser batido nos torneios.

No vestiário, vivíamos dizendo que ele jogava muito bem, mas que lhe faltava afinco, tranquilidade e horas na quadra.

Federer era esforçado, mas não acima da média. Tudo isso mudou quando começou a trabalhar com Peter Lundgren. Quem antes o via treinar por algumas horas e não aproveitar mais que 60% do seu treino, começou a perceber que Federer agora não saía mais da quadra e que, como outros grandes campeões, conseguia aproveitar de forma integral o seu treinamento. Se treinava por uma hora, aquela uma hora valia a pena. Não se desconcentrava mais, não perdia tempo. Trabalhava duro e evoluía todos os dias.

O circuito vê essas mudanças e respeita os jogadores que se empenham. Em pouco tempo, todos queriam estar na quadra com ele, muitos agora voltavam ao vestiário e comentavam que o cara daria trabalho. Porém, ninguém imaginava o quanto. Nem um maluco diria, naquela época, que Federer iria bater todos os recordes existentes.

Federer conseguiu aproveitar toda a sua habilidade. Sua direita melhorou e começou a ter peso, sua esquerda ficou menos vulnerável, seu saque começou a machucar os adversários. Mas, sem dúvida, o que evolui mais foi sua mentalidade, sua gana, determinação e sede de vitória.

Tive o prazer de treinar com ele antes e depois dessa mudança. Se, mentalmente, sua evolução impressionava, técnica e taticamente isso ficava ainda mais notório. Federer começou a jogar demais.

Federer mostrou ao mundo do tênis que genialidade não tem nada a ver com pouco treino, relaxamento ou irresponsabilidade. Ele fez de sua habilidade uma arma, trabalhou a perfeição, focou os detalhes e colheu os frutos de sua dedicação.

Se uma pessoa que treina duro pode alcançar seus objetivos, um gênio que treina duro conquista o inimaginável — a perfeição.

Muitos me perguntam o que Roger Federer tem de diferente. Eu respondo: tudo. Se existe uma formula para a perfeição, os pais do Federer pegaram para eles e não dividiram com mais ninguém.

Fernando Meligeni

Tenista vencedor de 3 títulos da ATP Tour e medalha de ouro nos Jogos Pan-Americanos da República Dominicana, em 2003. Foi um de nossos melhores tenistas de todos os tempos, atingindo a 25ª posição do ranking da ATP. Brasileiro por verdadeiro amor à pátria, é um símbolo de empenho e garra dentro da quadra e uma inspiração para todos, como mostrou em suas inúmeras participações na Copa Davis e nas vitórias sobre os maiores jogadores do mundo.

Introdução
NINGUÉM ESPERAVA POR ELE

Dizer que os grandes feitos são precedidos por suas sombras se aplica ao tênis como a nenhum outro esporte. Entre o imenso número de jogadores juvenis ambiciosos e talentosos — às vezes, orientados, às vezes, forçados — pelo mundo afora, procurando por seus lugares no topo, normalmente os reais campeões se destacam do resto, desde muito cedo.

Eu nunca me esquecerei, por exemplo, de certo dia, na sala de imprensa em Wimbledon, em 1984, quando o meu colega alemão, Klaus-Peter Witt, a quem todos chamavam de "KP", veio correndo até mim, me segurou e me arrastou. "Venha ver! Venha ver!", ele gritava. "A Bomba Vermelha está aqui."

KP me guiou através da multidão até o lado sudeste do All England Club, para a quadra de número 13, onde havia uma grande comoção. As pessoas estavam nas pontas dos pés e mexendo a cabeça de um lado para o outro, a fim de conseguirem enxergar a quadra. Um jovem de 16 anos de idade, de cabelos ruivos e olhos azuis, estava massacrando o americano Blaine Willenborg. Ele liderava a partida por 6-0 e 6-0; enquanto isso, os jornalistas britânicos tentavam verificar qual fora a última vez em que um jogador terminou uma partida sem perder nenhum game em Wimbledon. Mas o adolescente os poupou dessa tarefa, ao perder 4 games no terceiro set.

Esse rapaz era uma força da natureza sem comparação; um jogador que punia as bolas com os seus saques e golpes brutais de fundo de quadra. O seu nome era Boris Becker. Por falar em Becker, o treinador alemão, Klaus Hofsaess, disse uma vez que "ele comeria até um rato para melhorar o seu forehand".* KP ficou entusiasmado. Becker, que já havia conseguido passar pela fase classificatória do torneio, também sobreviveu à partida da segunda rodada da chave principal, ao derrotar Nduka Odizor, da Nigéria. Na terceira rodada, Becker estava na quadra de número 2 — apelidada de "O Cemitério dos Campeões" —, enfrentando o americano Bill Scanlon, quando, no quarto set, tropeçou e machucou o tornozelo. Becker ficou no chão por causa de uma lesão severa nos ligamentos e teve de ser retirado da quadra carregado em uma maca.

À noite, KP e eu estávamos no bar do Gloucester Hotel Cassino e encontramos o treinador de Becker, Gunther Bosch. Perguntamos a ele como o garoto estava. Bosch espontaneamente nos deu a chave de um quarto e falou: "perguntem pessoalmente a ele."

Nós estávamos esperando ver um rapaz inconsolado e desanimado, porém Becker estava deitado na cama, assistindo à televisão, alheio à bandagem enorme em sua perna. Não havia nenhum traço de lamentação ou desânimo. "Olhem, sou eu, sou eu!", ele exclamava, empolgado, apontando para a TV, que mostrava o resumo do dia em Wimbledon. KP e eu nos entreolhamos, concordando que, se esse alemão não alcançasse o sucesso, então, quem alcançaria?

No ano seguinte, Boris Becker conquistou o título em Wimbledon com 17 anos de idade — o tenista mais jovem a vencer o campeonato.

Como Becker, a maioria dos campeões apareceu pela primeira vez no tênis com um grande estardalhaço. Stefan Edberg, da Suécia, o maior rival do alemão, surgiu na categoria juvenil e alcançou o Grand Slam ao vencer os 4 torneios mais importantes do tênis: o Australian Open, o Roland--Garros, o Wimbledon e o US Open. O norte-americano John McEnroe também apareceu como um jovem prodígio e chegou como um raio na semifinal de Wimbledon, em 1977, com apenas 18 anos de idade. Depois de passar pelo *qualifying*, virou assunto das manchetes pelo seu comportamento abrutalhado e temperamento impetuoso. Björn Borg alcançou as quartas de final de Wimbledon, em 1973, na sua primeira participação, aos 17 anos, e, um ano depois, conquistou o primeiro de seus 6 títulos em Roland-Garros; em

---

* Tamanha a sua vontade de aperfeiçoar a sua direita. (N.R.T.)

Introdução

1975, ele liderou o time sueco para o seu primeiro título na Copa Davis, ganhando todas as suas 12 partidas individuais durante o campeonato.

A lista continua. Pete Sampras mal havia completado 19 anos e já era o número 12 do mundo quando conquistou o título do US Open em Flushing Meadows, em 1990, derrotando Ivan Lendl, McEnroe e Andre Agassi nas últimas 3 partidas. Com apenas 17 anos, Agassi estava entre os 24 melhores jogadores do mundo, especialmente em virtude de seu poderoso forehand. Em 1982, o sueco Mats Wilander venceu Roland-Garros aos 17 anos de idade, em sua primeira participação. Em 2005, Rafael Nadal, da Espanha, fez o mesmo, conquistando o título 2 dias depois de ter completado 19 anos de idade.

As grandes campeãs tendem a aflorar ainda mais jovens. Steffi Graf, a jogadora profissional mais bem-sucedida, com 22 títulos de torneios do Grand Slam, já figurava entre as 100 melhores jogadoras do ranking mundial aos 13 anos de idade. Tracy Austin, Andrea Jaeger, Monica Seles, Jennifer Capriati, Ana Kournikova, Martina Hingis e Maria Sharapova — todas chegaram ao tênis profissional ainda muito jovens.

Eu ouvi falar sobre Martina Hingis quando ela estava com 9 anos e apareceu em uma coluna de resultados de um pequeno jornal local, em que era chamada de "Hingisova". Ela já era um fenômeno e tida mundialmente como uma grade campeã em potencial até mesmo antes de começar a jogar na WTA Tour, similar às histórias de Capriati e das irmãs Venus e Serena Williams.

Quando estava com 12 anos, Hingis jogou em Roland-Garros no juvenil (sub-18); lá havia, literalmente, um desfile de jogadores, técnicos, representantes da imprensa e torcedores que queriam ver esse fenômeno. Mark McCormack, o fundador e diretor de longa data do International Management Group (IMG), a maior agência esportiva do mundo, sentou-se nas arquibancadas, fascinado pela pequena garota, e assistiu a todas as suas partidas no campeonato.

Quando Hingis conquistou o título, tendo recebido o troféu e as flores na Quadra 2, no fim do torneio, Bud Collins, o comentarista de tênis mais famoso dos Estados Unidos, colunista do *Boston Globe* e um perito em calças coloridas,* sentou-se em um dos cantos da quadra. "Ei, Stauffer!", ele gritou

---

* Bud é famoso no tênis por suas roupas extravagantes. (N.R.T.)

para mim, por detrás de várias fileiras de pessoas. "Aí está o seu ganha-pão para, pelos menos, os próximos vinte anos!"

O que Collins quis dizer — e que também provou ser verdade — ficou evidente para mim com o passar dos anos. Um único jogador top de linha pode, fundamentalmente, mudar o cenário tenístico de um país — e também melhorar os prospectos dos jornalistas. KP teve essa experiência na Alemanha com Becker — por quem valia a pena viajar pelo mundo, cobrindo todos os grandes torneios. Antes do título de Becker em Wimbledon, KP brigava com os seus editores para ter a chance de cobrir mais o tênis. Agora, os seus editores o espremiam como uma laranja e o pressionavam por mais textos e matérias maiores. "Eu já escrevi 1.000 linhas", ele resmungou, em 1985, depois da vitória histórica de Becker em Wimbledon, "e eles ainda querem mais". Como eu poderia imaginar que isso aconteceria conosco, anos mais tarde, na Suíça?

Com Federer, tudo era diferente. Embora tenha sido considerado um talento prematuro, ele nunca foi visto como um jogador que poderia dominar o esporte. Muitos que o conheciam em sua juventude ficam hoje impressionados com o seu desenvolvimento. "Eu nunca pensei que ele poderia se tornar o número 1 do mundo. Ele não era nenhum *superman*. Era apenas mais um competidor como os demais", disse Dany Schnyder, um dos seus maiores rivais na juventude. O jogador profissional de tênis Michael Lammer, de Zurique, amigo de infância de Federer, disse: "você podia perceber que ele tinha um grande talento quando estava com 15 ou 16 anos, mas somente quando chegou ao topo da categoria juvenil, aos 17 anos, ficou claro que se tornaria um jogador de ponta."

Pessoas como Bud Collins nunca se sentaram nas arquibancadas para assistir a uma partida de Federer no juvenil. Era notável ele ter alcançado a primeira posição do ranking nessa categoria aos 17 anos e ter ganhado o título juvenil de Wimbledon em 1998. Isso, porém, não garantia, de forma alguma, que ele se tornaria um jogador profissional top de linha. Alguns anos teriam de se passar antes que um público maior o conhecesse, em âmbito mundial. No início de sua carreira, Federer era considerado um jogador muito talentoso, porém que parecia não tirar todo proveito de seu potencial. As pessoas achavam que ele estava fadado a ter um rendimento medíocre, ficando, por anos, conhecido como "o melhor jogador sem um título de torneio de Grand Slam".

Introdução

Ninguém esperava feitos grandiosos de Roger Federer — nem mesmo na Suíça. Quando apareceu pela primeira vez em cena, ele foi encoberto pelo sucesso de Hingis, que havia acabado de se destacar como uma grande força no tênis feminino. Quando estava a caminho de se tornar o melhor jogador na categoria juvenil, Hingis, apenas 312 dias mais velha que ele, já estava em seu ápice. Ela ganhou 3 dos 4 torneios de Grand Slam em 1997 e virou o centro das atenções — especialmente na Suíça. Por que as pessoas deveriam dar importância para Federer, um juvenil talentoso com um futuro incerto, quando a Suíça tinha a então número 1 do ranking mundial feminino?

Mesmo em seu próprio país, quase não se falava de Federer como o futuro número 1 do ranking. Na terra do esqui alpino, as pessoas eram cautelosas ao aumentarem suas expectativas. A ideia insólita de que um novo Boris Becker ou Pete Sampras poderia maturar entre os Lagos de Genebra e Constança dificilmente passaria pela cabeça de alguém. No entanto, isso não era desvantajoso para o jovem jogador. Muito pelo contrário: Federer poderia se desenvolver com calma e silenciosamente, sem ter de se sujeitar às pressões das expectativas dos seus pais e do público.

Contudo, Federer cresceu em um ambiente no qual o tênis profissional era muito difundido. O Swiss Indoors, um dos mais importantes torneios em ambiente fechado da ATP, acontecia a apenas uma pequena distância de sua casa, nos subúrbios da Basileia. Lynette, sua mãe, se envolveu na organização do torneio, e ele próprio foi um pegador de bolas, em 1994, chegando até mesmo a tirar uma foto com Jimmy Connors quando tinha 13 anos de idade.

O tênis masculino da Suíça tinha uma história pequena e, de certa maneira, bem-sucedida, pouco antes e depois do nascimento de Federer. Heinz Günthardt, de Zurique, um pouco prematuramente celebrado como o novo Björn Borg depois de seus triunfos como juvenil em 1976, foi o pioneiro da Suíça na década de 1970. Naquela época, quando as pessoas ainda tinham dificuldade para soletrar as iniciais ATP (de Association of Tennis Professionals), Günthardt venceu os torneios juvenis de Roland-Garros e Wimbledon, aos 17 anos. Embora não tenha correspondido às expectativas no tênis profissional — principalmente por causa de um problema crônico em seus quadris —, ele conseguiu alcançar o primeiro lugar em Springfield, Massachusetts, ao vencer o seu primeiro torneio em simples da ATP.

Günthardt tornou-se o primeiro jogador suíço a conquistar a chave juvenil de simples em Wimbledon, tendo perdido no *qualifying*, e entrou na chave principal como um *lucky loser* — aquele que tem a sorte de ingressar em um torneio após a desistência de um jogador, fato que permite aos tenistas eliminados no *qualifying* conseguirem uma vaga no torneio principal. Chegou às quartas de final do US Open, em 1985, e conquistou os títulos de duplas nos torneios de Wimbledon e Roland-Garros. Depois que encerrou a sua carreira, Günthardt foi o técnico de Steffi Graf, ajudando-a a conquistar 12 dos seus 22 títulos de torneios do Grand Slam.

Logo depois que a carreira de Günthardt terminou, em meados da década de 1980, o tenista suíço Jakob Hlasek alcançou a posição de número 7 do ranking mundial, em 1989. Depois de Hlasek, veio Marc Rosset, que conquistou a medalha de ouro nas Olimpíadas de Barcelona, em 1992.

Rosset, com seus 2,01 metros de altura, era alguém que Federer poderia admirar na plenitude de sua grandeza, porém o homem de Genebra era também um jogador consistente, que figurava entre os 20 melhores do mundo em meados da década de 1990. Juntamente com Hlasek, Rosset liderou a Suíça na sua única aparição nas finais da Copa Davis, em 1992, na qual o time suíço perdeu para os Estados Unidos.

Rosset foi um dos primeiros a reconhecer o potencial de Federer. "Ele tem tudo que precisa para se tornar um jogador de primeira grandeza — talento, ambição, uma boca esperta e a resistência necessária para perdurar", disse. Rosset também queria ajudar Federer, que era 11 anos mais novo. Para isso, virou o mentor do jovem tenista. Federer se sentiu muito próximo a ele também. "Talvez porque nós somos brincalhões, honestos, diretos, desinibidos, animados e um pouco desordeiros", comentou.

Entretanto, a simpatia de Rosset por Federer não chegou ao ponto de permitir que ele ganhasse a disputa quando eles se enfrentaram na quadra, anos mais tarde. A primeira partida deles ocorreu na final do torneio da ATP, em Marseille, no ano de 2000, na qual Rosset venceu depois de um *tie break* no terceiro set da única final individual da ATP entre 2 tenistas suíços.

Mesmo não tendo crescido em um país com um grande apoio ao tênis, a Suíça também não era totalmente desprovida de condições para o nascimento de um grande jogador. Portanto, Federer não via nenhuma razão para um suíço não chegar às posições mais altas do tênis mundial.

Parte 1

1

De Kempton Park à Basileia

A vila de Berneck está situada ao nordeste da Suíça, no vale de St. Gall Rhine, onde os sopés alpinos são beijados pelos famosos ventos Foehn* e os habitantes falam um dialeto rústico de alemão. As pessoas dessa vila se sentem mais ligadas à Áustria e com seu Estado de Vorarlberg — que se localiza do outro lado do rio Reno — do que com as principais cidades da Suíça, como Zurique, Bern ou Genebra. A alguns quilômetros para o norte, o Reno flui para o lago de Constança, cujas águas banham a Áustria, a Alemanha e a Suíça.

O pai de Roger, Robert, cresceu em Berneck como o filho de um trabalhador da indústria têxtil e uma dona de casa. Aos 20 anos de idade, ele deixou o lugar e seguiu o curso do Reno até chegar à Basileia, uma cidade fronteiriça no triângulo entre a Suíça, a Alemanha e a França, onde o rio faz uma curva e flui para o norte, para fora do país. A Basileia é onde algumas das mais importantes companhias químicas estão localizadas e onde Robert Federer, um jovem laboratorista químico, encontrou seu primeiro trabalho, na Ciba, uma das principais companhias químicas do mundo.

---

* São ventos fortes, quentes e secos que ocorrem geralmente em latitudes tropicais, provocados pelo ar que consegue transpor montanhas e descer abruptamente em sotavento. (N.E.)

10 A biografia de Roger Federer

Depois de 4 anos na Basileia, Robert Federer decidiu emigrar, deixando a Suíça, em 1970. Foi por coincidência, e também em virtude de algumas formalidades, que escolhera a África do Sul: entre outras coisas, ele poderia conseguir um visto de emigração com relativa facilidade em um país dominado pelo Apartheid. Também foi uma coincidência conseguir um emprego na mesma indústria em que trabalhou na Suíça, a Ciba. A companhia química, juntamente com outras várias companhias estrangeiras, localizava-se em Kempton Park, um subúrbio de Johanesburgo, próximo ao aeroporto internacional.

Foi em Kempton Park que Robert conheceu Lynette Durand, que trabalhava para a Ciba como secretária. Lynette tinha 3 irmãos; seu pai era um supervisor, e sua mãe, enfermeira. Na fazenda de sua família, a língua falada era o africânder, mas Lynette havia frequentado uma escola inglesa e sua intenção era guardar dinheiro, o mais rápido possível, e viajar para a Europa. Ela preferia ir para a Inglaterra, onde seu pai havia servido durante a Segunda Guerra Mundial.

Robert Federer é um homem modesto e despretensioso, que, normalmente, mantém-se fora dos holofotes. Prefere observar e escutar com atenção e, então, tomar as decisões desejadas. Tem estatura baixa, um nariz proeminente e um distinto bigode. É atlético, forte, esperto, engraçado, cosmopolita e tranquilo. Nada o caracteriza melhor do que a sua risada espalhafatosa, a qual faz seus olhos parecerem pequenas fendas, erguendo as suas grossas sobrancelhas. Apesar de sua cortesia, Robert Federer sabe muito bem como se defender quando irritado. Ele é prático e decidido. Uma retratista uma vez o descreveu como sendo "cáustico, semelhante a um urso".

Lynette, a charmosa secretária de olhar penetrante, então com 18 anos de idade, deixou uma ótima primeira impressão em Robert Federer quando ele a viu na cantina da empresa, em 1970. Eles se conheceram e, por fim, acabaram namorando. Robert levou Lynette para o Clube Suíço em Johanesburgo para lhe apresentar o seu novo hobby — o tênis. A jovem, que costumava praticar hóquei sobre a grama, ficou entusiasmada com o esporte e começou a jogar regularmente. O casal passou por momentos maravilhosos na África do Sul — o Apartheid quase não os afetou.

Robert Federer não sabe muito bem explicar a razão de eles terem mudado para a Suíça, em 1973. "Tínhamos a sensação de sermos como pássaros migratórios", explica. Quando voltou para a Basileia, frequentemente se perguntava o porquê de não terem ficado na África, especialmente em virtude de sua esposa ter admitido que tinha dificuldades em se adaptar aos confins da Suíça e à mentalidade limitada daqueles que lá viviam. "Mas as

De Kempton Park à Basileia

pessoas se adaptam rapidamente", ela afirma. Eles se casaram e, em 1979, nasceu sua filha, Diana. Vinte meses depois, Lynette Federer deu luz a um filho, na manhã do dia 8 de agosto de 1981, no hospital da Basileia. Os pais de Roger, logo nas suas primeiras horas de vida, sentiram que seria bom para o seu filho ter um nome que fosse fácil de pronunciar em inglês — e assim escolheram o nome Roger Federer.

O nome Federer já era familiar em Berneck antes de 1800, mas, na verdade, é um nome extremamente incomum para um clã na Suíça. O Federer mais famoso até aquela época era Heinrich Federer, um padre que se tornou poeta e morreu em 1928. Em 1966, no seu centenário, ele foi imortalizado em um selo suíço.

Na década de 1970, a Companhia Ciba, na qual Robert e Lynette Federer continuavam a trabalhar, na Suíça, patrocinou um clube de tênis em Allschwil, subúrbio da Basileia. A família Federer prontamente passou a ser um grupo de jogadores regulares. Lynette, que demonstrava um grande talento para o esporte, teve como seu maior triunfo tornar-se membro do time do campeonato sênior de interclubes da Suíça, em 1995. Ela amava tanto esse esporte que logo se transformou em uma instrutora de juvenis de tênis do clube. Mais tarde, Lynette se envolveu com a organização do campeonato Swiss Indoors, torneio da ATP que acontece na Basileia, trabalhando no departamento de credenciais.

Robert Federer também era um entusiasta comprometido do tênis e jogador ranqueado regionalmente. Ele e sua esposa, depois de algum tempo, começaram a praticar com mais intensidade o golfe, mas, ainda assim, naquela época, o tênis vinha em primeiro lugar. Lynette frequentemente levava seu filho às quadras. O jovem Roger era fascinado por bolas desde muito novo. "Ele queria brincar de bola o tempo inteiro — e tinha apenas um ano e meio", sua mãe recorda. Suas habilidades eram óbvias: ele mal podia andar, mas já conseguia agarrar bolas grandes. O pequeno Roger rebateu sua primeira bola de tênis sobre a rede aos 3 anos e meio de idade. Aos 4 anos, já conseguia rebater de 20 a 30 bolas sucessivamente. "Ele tinha uma coordenação incrível", conta seu pai.

A família Federer não era rica nem pobre; fazia parte da sólida classe média suíça. Roger cresceu em uma casa com quintal em um bairro tranquilo de Wasserhaus, em Münchenstein, subúrbio da Basileia. Impulsivo e ambicioso, ele não era uma criança fácil. "Perder era um desastre para ele, até mesmo em um jogo de tabuleiro", lembra seu pai. Ele era geralmente "um bom rapaz, mas quando não gostava de alguma coisa, podia ficar muito agressivo". Às vezes, dados e peças de jogos de tabuleiro voavam pela sala de estar.

Mesmo ainda quando garotinho, recorda sua mãe, Roger sempre fazia o que queria e procurava ir além de seus limites, tanto no que se referia a seus professores, na escola, ou a seus pais, em casa, quanto com relação aos esportes. "Ele era muito inquieto, tinha muita energia e, por vezes, era muito difícil lidar com isso", diz Lynette. Quando forçado a fazer algo, ele não gostava e reagia veementemente. Quando ficava entediado, tentava entender o porquê ou apenas ignorava o fato. Quando seu pai lhe dava instruções na quadra de tênis, Roger nem sequer olhava para ele.

Porém não era um rapaz arrogante; pelo contrário, era um garoto popular, sempre amigável e bem-educado. Seu porte era bem atlético. Praticou natação, esqui, skate e luta greco-romana, porém eram os esportes com bola que o fascinavam. Jogou futebol, handebol, basquete, tênis de mesa, tênis e, em casa, até mesmo jogava badminton, usando a cerca do vizinho como rede improvisada. Sempre tinha uma bola consigo, até mesmo no caminho para escola. Um de seus maiores ídolos vinha da NBA: era Michael Jordan, do Chicago Bulls. Sempre estava na rua em seu tempo livre. Trabalhos na sala de aula que lhe exigiam ficar sentado, quieto e concentrado não combinavam com ele. Como aluno, não era muito ambicioso, e suas notas eram medianas.

Robert e Lynette eram os pais ideais para um fanático por esportes como Roger. Eles o deixavam livre para correr quando tinha vontade, porém não o forçavam. "Ele tinha de estar sempre em movimento, caso contrário, ficava insuportável", afirma Lynette. Ela e seu marido o encorajavam a fazer vários tipos de esportes. Eles o levavam ainda muito novo a um clube de futebol chamado Concordia Basel para que interagisse com os colegas de time e aprendesse a jogar em equipe.

Sua mãe, contudo, se negava a dar aulas de tênis para o filho. "Eu não me considerava apta para fazer isso, e ele iria acabar me chateando, de um jeito ou de outro", confessa. "Ele era muito brincalhão. Tentava todo o tipo de rebatida estranha e nunca retornava uma bola do jeito normal. Isso simplesmente não é divertido para uma mãe."

Por horas, Roger se entretinha jogando uma bola de tênis contra a parede, o portão da garagem, em seu quarto ou até mesmo contra o armário da cozinha. Os quadros e as louças não estavam a salvo, e nem mesmo o quarto de sua irmã era poupado. "As coisas, às vezes, quebravam", Roger confessa hoje em dia. Diana não teve uma convivência fácil com o caçula da família e era forçada a aguentar, sem reclamar, as peraltices de seu irmão desordeiro. "Ele sempre aparecia gritando quando eu estava com meus amigos

De Kempton Park à Basileia

e pegava a extensão quando eu estava ao telefone", revela Diana. "Ele era um capetinha."

Como normalmente acontece com os irmãos de pessoas muito talentosas, não era nada fácil para Diana ficar à sombra do irmão. Todas as vezes em que a família saía reunida, cada vez mais, Roger se tornava o centro das atenções. Lynette, certa vez, chamou a filha de lado: "Diana, não é diferente com a sua mãe também", disse para ela. "Muitas pessoas vêm conversar comigo, mas o assunto sempre é seu irmão."

Diana, na época uma aspirante a enfermeira, assistia aos jogos do irmão apenas ocasionalmente. No Masters Cup de 2005, em Xangai, por exemplo, ela e sua mãe saíram no meio de uma partida para viajar, de férias, para a África do Sul. Diana tem orgulho do irmão, mas prefere ficar longe dos holofotes e não segue assiduamente todos os detalhes da carreira dele. Por isso, quando assistiu a Roger jogar contra Tomas Berdych, da República Tcheca, no Swiss Indoors, em 2005, ela não tinha ideia que Berdych havia, surpreendentemente, derrotado seu irmão nos Jogos Olímpicos de Atenas um ano antes, arrancando, assim, seu sonho de ser um medalhista olímpico.

Um garoto descobre o tênis

O primeiro ídolo de Roger Federer foi Boris Becker. Ele tinha 4 anos quando Becker ganhou seu primeiro título em Wimbledon, em 1985, e, por conta disso, o tênis virou uma febre entre o povo alemão, depois da vitória épica de seu compatriota. Roger chorou amargamente quando Becker perdeu para Stefan Edberg nas finais de Wimbledon de 1988 e 1990. Quando garoto, assistia por horas a partidas de tênis pela televisão. Sua mãe ficava impressionada com os detalhes que ele conseguia memorizar.

"Eu gostava de tênis mais do que qualquer outro esporte", Roger relembra. "Era sempre empolgante, e ganhar ou perder sempre estava em minhas mãos." Logo após entrar na escola, ele rapidamente se tornou o melhor jogador de sua faixa etária e lhe foi concedida a permissão para participar de sessões especiais de treinamento 3 vezes por semana, em uma associação livre de clubes situados na Basileia e em suas imediações. Foi nesses treinamentos especiais que Roger conheceu Marco Chiudinelli, outro jovem talentoso, um mês mais novo que ele, também proveniente de Münchenstein. Eles se tornaram amigos e passavam muito tempo juntos fora das quadras.

Após o treinamento, os garotos, às vezes, jogavam squash, com suas raquetes de tênis, futebol e tênis de mesa, um contra o outro. Seus pais corriam e andavam de bicicleta juntos. Quando um grupo regional forte foi formado, Roger e Marco, ambos com 8 anos de idade, se tornaram

Um garoto descobre o tênis

membros desse grupo, porém jogando em clubes diferentes — Federer no Old Boys Tennis Club, onde as condições de treinamento eram melhores em relação ao clube de tênis da Ciba, em Allschwil, e Chiudinelli no Lawn Tennis Club, da Baselia.

"Havia muito barulho quando estávamos nos treinamentos", lembra Chiudinelli. "Nós mais falávamos que treinávamos. O treinamento não parecia muito importante para a gente. Só queríamos nos divertir e ficar de bobeira, brincando. Um de nós era sempre expulso da quadra."

Federer e Chiudinelli logo se tornaram as ovelhas negras do grupo, e seus pais ficaram bravos ao descobrirem que um ou outro havia ficado de fora, por motivos disciplinares, apenas assistindo ao treinamento.

"Roger perdia praticamente para quase todo mundo nos jogos de treino", disse Chiudinelli. "Ele era o único de quem eu ganhava, mas a diferença era enorme. Quando a coisa era para valer, era como se ele apertasse um botão e se transformasse em uma pessoa completamente diferente. Eu admirava essa sua qualidade. Eu poderia vencê-lo facilmente em um treinamento, mas quando jogávamos em um torneio, mesmo que fosse um dia depois, era ele quem vencia com facilidade. Mesmo naquela época, ele já era um competidor de verdade."

Os dois garotos de 8 anos jogaram um contra o outro oficialmente, pela primeira vez, em um campeonato chamado The Bambino Cup, em Arlesheim. "Naquela época, nós jogávamos apenas um longo set de 9 games", explica Chiudinelli. "As coisas não estavam indo bem para mim no começo. Estava perdendo de 2-5 quando comecei a chorar. Nós chorávamos muito naquela época, mesmo durante as partidas. Roger veio até mim e tentou me consolar quando estávamos trocando de lado. Ele me disse que tudo daria certo, e foi o que realmente aconteceu. Eu tomei a liderança da partida por 7-6 e percebi que o jogo havia mudado de mãos. E então foi a vez de Roger começar a chorar; eu corri até ele e o encorajei, e as coisas melhoram para ele também. Porém, essa foi a única vez em que pude vencê-lo."

Roger treinou com Adolf Kacovsky, um instrutor de tênis do The Old Boys Tennis Club, a quem todos chamavam de "Seppli". Como muitos de seus compatriotas tchecos, durante a Primavera de Praga, em 1968, Kacovsky fugiu da Tchecoslováquia e dos tanques russos que invadiram a capital tcheca para resfriar a rebelião. Um ano depois, pela Tunísia, ele chegou à Basileia, onde foi o principal profissional do clube até 1996.

"Eu notei, de imediato, que esse menino era um talento nato", comenta Kacovsky sobre Federer. "Ele nasceu com uma raquete nas mãos." No começo,

Federer tinha aulas em grupo, mas não tardou para que começasse a receber atenção especial e individual. "O clube e eu rapidamente percebemos que ele era extremamente talentoso", diz Kacovsky. "Nós começamos a lhe dar aulas particulares, que eram parcialmente pagas pelo clube. Roger aprendia muito rápido, quando ensinávamos a ele algo novo aprendia depois de três ou quatro tentativas, enquanto outros do grupo precisavam de semanas."

O pupilo notório não era apenas talentoso e apaixonado pelo esporte mas também ambicioso. Kacovsky conta que Roger sempre dizia que queria se tornar o melhor do mundo. "As pessoas riam dele, inclusive eu", confessa. "Eu achava que ele poderia ser, talvez, o melhor jogador da Suíça ou da Europa, mas não o melhor do mundo. Mas ele colocou isso na cabeça e trabalhou nesse sentido."

Contudo, a carreira de Roger no clube, em relação aos torneios, começou com um fiasco. Em seu primeiro campeonato, aos 8 anos, ele perdeu sua primeira partida de verdade por 6-0 e 6-0, embora, em sua própria opinião, não tivesse jogado tão mal. E, como esperado, Federer chorou depois de ter perdido. "Seu adversário era muito maior", explica Kacovsky. "Ele também estava muito nervoso em seu primeiro jogo competitivo."

Roger sempre procurava por pessoas para treinar com ele e, se não encontrasse, treinava batendo e rebatendo bolas na parede, repetidamente, por horas. Aos 11 anos, a revista de tênis suíça *Smash* se interessou por ele. Um pequeno artigo sobre o jovem Federer foi publicado em outubro de 1992, após ele ter chegado às semifinais do campeonato Youth Cup, da Basileia, uma porta de entrada para o tênis competitivo. Embora Roger estivesse melhorando rapidamente, ainda sofria muitas derrotas amargas. Dany Schnyder, o irmão caçula da tenista Patty Schnyder, que se tornaria uma jogadora de ponta, se tornou seu arquirrival e principal adversário como juvenil. "Eu tentava tudo que podia, mas não fazia diferença alguma", recorda Roger. "Eu sempre perdia e perdia, sem deixar dúvidas."

Schnyder, 6 meses mais velho que Roger, cresceu na vila vizinha de Bottmingen e tem lembranças carinhosas de seus duelos com Roger na época em que eram juvenis. "Nós jogamos um contra o outro 17 vezes entre os 8 e 12 anos", revela. "Ganhei 8 das primeiras 9 partidas, mas perdi as últimas 8. Roger sempre jogou agressivamente. Eu apenas me preocupava em manter a bola na quadra, na maioria das vezes. Nada funcionou para ele no começo. Suas apostas não davam certo. Essa foi, provavelmente, a razão pela qual eu consegui aquelas vitórias. Porém, de uma hora para outra, seus golpes começaram a entrar."

Um garoto descobre o tênis

"Eu fiquei surpreso ao ver Roger subindo para o topo de repente", confessa Schnyder, que por fim deixou sua carreira de tenista para ingressar na faculdade. "Qualquer um percebia que ele tinha bons golpes aos 11 ou 12 anos de idade, mas eu nunca imaginei que ele se tornaria o número 1 do mundo. Eu acho muito grandioso o que ele conseguiu — mas para mim ele não é um ídolo, uma celebridade mundial ou um super-herói. Todas as vezes que nos vemos, ele ainda é a mesma pessoa de quando eu o conheci pela primeira vez."

Schnyder também corrobora o fato de que Federer não levava as partidas de treinamento tão a sério quanto as partidas dos campeonatos. "Quando as coisas eram para valer, ele sempre dava o máximo de si", diz. O próprio Federer tinha consciência de que o seu rendimento nos treinos deixava a desejar. "Eu era assíduo, mas não gostava de treinar", revelou anos mais tarde. "Meus pais sempre me diziam: você deve levar os treinamentos mais a sério; mas eu sempre tinha as mesmas dificuldades para me sentir motivado. Eu era um jogador de competição."

Emoções negativas frequentemente tomavam conta dele. "Quando as coisas não iam do jeito que ele queria, ele xingava e arremessava a raquete", explica Kacosvky. "Era muito ruim, às vezes eu tinha de intervir."

"Eu constantemente xingava e arremessava a minha raquete para qualquer canto", relata Federer. "Era ruim. Meus pais ficavam com vergonha e me diziam para parar com aquilo ou não me acompanhariam mais nos campeonatos. Eu tive de me acalmar, mas esse foi um processo extremamente longo. Acredito que estava procurando pela perfeição muito cedo."

Em 1993, aos 11 anos, Roger ganhou seu primeiro título nacional suíço, derrotando Chiudinelli em Lucerna, na final do campeonato Swiss Indoors sub-12. Seis meses depois, ele derrotou Schnyder na final do campeonato suíço em ambiente aberto sub-12, em Bellinzona. Essas duas vitórias foram muito importantes para Federer, um sinal de que estava evoluindo. "Eu pensei: aha! Eu consigo competir", conta. "Eu tenho capacidade para isso."

Michael Lammer, proveniente de Zurique, um ano mais novo que Federer, lembrou que, naquele tempo, ele ainda estava progredindo. "Dava para perceber que ele era um talento, mas, nessa idade, é difícil dizer que um jogador genial está nascendo. No começo, ele ainda tinha problemas com o seu backhand, pois o fazia com uma mão só e não tinha força suficiente. Por isso, ele dava muitos slices. Mas o seu forehand já estava completamente formado."

Os duelos entre eles eram explosivos, segundo Lammer. "Era caótico, às vezes", revela. "Nós jogamos por volta de 5 ou 6 vezes antes de completarmos 14 anos. Ele era muito emotivo. Nossos jogos eram bem equilibrados, mas ele ganhava força nos momentos decisivos porque fazia a coisa certa instintivamente. Por isso eu nunca fui capaz de ganhar dele."

Roger, além de tênis, ainda jogava futebol pelo clube, mas os vários treinamentos exigidos por ambos os esportes eram muito difíceis de conciliar. Então, aos 12 anos, ele decidiu deixar o futebol e se concentrar no tênis. A escolha não foi difícil, mesmo com seus treinadores dizendo que ele tinha um grande talento. "Eu marquei alguns gols, mas não fazia nada especialmente bem", diz Roger. "Nós ganhamos alguns torneios regionais, porém eu já havia conquistado um título nacional de tênis." Seu grande talento não estava em seus pés, mas, sim, em sua mão direita.

A busca de Roger pela perfeição também o levou a optar pelo tênis em vez do futebol — não que ele fosse antissocial, mas, pelo fato de o futebol se tratar de um jogo coletivo, Federer simplesmente dependia muito de seus companheiros de time. Como jogador de futebol, ele não apenas teria de lidar com as suas próprias imperfeições mas também com as de seus companheiros. Isso não daria certo a longo prazo. Federer já tinha o bastante para se aborrecer com os seus próprios erros.

Depois de seu 9º aniversário, Federer às vezes treinava no Old Boys Tennis Club com Peter Carter, um jovem instrutor assistente. O australiano, que queria que todos o chamassem de Peter, fossem donas de casa ou diretores de banco, era um homem simpático e sério, de cabelos louros e lisos, que caiam despenteados sobre sua testa. Tinha grandes olhos azuis e uma voz agradável. Ele nasceu em 1964, em Nuriootpa, uma pequena cidade com 40 produtores de vinho no Vale de Barossa, ao sul da Austrália. Como membro do Instituto de Esportes da Austrália, Peter se tornou um profissional de tênis, porém não chegou a ser um jogador de ponta. A melhor posição que teve no ranking, em sua carreira, foi a de número 173.

Em 1984, Carter jogou no circuito satélite suíço, um torneio profissional de importância menor, e, apesar de não ter tido muito sucesso, a sua estadia na Suíça se mostrou fatídica. O Old Boys Tennis Club o convidou para jogar no time B da liga de tênis nacional do clube. Carter aceitou o convite. Em pouco tempo, ele não estava apenas jogando no time como

Um garoto descobre o tênis

também era um treinador ativo do clube, e, no início da década de 1990, a sua carga de trabalho estava só aumentando.

Em 1993, o Old Boys Tennis Club ofereceu a ele a posição de treinador definitivo, com a finalidade de construir um programa de treinamento para jovens jogadores de tênis. Carter aceitou, passando a treinar um grupo que incluía um garoto de 12 anos, Roger Federer. "Peter não era apenas o técnico ideal para Roger, era também um bom amigo", lembra Seppli Kacovsky. "Ele era um excelente instrutor e psicólogo."

"A primeira vez que o vi", disse Carter, certa vez, sobre o futuro número 1 do mundo, "Roger raramente subia a rede. Percebia-se seu talento logo de cara. Roger era capaz de fazer muitas coisas com a bola e com a raquete desde muito jovem. Ele era brincalhão e queria principalmente se divertir". Federer, segundo ele, era muito espontâneo e coordenado em todos os sentidos. "Ele tinha uma noção muito grande ao bater na bola e possuía um ótimo forehand", comenta Carter. "Ele aprendia com rapidez e facilidade extraordinárias, incluindo o que ele via Boris Becker ou Pete Sampras fazerem pela TV. Estava em progresso constante."

Quando Roger estava com 13 anos, o seu sonho se transformou em uma obsessão — ele queria se tornar o jogador número 1 da Suíça e, assim, ficar entre os 100 primeiros no ranking mundial. O seu nível de jogo e sua posição no ranking o permitiam jogar em competições juvenis internacionais. Nesse ínterim, ele já não era mais tão fã de Boris Becker; tornou-se um entusiasta de Stefan Edberg, o rival sueco daquele.

A ideia de mandar Roger para o Centro Nacional de Tênis da Suíça, na cidade de Ecublens, veio por volta do inverno de 1994/1995. Seus pais estavam satisfeitos com Peter Carter e com as condições de treinamento, porém o programa do Centro Nacional de Tênis — ou o programa Tennis Etudes — tinha sido fundado pela Federação Suíça de Tênis e, por isso, era financeiramente mais atraente para os Federers.

Oito garotos e quatro garotas treinavam no Centro Nacional de Tênis, no Lago de Genebra, onde haviam técnicos qualificados à disposição deles. Os estudantes poderiam optar por viver hospedados em uma casa de família e frequentar escolas públicas, nas quais eram liberados de certas matérias. Uma das figuras centrais do programa era Pierre Paganini, que, como Peter Carter, teria um papel central na carreira de Federer. Ex-atleta de decatlo e professor de esportes formado, Paganini era preparador físico e chefe administrativo em Ecublens.

Quando seus pais perguntaram para Roger se ele estava interessado em ir para Ecublens, ele disse que não. Contudo, seus pais ficaram ainda mais surpresos, tempos mais tarde, quando leram em uma revista sobre tênis uma declaração de seu filho falando sobre a sua intenção de se formar no programa. Em março de 1995, Federer foi, entre 15 candidatos, fazer o teste de admissão, que incluía uma corrida de 12 minutos — um teste de resistência —, demonstrações de suas habilidades na quadra e um jogo-teste. Federer logo convenceu Pierre Paganini e Christophe Freyss, o técnico nacional, que tinha habilidades para se tornar um aluno do Centro Nacional de Tênis. Eles o informaram, enquanto ainda estava em Ecublens, que ele havia passado nos exames.

3

Saudades de casa

Talvez tudo tivesse sido diferente na carreira de Roger Federer se não houvesse a família Christinet em Ecublens. A família sempre era contatada por oficiais do Centro Nacional de Tênis quando precisavam de uma casa para hospedar jovens talentos. Dois dos três filhos da família Christinet já haviam saído de casa, portanto havia lugar suficiente na casa deles. Além do mais, a família não queria que o caçula, Vincent, ficasse sozinho. Roger foi o segundo aluno do programa de treinamento a ser hospedado pela família.

Roger, que havia acabado de completar 14 anos, mudou-se para a residência dos Christinets após as férias de verão, em 1995. Apesar de Ecublens estar a apenas 3 horas de trem da casa de Federer, em Münchenstein, Roger se encontrou, de repente, em um mundo estranho. Ele descreveu seus primeiros 5 meses em Ecublens como uns dos piores de sua vida, chegando mesmo a usar a palavra "inferno". "Eu simplesmente não era feliz lá", conta. "Eu ficava longe de meus pais por semanas, não sabia falar francês e não tinha nenhum amigo. Era difícil me motivar e ficava triste a maior parte do tempo."

A língua era uma enorme barreira. Graças à sua mãe, Roger sabia um pouco de inglês, entretanto, isso não o ajudou nesse caso. O francês era a língua falada no Lago de Genebra — tanto nas escolas quanto na quadra de tênis. "Quando ele chegou, não sabia uma palavra sequer em francês", diz Cornelia Christinet, a dona da casa. "E meu filho, que tinha quase a mesma idade de Roger, não sabia nada de alemão." Pelo fato de ser nativa do lado alemão da

Suíça, pelo menos ela conseguia se comunicar com seu jovem hóspede na língua nativa dele, e assim fazia periodicamente. "Nós nos demos muito bem", lembra. "Era muito fácil nos relacionarmos com ele."

Roger ganhou seu primeiro título sub-14 em julho, mas, em Ecublens, ele era o mais jovem no programa, e seus companheiros de treino eram muito mais fortes que os tenistas mirins contra quem estava acostumado a jogar. Antes de tudo, ele tinha de ganhar respeito, mas estava com saudades de casa, para onde ligava constantemente. Federer esperava, ansioso pelas sextas-feiras, quando pegava um trem direto para casa para passar o fim de semana com sua família e seus amigos, como Marco Chiudinelli, que não seguiu o caminho para Ecublens. "Eu era sempre o melhor e o mais velho, mas agora era, de uma hora para outra, o mais novo e o pior", lembra Roger. "Eu queria voltar para casa. Meus pais me ajudaram na época, me convenceram a persistir."

Lynette estava convencida de que a principal razão para ele não desistir e voltar para casa era o fato de seus pais nunca o terem forçado a entrar no Centro Nacional de Tênis. "Ele decidiu por si só, e as consequências disso só se tornaram claras para ele mais tarde", diz. "Ele lutou para continuar seu caminho porque era o que ele queria."

Cornelia Christinet não percebeu a intensidade da saudade que Roger sentia de sua casa. "Se ele chorava, o fazia no seu quarto", comenta. "Eu somente notei que ele telefonava para sua mãe com frequência, toda noite falava com ela por uma hora. Isso não me incomodava. É normal na idade que tinha. Ele era muito apegado aos seus pais e demoraria um tempo até que se acostumasse a viver com uma família estranha."

Roger pelo menos tinha o caçula da família Christinet, Vincent, que se tornou quase um irmão para ele durante os dois anos que ficou em Ecublens. "Eles ficavam no quarto de brincar no segundo andar da casa todas as noites — brincando e fazendo bagunça", Cornelia recorda. "Roger logo perdeu a sensação de estar em uma família estranha." Roger e Vincent criaram uma amizade que continuou com a carreira profissional de Federer. Anos mais tarde, Roger convidava Vincent para suas festas de aniversário e dava a ele ingressos para eventos como Wimbledon ou o Masters Cup de Xangai.

Sua mãe substituta quase não conseguia tirá-lo da cama pela manhã — "às vezes, tinha de ir acordá-lo umas 20 vezes", exagera. Era usual ele acordar em cima da hora, ter de se vestir às pressas, pegar a sua bicicleta e sair correndo sem tomar café. Roger ia de bicicleta da casa de sua nova

Saudades de casa

família para a escola e para o centro de tênis, fosse no verão ou no inverno. Seus hábitos alimentares eram singulares — ele não comia carne, preferia macarrão ou pizza e enormes quantidades de cereal matinal. "Ele descia as escadas, de hora em hora, para pegar uma tigela cheia de leite", lembra Cornelia. "Eu não achava muito saudável, mas, mesmo assim, deixava, com o consentimento de seus pais."

A primeira criança que a família Christinet hospedou era bem diferente de Roger. "Com relação ao primeiro menino, sua mãe sempre o estava perseguindo, não lhe dava espaço nem para respirar e o aborrecia constantemente. Ela ligava todos os dias por causa disso ou daquilo, que era para ele não se esquecer de colocar as meias, enfim, esse tipo de coisa." Esse garoto, de acordo com Cornelia, não foi muito longe no tênis.

Era completamente diferente com os Federers. Eles eram tolerantes e compreensivos. "Eu aprendi muito com eles", diz Cornelia. "Do ponto de vista educacional, eles eram perfeitos. A mãe do primeiro garoto talentoso tinha grandes expectativas — a mãe! No caso do Roger, era ele quem queria se tornar um grande jogador. Seus pais estavam lá para lhe dar apoio e ajudá-lo com o que fosse necessário, mas eles nunca o forçaram a nada. Eles o deixavam livre para que cuidasse de suas coisas e não eram superprotetores. Acreditavam e confiavam nele. Não brigavam com ele quando alguma coisa não dava certo com os treinadores ou na escola. Conversavam com Roger e explicavam que os treinadores e os professores também tinham um trabalho a fazer."

Roger frequentava a escola de ensino médio La Planta, em Ecublens, e compensava parcialmente as aulas que perdia por causa dos treinamentos com aulas particulares.

"Ele não tinha muito interesse pela escola", revela Annemarie Rüegg, a diretora administrativa do Tennis Etudes. "Por vezes, ele caía no sono três ou quatro vezes durante as aulas. Então recebemos um telefonema vindo da escola, dizendo que Roger Federer tinha de participar mais. Ele não tinha ambições em relação à escola, mas somente em relação ao seu objetivo de se tornar um tenista profissional. Normalmente lhe faltava disciplina quando o assunto era estudar. As coisas tinham sempre de ser ditas para ele — É assim que as coisas são. Você tem de fazer isso —, mas ele nunca reclamava. Eu descobri que ele estava com saudades da mãe, com quem eu tinha um bom contato."

Yves Allegro, 3 anos mais velho que Federer e um dos primeiros alunos a se graduar no Tennis Etudes, presenciou de perto o seu esforço na escola e as suas dificuldades em ficar longe de casa.

"Ele passou por grandes dificuldades", lembra. "Tinha problemas com a língua e com os treinadores, chorava muito. Era muito bom em tênis e qualquer um conseguia perceber que era muito talentoso, mas ninguém imaginou que, um dia, seria o número 1 do mundo. Ele nem mesmo era o melhor de sua categoria."

As dificuldades o afetaram adversamente nas quadras, rendendo-lhe resultados medíocres. Contudo, acontecimentos em dezembro daquele ano mostraram que seu poder competitivo ainda estava presente. Para ingressar no campeonato Orange Bowl sub-14 em Miami, — um dos maiores campeonatos juvenis do mundo —, Federer foi forçado a jogar o torneio *qualifying*; nele, ganhou suas 3 partidas sem perder um set sequer e derrotou mais três oponentes na chave principal do torneio — entre eles, estava David Martin, o melhor jogador americano na categoria — antes de ser derrotado nas oitavas de final. Ele se refere ao seu desempenho em Miami como "o maior triunfo internacional da minha carreira até aquela data".

Em 1996, Federer ganhou seu 4º e 5º títulos nacionais na Suíça, na categoria sub-16. O seu talento voltou à tona assim que ele se estabilizou e se acostumou com Ecublens. Pouco antes de seu 15º aniversário, foi-lhe permitido jogar na liga principal Interclubes da Suíça — porém apenas nas rodadas preliminares. Peter Carter e Reto Staubli jogaram na equipe do Old Boys Tennis Club e ambos acompanhariam Federer em sua turnê profissional, anos mais tarde. No fim do verão, Roger venceu o astuto jovem australiano Lleyton Hewitt, na World Youth Cup, e depois teve suas primeiras experiências no tênis profissional em um torneio satélite na Suíça. Aos 15 anos, ele era o número 86 na Suíça, e a Federação Suíça de Tênis prometeu a ele um suporte financeiro adicional.

A sua corrida para o topo continuou sem obstáculos em 1997, quando ele ganhou os 2 torneios juvenis nacionais da Suíça — um indoor e outro ao ar livre — na categoria sub-18. Esses campeonatos marcaram seus últimos títulos nacionais, pois Roger havia voltado sua atenção para os desafios internacionais. Allegro, que havia perdido de Federer durante seus últimos triunfos nacionais, disse que começara a perceber o enorme potencial que estava dormente naquele jogador: "Quando Roger voltou para Ecublens de um campeonato internacional de juvenis que acontecera em Prato, Itália, eu perguntei a ele como havia sido e se tinha jogado bem", conta. "Roger disse: bem. Obrigado por perguntar. Eu ganhei. Eu disse: está certo, então. Mas ele havia realmente ganhado e, ainda por cima, sem perder um set. Eu pensei comigo: se ele pode ganhar um torneio como esse aos 16 anos, é claro que vai se tornar um grande jogador."

Saudades de casa

Allegro se lembrou de outra história durante esse período que também o impressionou e mostrou a ele quais eram as reais intenções de Federer. "Nós tínhamos de preencher um formulário dizendo quais eram os nossos objetivos com relação ao tênis. Todos escreveram: algum dia estar entre os 100 primeiros do mundo. Porém, Roger foi o único que escreveu: em primeiro lugar, estar entre os 10 primeiros do mundo e, então, me tornar o número 1", conta. "Daí em diante, nós começamos a enxergá-lo de modo diferente."

Em 1997, o tênis suíço deu um grande passo. Ecublens cumpriu com o seu propósito, e a "Morada do Tênis" — o novo Centro Nacional de Tênis da Suíça — foi inaugurada em Bienna, na fronteira entre a parte do país que fala alemão e a parte que fala francês. O Centro Nacional de Tênis, o programa Tennis Etudes e a associação administrativa estavam agora reunidos em um só lugar. Havia quadras de pisos variados, um restaurante moderno e uma sala de verdade para os jogadores — uma melhoria enorme em relação ao centro de Ecublens.

Ao mesmo tempo, o tênis suíço também expandia a sua equipe de treinadores. Entre os novos membros estava Peter Carter, o técnico de Federer na Basileia. "A vinda dele foi exclusivamente para que trabalhasse com Roger", admite Annemarie Rüegg. "Nós percebemos o seu potencial e queríamos que o garoto tivesse treinamentos individuais." Às vezes, Federer também trabalhava com outro treinador, Peter Lundgren, um ex-tenista profissional da Suécia.

No verão de 1997, aos 16 anos, Roger Federer completou os 9 anos obrigatórios na escola e decidiu se tornar um tenista profissional. Com a exceção de algumas aulas de francês e inglês, ele se concentrou completamente no tênis daí em diante. Seus pais sabiam que esse passo era imprevisível e arriscado. "Nós tínhamos um imenso respeito pelo processo todo", recorda Robert Federer. "Todos afirmavam o quanto Roger era talentoso", completa sua mãe. "Mas nós queríamos ver resultados. Deixamos bem claro para Roger que não poderíamos sustentá-lo financeiramente por 10 anos para que ele chegasse apenas por volta do número 400 do mundo." Embora o comprometimento dos pais em dar suporte financeiro à carreira de Roger fosse sustentável — em virtude também da assistência da Federação Suíça de Tênis para Roger —, Lynette Federer teve de aumentar sua carga de trabalho de 50% a 80% para garantir a segurança financeira da família. Porém dinheiro, como logo se pôde provar, não seria um problema por muito tempo.

Agora treinando em Bienna, Roger não morava mais com uma família. Ele havia se mudado para um apartamento, que dividia com seu amigo Allegro. "Os pais de Roger vieram até mim, me disseram que ele gostaria de dividir um apartamento com um jogador mais velho e me perguntaram se eu aceitaria", lembra Allegro. "Isso me parecia financeiramente atraente, então os meus pais e os de Roger foram juntos procurar por um apartamento."

Os adolescentes de 16 e 19 anos se mudaram para um apartamento de 2 quartos, cozinha, um banheiro e uma varanda que ficava acima de um campo de futebol. "Nós frequentemente assistíamos aos jogos e fazíamos comentários fervorosos", diz Allegro. "Era muito divertido. Eu normalmente cozinhava, pois tinha mais experiência. Roger não tinha muita iniciativa, mas sempre ajudava quando eu pedia. Seu quarto sempre estava um pouco bagunçado e, quando ele o arrumava, 2 dias depois já estava bagunçado da mesma maneira."

Os jovens profissionais, contudo, estavam completamente focados no esporte. Quando não estavam treinando, passavam o tempo assistindo à televisão ou jogando videogames. "Roger nunca foi um cara de festas", explica Allegro. "Certa vez eu li que ele bebia, mas isso era em ocasiões muito raras." Ele jogava no computador até as 2 da manhã, mas nunca saía ou ia para festas.

Enquanto isso, Marco Chiudinelli se mudava para Bienna para aprimorar as suas habilidades tenísticas e também para fazer parte do grupo de amigos de Federer. "Nós éramos cibernéticos", brinca Chiudinelli. "Nunca nos sentimos atraídos por festas, cigarro ou bebidas alcóolicas. Nós preferíamos ficar nas quadras ou jogar Playstation."

Roger era o mesmo brincalhão despreocupado de pavio curto cujo temperamento, às vezes, explodia. "Frequentemente ouvia-se um grito primitivo de liberdade vindo do vestiário ou da sala dos jogadores", Annemarie Rüegg recorda. "Você sabia que era Roger. Ele precisava fazer isso como uma válvula de escape. Ele era bem barulhento, mas não era inconveniente."

Porém, Roger se tornava desagradável se as coisas na quadra não estivessem indo bem. Seus acessos verbais de raiva eram notórios, e ele sempre acabava arremessando a sua raquete. O próprio Roger contou provavelmente a história mais vergonhosa do tempo em que passou em Bienna. "Havia uma cortina nova no centro de tênis", explicou. "Diziam que aquele que danificasse a cortina teria de limpar os banheiros por uma semana. Eu olhei para aquela cortina e pensei que, por ela ser extremamente grossa,

Saudades de casa

ninguém conseguiria rasgá-la. Dez minutos depois, eu me virei e comecei a dar golpes na cortina com a minha raquete, como se fosse um helicóptero. Fatiei a cortina como uma faca cortando manteiga." Todos pararam de jogar e ficaram olhando fixamente para Roger. "Não, eu pensei, é impossível, o pior pesadelo de todos. Eu peguei as minhas coisas e me mandei. Eles teriam me expulsado de qualquer maneira mesmo." Como pagamento, Roger Federer, que odeia acima de tudo acordar cedo, teve de ajudar os faxineiros a limpar os banheiros e as quadras de tênis por uma hora, logo pela manhã, durante uma semana inteira.

Em 1997, a família Federer teve de tomar uma importante decisão, quando Robert recebeu da empresa em que trabalhava, a Ciba, a proposta para assumir um cargo executivo na Austrália. Robert trabalhou por 3 meses em Melbourne e por 3 meses em Sydney em duas ocasiões, e ele e sua família passaram alguns feriados prolongados no interior, visitando Queensland e a Grande Barreira de Corais. Eles gostaram da Austrália e, em um primeiro momento, o plano de se mudar para lá foi uma ideia empolgante. Contudo, o ceticismo ganhou mais força quando as consequências se tornaram claras. A família, por fim, decidiu permanecer em Münchenstein. Os Federers não estavam dispostos a perder seu círculo de amigos e estavam em dúvida quanto a Roger ter na Austrália as mesmas oportunidades que tinha na Suíça para desenvolver a sua carreira no tênis.

4

O melhor jogador da categoria juvenil

O ano de 1998 começou favorável para Roger Federer. Ele iniciou o período ganhando a competição Victorian Junior Championships, na Austrália, e quase foi para a final de simples do Australian Open juvenil, ao desperdiçar um match point e perder, nas semifinais, para o sueco Andreas Vinciguerra.

Durante a primavera e o verão seguintes, Federer demonstrou que já era um tenista completo e que poderia ganhar em qualquer piso. Ele estava bem à frente de qualquer jogador de sua categoria em âmbito internacional. Competia, sem muito esforço, no nível mais alto do tênis internacional na categoria juvenil — principalmente contra jogadores que eram 1 ano ou até 18 meses mais velhos que ele. Na temporada da quadra de saibro, Roger ganhou o título internacional na categoria juvenil em Florença, na Itália, porém, em Roland-Garros, na cidade de Paris, saiu na primeira rodada.

Em Wimbledon, Federer comemorou seu maior triunfo até aquele momento em sua carreira. No dia 5 de julho, ele venceu Irakli Labadze, da Geórgia, por 6-4 e 6-4, para conquistar a chave juvenil de simples de Wimbledon, tornando-se o primeiro jogador suíço a ganhar esse título desde Heinz Günthardt, em 1976. Na verdade, Federer não só não perdeu nenhuma partida nas quadras de grama ao sudoeste de Londres como também ganhou o título de duplas com Olivier Rochus, da Bélgica, na categoria juvenil. "Eu me senti satisfeito, mas não extremamente feliz", afirma Federer,

O melhor jogador da categoria juvenil   29

que estava, na época, surpreendentemente indiferente. Porém, Peter Carter, que quase sempre estava em sua companhia, parecia empolgado. "Roger jogou com a concentração de um profissional", disse. "Agora ele só precisa melhorar seus voleios."

Um pequeno caos, no entanto, seguiu a grande vitória. Como uma recompensa por ter sido o campeão de Wimbledon juvenil, Federer recebeu do diretor do torneio, Köbi Hermenjat, o convite para participar do Aberto da Suíça, em Gstaad, obtendo sua primeira chance de jogar em um torneio da ATP, mesmo sem ser qualificado para tal, pois a sua posição no ranking era a de número 702. Gstaad, o torneio em quadra de saibro que tradicionalmente acontece uma semana depois de Wimbledon, é jogado em uma área pitoresca, onde a alta sociedade internacional passa as férias, os Alpes Berneses. É um dos mais antigos torneios profissionais, com uma história que data de 1915. O lugar é adorado, tanto pelos jogadores quanto pelos espectadores, por causa de sua localização idílica, em uma pequena vila com muitos chalés, o majestoso Palace Hotel — cujas quadras, antigamente, recebiam o torneio —, e de uma vista de cartão postal. Hermenjat é um dos mais antigos diretores do torneio no ATP Tour e é bem conhecido por todos no mundo do tênis. Ele faz parte da história do esporte. Aos 11 anos, Hermenjat era o pegador de bolas do torneio, sendo seu diretor desde 1965. Lendas do tênis, como John Newcombe, Tony Roche, Ilie Nastase, Ken Rosewall e Roy Emerson — cujo nome foi dado à Quadra Central — são todos campeões do Aberto da Suíça.

Federer, muito contrariado, recusou o convite para participar do tradicional e prestigioso Jantar dos Campeões de Wimbledon e deixou Londres naquele domingo. Ele viajou de avião para Basileia e continuou a viagem para os Alpes Berneses de carro. Já passava da meia-noite quando ele chegou ao luxuoso resort.

A estreia de Federer em um torneio da ATP provou ser difícil. Em Wimbledon, ele jogou em uma quadra de grama e quase ao nível do mar. Em Gstaad, se viu tendo de jogar em quadras de saibro escorregadias e em um lugar que passava dos 1.000 metros de altitude. Em Wimbledon, as bolas quicavam baixo, mas, no ar rarefeito de Gstaad, as bolas quicavam alto e rapidamente. O piso de saibro também exigia uma técnica de corrida completamente diferente da usada na grama. Em Wimbledon, ele competia contra inexperientes jogadores juvenis. No torneio de Gstaad, estava participando de um grupo de jogadores com experiência internacional. Não havia a menor dúvida de que esse campeonato estava bem além de suas habilidades. Porém, seu propósito era apenas ganhar experiência e ser apresentado, por meio desse palco esportivo grandioso, para um porção maior do público suíço.

Federer teve o alemão Tommy Haas, número 41 do ranking mundial, como seu primeiro adversário; a partida aconteceria na terça-feira, no segundo dia da competição. Na segunda-feira, em virtude de muitos pedidos, Federer participou de uma coletiva de imprensa para falar sobre seu sucesso como juvenil em Wimbledon e de sua estreia na ATP. "Eu preferiria jogar na quadra central em vez de na quadra secundária", ele disse, confiante sobre o local que os oficiais do torneio de Gstaad escolheram para o seu jogo. Havia tanto interesse sobre o campeão juvenil de Wimbledon que os 1.000 lugares disponíveis na arquibancada da quadra de número 1 em Gstaad não foram suficientes para acomodar a torrente de espectadores. Porém, Tommy Haas não seria mais o adversário de Federer. O alemão desistiu do torneio alguns minutos antes da partida, devido a complicações estomacais. Lucas Arnold, um sortudo jogador — *lucky loser* —, que havia perdido na última rodada do *qualifying*, seria o novo oponente de Federer. O argentino, expert em quadra de saibro e número 88 do mundo, derrotou Federer por 6-4 e 6-4, mas admitiu que ficou impressionado com o rapaz de 16 anos: "Ele joga como Pete Sampras e tem um ótimo saque."

Federer estava desapontado, mas não tinha razão para de sentir arrasado. "Eu competi para valer, mas não joguei bem. Se eu tivesse jogado bem, teria ganhado", disse, em tom otimista. "Você tem de correr mais quando joga contra os profissionais do que quando joga contra juvenis, e eles não cometem tantos erros também."

Stéphane Oberer, capitão do time suíço na Copa Davis, diretor técnico da Federação Suíça de Tênis e técnico de longa data de Marc Rosset, também estava em Gstaad e testemunhou o jogo de estreia de Federer na ATP. Ele reconheceu o talento de Federer e usou de sua influência para se tornar seu mentor. "Roger ainda joga como um juvenil", disse Oberer, em Gstaad. "Pontos individuais têm pouco valor para ele, mas ele tem de tudo para se tornar um campeão um dia. Nós só temos de ser cuidadosos para não o queimarmos. Não é importante que ele seja forte agora, mas ele pode estar no ápice de seu potencial dentro de 4 ou 6 anos."

Oberer deu a Federer a oportunidade de acompanhar o time da Copa Davis como um parceiro de treinamento, assim, ele poderia treinar com o

O melhor jogador da categoria juvenil

time na primeira rodada contra a República Tcheca, em abril, na cidade de Zurique. Depois do torneio em Gstaad, Federer viajou novamente com o time para La Coruña, na Espanha. Mesmo com os suíços não tendo a menor chance contra a armada espanhola de Carlos Moya e Alex Corretja, a viagem serviu como uma experiência de aprendizagem.

Federer queria terminar o ano como o número 1 do mundo no tênis juvenil. Após sua vitória em Wimbledon, ele assumiu a posição de número 3, atrás do francês Julien Jeanpierre e do chileno Fernando Gonzalez. Todos sabiam que existia uma grande diferença em terminar o ano como número 2 ou 3, em vez de número 1. Como no tênis profissional, os melhores jogadores juvenis são recompensados desproporcionalmente com relação aos demais — o número 1 consegue os melhores contratos e mais convites para os grandes torneios. Os jogadores que ganham convites para os campeonatos são poupados das dificuldades e da natureza imprevisível das competições de classificação. Esses acessos diretos davam a oportunidade para jovens jogadores competirem em torneios maiores, dos quais, se não fosse assim, eles não conseguiriam participar, em virtude de suas baixas posições no ranking mundial.

Federer reforçou sua jornada para se tornar o número 1 do mundo no juvenil até o fim daquele ano, chegando à semifinal do Campeonato Europeu em Klosters, na Suíça, durante o verão. No US Open, ele chegou à final de simples, na qual David Nalbandian, da Argentina, lhe negou o segundo título consecutivo em um torneio de Grand Slam na categoria juvenil.

Porém, antes que a busca pela primeira posição no ranking juvenil chegasse à sua fase decisiva, o inesperado aconteceu. Federer conseguiu seu primeiro grande sucesso no ATP Tour. Ocupando a posição de número 878 no ranking, ele viajou para Toulouse, na França, no dia 2 de setembro e, para a sua própria surpresa, passou pelo *qualifying* e ganhou acesso à chave principal do torneio. Já em seu segundo torneio da ATP, o rapaz de 17 anos obteve uma vitória inesperada contra número 45 do mundo, o francês Guillaume Raoux, sua primeira vitória na ATP, permitindo ao francês ganhar apenas 4 games. Na rodada seguinte, Federer provou que essa vitória não tinha sido por acaso, ao derrotar a antiga estrela australiana na Copa Davis, Richard Fromberg, por 6-1 e 7-6 (5). Nas quartas de final — a sua 6º partida na competição, incluindo o *qualifying* —, Federer perdeu para Jan Siemerink, por 7-6 (5) e 6-2, prejudicado por um problema na coxa que o incomodou durante a partida inteira. O holandês era o número 20 do mundo e prosseguiu até as finais, ganhando o torneio 2 dias depois. Federer também foi generosamente recompensado. Ele recebeu um prêmio em dinheiro no valor de 10.800 dólares e passou 482 jogadores em apenas um torneio no ranking mundial, chegando à posição de número 396.

Em reconhecimento ao seu desempenho em Toulouse, Federer recebeu um *wildcard*, convite para o Swiss Indoors, o maior torneio da Suíça, do diretor do torneio, Roger Brennwald. Esse campeonato garantia a ele um prêmio em dinheiro de, pelo menos, 9.800 dólares. O torneio aconteceu em St. Jakobshalle, na parte sul da Basileia, tão perto da casa de Federer, em Münchenstein, que se podia chegar lá a pé. Esse evento, jogado originalmente em uma cúpula inflável, em Tóquio, no ano de 1970, é um dos mais importantes torneios indoors do mundo; quase todos os grandes jogadores o disputaram. Quando um jogador praticamente desconhecido, chamado Ivan Lendl, derrotou o lendário Björn Borg na final do Swiss Indoors, em 1980, o torneio ganhou manchetes de destaque pelo mundo. O 34º duelo de final entre John McEnroe e Jimmy Connors aconteceu no Swiss Indoors, em 1991. O futuramente número 1 do mundo, Jim Courier, ganhou seu 1º campeonato da ATP na Basileia, em 1989. Stefan Edberg ganhou o Swiss Indoors por 3 vezes e Ivan Lendl o ganhou 2 vezes. Borg, McEnroe, Boris Becker, Vitas Gerulaitis, Goran Ivanisevic, Yannick Noah, Michael Stich, Pete Sampras e Guillermo Vilas também são campeões do evento.

Para Roger Federer, o Swiss Indoors é como se fosse um torneio de Grand Slam. O St. Jakobshalle é o lugar de seus sonhos, assim como a Quadra Central de Wimbledon. Em 1994, ele era o pegador de bolas do evento, em partidas com jogadores como Rosset, Edberg e Wayne Ferreira, que ganhou o título desse mesmo ano. Agora, 4 anos mais tarde, ele estava competindo nele. Sua primeira partida foi com ninguém menos que Andre Agassi. Em sua presunção de jovem, Federer declarou, ousadamente: "Eu sei contra quem vou jogar, ao contrário de Agassi, que não tem a mínima ideia de quem eu sou. Vou jogar para vencer."

Porém, Agassi, o ex-número 1 do mundo, ranqueado como o número 8, na época, era, sem dúvida, um oponente de calibre muito maior que os daqueles que Federer havia enfrentado em Toulouse. Agassi permitiu que o garoto ganhasse apenas 5 games na derrota por 6-3 e 6-2 e afirmou não estar muito impressionado com o novo queridinho do público suíço. "Por algumas vezes, ele mostrou seu talento e seus instintos no jogo", o norte-americano disse, gentilmente. "Mas, para mim, foi uma primeira rodada ideal, em que eu não tive de me esforçar muito e na qual eu pude me acostumar com as novas condições."

O melhor jogador da categoria juvenil

Após ter figurado em grandes eventos em Toulouse e na Basileia, Federer competiu em um circuito secundário de menor expressão, na Suíça — e se sentiu em um filme de terror. Ele havia acabado de jogar diante de um público de 9 000 espectadores contra Agassi, um dos grandes jogadores de todos os tempos, com cobertura televisiva e com os jornais escrevendo artigos sobre ele. Nesse ínterim, ele havia assinado com a maior agência de esportes do mundo, a International Management Group (IMG), e estava sendo patrocinado, como Pete Sampras, por marcas como Nike e Wilson. Contudo, ele se encontrava agora na cidade de Küblis, ao leste da Suíça, em um estádio de tênis construído em um vale entre as montanhas de Bündner. Não havia espectadores, nem juízes de linha e muito menos pegadores de bola. Ele não estava jogando contra Andre Agassi, mas, sim, contra Armando Brunold, o número 11 da Suíça, a quem Federer já tinha ultrapassado, pois era o número 6 de seu país.

O primeiro jogo da primeira rodada do circuito mostrou ser um choque cultural para Federer, e ele jogou de maneira apática. O seu desânimo não escapou aos olhos do juiz da partida, Claudio Grether. "Ele simplesmente estava desmotivado e indiferente na quadra, e cometeu 2 duplas faltas em cada game", explicou Grether. Depois de Federer perder para Brunold por 7-6 e 6-2, Grether impôs a ele uma multa de 100 dólares por violar a regra de "se esforçar ao máximo", que estipula aos jogadores profissionais jogar com o máximo de esforço em qualquer competição. "Eu também poderia tê-lo desclassificado, mas daí ele não poderia jogar o resto do circuito", disse Grether. Federer recebeu o veredicto silenciosamente. Com o prêmio em dinheiro de apenas 87 dólares, Federer deixou Küblis com um déficit de 13 dólares. Esse seria o único torneio profissional no qual, na verdade, perdeu dinheiro, em vez de ganhar.

Federer aprendeu a lição. "A multa foi justa", admitiu, reagindo de maneira a mostrar a sua classe. Uma semana depois, ele ganhou o segundo torneio do circuito e continuou até ganhar o título na somatória de pontos. Seu esforço foi recompensado e, apesar do começo desastroso, ele ultrapassou 100 jogadores no ranking, conquistando a posição de número 303. Nada mal para um rapaz que tinha acabado de completar 17 anos.

À medida que o Orange Bowl, na Flórida, estava mais perto de começar, ficou claro que Federer teria de ganhar o evento — um dos maiores campeonatos da categoria juvenil no calendário do tênis — se ele quisesse garantir o lugar do francês Julien Jeanpierre — 17 meses mais velho que ele — e se tornar o número 1 do mundo na categoria juvenil. O campeonato aconteceu em um dos lugares mais belos da turnê de tênis, The Tennis Center, localizado no Crandon Park, em Key Biscayne — a ilha paradisíaca aos pés do centro de Miami. O segundo maior torneio nos Estados Unidos — O Sony Ericsson Open — também acontece no local, todos os anos, no mês de março, para o qual a capacidade da arquibancada da Quadra Central é aumentada.

O torneio quase começou com um desastre para Federer. Após estar a apenas 2 pontos da derrota, ele evitou um placar desfavorável e, surpreendente, logo na primeira rodada, virou o jogo contra Raimonds Sproga, da Letônia, ganhando por 5-7, 7-6 e 6-0. Ao contrário, Jeanpierre não teve tanta sorte e caiu diante do espanhol Feliciano Lopez. No dia seguinte, um dia de folga para Roger, outro desastre em potencial se apresentou. "Nós estávamos fazendo um treino de condicionamento quando Roger começou a brincar", recordou Annemarie Rüegg, que acompanhou o time da suíça ao Orange Bowl. "Ele parecia um macaco enquanto estava treinando com corda e ficava pulando para lá e para cá, como se fosse o Tarzan. De repente, caiu com o pé virado e o torceu. Ele ficou com o pé bem inchado. Teve de parar com a bobeira no susto."

Outra pessoa, na mesma situação, talvez tivesse desistido, abandonado seu grande objetivo e buscado outro, mas ele não. "Roger nunca desiste", disse, anos depois — e o mesmo já valia em 1998. Ele começou o tratamento com os fisioterapeutas e fez de tudo para preservar suas chances de alcançar sua meta. "Eu estava impressionada com a sua metamorfose", disse Rüegg. "Há minutos, ele estava de brincadeira, porém agora estava calmo e sério. Eu percebi que, quando quisesse, ele poderia ser sério. Entendeu que estava passando por uma situação complicada, que muita coisa importante dependia daquele torneio e que teria de concentrar toda a sua força nesse único objetivo se realmente quisesse alcançá-lo. Eu percebi, pela primeira vez, que ele era um campeão. Ele chegaria lá."

Apesar da lesão e com uma atadura no pé, Roger ganhou as 3 partidas seguintes, sem perder nenhum set. Na semifinal, com o inchaço no seu pé quase imperceptível, Federer devolveu a derrota que tinha sofrido no US Open para Nalbandian, com uma vitória por 6-4 e 6-2. Na final, Federer venceu outro argentino, Guilhermo Coria, por 7-5 e 6-3. Federer ganhou o Orange Bowl, deixando Miami com uma tigela cheia de laranjas — e os cabelos descoloridos, depois de uma aventura espontânea de 250 dólares no cabeleireiro.

No dia 21 de dezembro de 1998, pela primeira vez, o nome "Federer" apareceu na primeira posição no ranking mundial juvenil da Federação Internacional de Tênis. "Um ótimo presente de Natal", disse, feliz. Contudo, Federer ainda teve de aguentar mais uma semana de incertezas até que o objetivo de ser o número 1 do ranking, no fim daquele ano, fosse oficial. Federer teve de esperar o americano Andy Roddick derrotar Jeanpierre nas semifinais do último torneio da categoria juvenil — o Yucatan Cup no México — para, aí sim, ser consagrado o número 1 do mundo, no final da temporada.

No final da temporada de 1998, Federer deu uma entrevista para o *Tages-Anzeiger*, na sala de espera das instalações de tênis em Diepoldsau, durante um circuito satélite na Suíça. Jogadores curiosos passavam por perto do local da entrevista, na tentativa de escutar o que se estava falando. Alguns jogadores, amigos de Federer, fizeram, até mesmo, comentários em tom de brincadeira durante a séria entrevista.

Estava claro para Roger Federer que a sua carreira como um jogador profissional de tênis estava prestes a começar. Ele foi além de todas as expectativas no juvenil e não havia nenhum motivo para permanecer na categoria ou disputar os circuitos secundários. Ele estava praticamente entre os 300 melhores jogadores do mundo, e Stéphane Oberer, o capitão do time Suíço na Copa Davis, inequivocamente, disse que o esperava para fazer parte do time suíço na Copa Davis no ano seguinte.

Federer encarava esse rápido desenvolvimento com calma. Ele mesmo estava um pouco surpreso com o seu sucesso, porém manteve-se com os pés no chão e parecia confortável. "É engraçado", disse. "Quando eu chego a um hotel, as pessoas dizem: Olá, Sr. Federer. Algumas pessoas parecem se sentir orgulhosas por poderem falar comigo. Eu notei que, quanto mais famosa uma pessoa fica, menos ela tem de pagar pelas coisas. Todos querem me convidar e todos querem ser legais comigo só porque eu sei jogar tênis bem."

No entanto, segundo ele mesmo, Federer sabia que essas pessoas não eram amigos de verdade. "Eu não mudei muito", afirmou. "Sou bem conhecido na Suíça, mas eu não tenho vontade de me tornar um astro." Quando pediram que ele se descrevesse, calmamente respondeu: "Sou honesto, um cara tranquilo e atlético. Uma pessoa agradável e simpática. Eu acho."

Federer media 1,86 metros de altura e pesava 80 quilos. Ele acreditava estar acima do peso. "Eu tenho barriga", disse, "preciso fazer mais exercícios para os músculos abdominais." Evitar doces e lanches e comer de maneira apropriada se tornaram mais que uma preocupação. "Eu comecei a comer carne", falou. "Antes, só comia linguiça, hambúrguer e coisas do tipo. Agora, não tenho de ficar preocupado quando for convidado para um jantar ou almoço."

Federer disse também estar orgulhoso em poder controlar melhor suas emoções dentro da quadra. Um incidente no US Open provou ser um momento decisivo para tanto. Ele foi provocado por alguns dos tradicionalmente expressivos e empolgados torcedores do torneio. Federer não conseguiu manter-se calado e destruiu sua raquete para aliviar suas frustrações. Nos torneios de outono, contudo, Federer manteve a calma, obtendo resultados mais positivos. "Eu não me irritava em Toulouse ou na Basileia, mantinha-me bem estável. Nunca pensei que isso poderia acontecer, não sei se isso tem a ver com os grandes estádios. Talvez eu fique mais envergonhado quando perco o controle nesse tipo de lugar."

Roger também, por algumas vezes, falava sozinho durante as partidas. "Eu frequentemente me perguntava: por que está sendo tão idiota e ficando irritado? Mas quando jogo bem e sem perder a calma, é a melhor sensação do mundo." Segundo ele próprio, em poucas palavras, é apenas um perfeccionista. "Não aceito quando erro bolas fáceis, embora seja normal isso acontecer, mesmo entre os profissionais."

Peter Carter confirmou esse progresso: "Ele tem de ser mais paciente se quiser ser bem-sucedido no âmbito profissional."

Carter e Federer andavam muito na companhia um do outro, treinando e viajando, semana após semana. Isso, às vezes, levava a um desgaste na relação entre eles. "Se eu estou em uma turnê de um mês só com Peter, nós, algumas vezes, aborrecemos um ao outro", disse Federer. "Então eu sinto falta de meus amigos e de minha namorada. Por isso é tão importante para mim me relacionar bem com outros jogadores juvenis. Eu gosto quando outros técnicos e jogadores suíços estão por perto. É um tipo de mudança na rotina que me faz bem."

Ele encarou o seu primeiro ano como jogador profissional com confiança e empolgação. Já não tinha grandes fraquezas no seu jogo. "Devagar, consegui dominar todas as técnicas de rebatida", comentou. "Talvez eu tenha de volear melhor ou aperfeiçoar meu trabalho de pernas, apenas detalhes."

Com o que Federer deveria se preocupar? Ele tinha, afinal de contas, derrotado em Toulouse dois jogadores que estavam entre os 50 melhores do ranking mundial. "Isso me mostrou que posso competir de igual para igual se jogar bem", disse. "Agora eu tenho de me preocupar em fazer disso uma coisa natural. Daí, então, chegar ao topo será uma consequência normal."

5

O estreante chega ao topo

Quando a ATP lançou o seu "Player Media Guide", em 1999, Roger Federer não estava entre as 300 biografias do livro. Com o passar do ano, essa atitude provou ter sido um erro no planejamento. Seu primeiro ano como profissional lhe rendeu algumas decepções, alguns contratempos e um verão difícil, mas ele também conseguiu um lugar entre os 100 melhores do ranking mundial, sendo o jogador mais jovem entre eles.

Seu status de campeão da categoria juvenil, oficializado pela Federação Internacional de Tênis, e o título de campeão juvenil conquistado em Wimbledon provaram, como ele esperava, ser um começo ideal para iniciar sua carreira profissional no tênis. Em 1999, ele recebeu 8 convites (*wildcards*) para torneios da ATP no decorrer do ano, o que permitiu que não precisasse jogar nas rodadas de classificação — o *qualifying*.

Jovens jogadores profissionais geralmente começam em torneios satélites ou nos torneios Futures até que eles tenham melhorado suficientemente suas posições no ranking para poder jogar no próximo nível — os Torneios de Séries de Challenger. Estar entre os 120 primeiros do ranking é normalmente requisito para que o jogador possa participar dos 4 Torneios do Grand Slam — Australian Open, em Melbourne; Roland-Garros, em Paris; Wimbledon, em Londres; e US Open, em Nova York — e, às vezes, nem isso é suficiente. Mesmo os jogadores entre os 100 primeiros frequentemente têm de participar dos torneios classificatórios, os *qualifyings*, nos 9 torneios do Masters Series — os eventos mais importantes no tênis, logo depois dos torneios do Grand Slam —, a fim de conquistar as últimas vagas na chave principal.

Os *wildcards* que Federer recebeu o colocaram imediatamente no caminho certo, poupando-o das viagens extenuantes que teria de fazer para participar dos campeonatos de menor importância — mas também o obrigaram a jogar contra oponentes muito mais fortes, que tornaram muito mais difícil para ele conseguir vitórias consecutivas.

Os *wildcards* para os torneios da ATP lhe deram a chance de conquistar pontos no ranking da ATP e prêmios em dinheiro. Mesmo as derrotas em Roland-Garros e em Wimbledon significaram uma quantia respeitável de prêmios em dinheiro. Além dos convites para os eventos da ATP na Suíça, Federer também recebeu outros *wildcards* para Roland-Garros e Wimbledon, apesar de esses torneios, tradicionalmente, convidarem jogadores de seu país. Em virtude do substancial prêmio em dinheiro pago por eles, Federer conseguiu ganhar mais de 20 mil dólares somente nos torneios de Paris e Wimbledon, mesmo tendo perdido na primeira rodada de ambos os eventos, em 1999.

Ficou evidente em seu primeiro ano como profissional que ele se sentia mais confortável ao jogar torneios indoors. Federer jogou 7 campeonatos ao ar livre durante seu ano de estreia — perdendo todos na primeira rodada. Além disso, tinha um placar de 0-2 em 2 partidas ao ar livre disputadas na Copa Davis contra a Bélgica. Ele também não conseguiu passar das fases classificatórias, os *qualifyings*, do Australian Open e do US Open.

Entretanto, Federer, como estreante, teve uma participação admirável nos eventos indoors. Ele ganhou 6 partidas seguidas no Torneio Challenger, em Heilbronn, na Alemanha, logo no mês de janeiro — 3 no *qualifying* e 3 no caminho para as semifinais. Esse esforço o colocou imediatamente entre os 250 primeiros do mundo. Ele obteve a vitória mais significativa de sua jovem carreira no começo do mês de fevereiro, em Marseille, quando, ranqueado como número 243, tirou o reinado das mãos do então campeão de Roland-Garros e número 5 do mundo, Carlos Moya, da Espanha, na primeira rodada em direção às quartas de final. Federer também se classificou para o evento da ATP em Rotterdam, no qual chegou às quartas de final e liderou a partida contra o número 2 do mundo, Yevgeny Kafelnikov, por 3-1, no terceiro set, antes de ser derrotado. Ainda assim, no fim de fevereiro, Federer estava ranqueado entre os 130 melhores jogadores do mundo.

O companheiro de quarto de Federer, Yves Allegro, percebeu que ele iria longe. "Eu disse, naquela época, que estaria entre os 10 melhores ou,

O estreante chega ao topo

talvez até mesmo, seria o primeiro do mundo, e muitas pessoas riram de mim", recorda Allegro. "A maneira como Roger saltou da categoria juvenil para a profissional em poucos meses foi estonteante. Eu ficava impressionado com todos os detalhes que Roger absorvia quando via os tenistas jogando pela TV."

Antes da temporada ao ar livre — e a sua série de derrotas nas primeiras rodadas —, Federer atingiu outro patamar importante em sua carreira: a sua estreia na Copa Davis. A Suíça jogaria contra a Itália em uma partida pela primeira rodada em Neuchâtel, na Suíça. Contudo, o time suíço passou por meses tumultuosos, resultando em um impasse, quando Marc Rosset, o número 1 da Suíça, brigou e cortou relações com o seu técnico de 11 anos, Stephane Oberer, bem como ameaçou deixar o time da Copa Davis caso Oberer continuasse no cargo de capitão do time suíço. Por sorte, Oberer largou o cargo no começo de fevereiro e foi logo substituído por Claudio Mezzadri, um ex-jogador suíço que já havia sido ranqueado entre os 30 primeiros.

A estreia de Federer na Copa Davis não poderia ter sido melhor. Ele venceu, categoricamente, o número 1 da Itália, Davide Sanguinetti, ranqueado como o número 48 do mundo, por 6-4, 6-7 (3), 6-3 e 6-4, em sua primeira partida vitoriosa para a Suíça. "Foi uma pena ter Federer como oponente", lamentou o capitão do time italiano, Paolo Bertolucci, depois da partida, "mas foi bom assisti-lo. Não há muitas pessoas que conseguem jogar tênis tão bem".

Em julho, a Suíça jogou contra a Bélgica, em Bruxelas, pelas quartas de final, e Federer, que ainda não havia completado 18 anos, se viu tendo de agir como o líder do plantel suíço já na sua segunda partida como membro do time. Rosset, que tinha o melhor ranking, estava com o time em Bruxelas, mas se sentiu mal durante a semana e, depois de muito debate, optou por não jogar mais as partidas de simples. Federer não conseguiu carregar o time suíço em suas costas e foi derrotado em 2 partidas difíceis contra Christophe van Garsse e Xavier Malisse, na derrota da Suíça.

Naquela época, Federer era um jogador inconstante com um repertório fascinante de jogadas. Ele tinha dificuldades em se concentrar e frequentemente não conseguia as vitórias, apesar de ser superior tecnicamente. Isso valia especialmente para as partidas que duravam mais de 3 sets, nas quais energia, paciência e maturidade tática — não somente o brilhantismo — eram necessárias. Ele ficava irritado quando o vento e o tempo alteravam as condições de jogo e quando os espectadores se mexiam na arquibancada.

Entretanto, ele provou, de forma consistente, que dispunha das habilidades necessárias para jogar contra os profissionais em qualquer piso — tanto nos torneios indoors como nos realizados ao ar livre. Isso se comprovou nas quadras de saibro, em Roland-Garros, onde o rapaz de 17 anos fez a sua estreia em um torneio de Grand Slam como o mais jovem competidor masculino. Na primeira partida da primeira rodada, Federer teve como oponente Patrick Rafter, o australiano duas vezes campeão do US Open. Ele jogou muito bem para ganhar o primeiro set contra o número 3 do mundo, que estava no ápice de sua carreira. Contudo, o sol ficou mais forte, o clima ficou mais quente e a quadra, mais rápida. As quadras de saibro, ao ficarem mais secas, possibilitam com que as bolas se movam mais rapidamente. A tática de sacar e volear do australiano parecia ter entrado no automático, e ele ganhou a partida em 4 sets.

O jornal de esportes francês *L'Equipe* escreveu, durante o torneio: "O jovem rapaz da Suíça pode se tornar uma das pessoas que irá dar forma ao tênis nos próximos dez anos." Rafter tinha a mesma opinião: "O garoto me impressionou muito", disse. "Se ele trabalhar duro e tiver um bom comportamento, poderá se tornar um excelente jogador." Ao ser questionado, em uma coletiva de imprensa, sobre o que ainda lhe faltava para vencer tais jogadores, Federer respondeu: "Eu apenas tenho de amadurecer."

Depois de 4 semanas, Federer fez a sua estreia na chave principal de Wimbledon e encarou o experiente tcheco Jiri Novak. Era apenas a segunda vez que Federer aparecia na chave principal de um torneio do Grand Slam, porém, mais uma vez, ele mostrou que poderia dominar uma partida longa. Parecia que ele estava com a vitória garantida — vencendo Novak por 2 sets a 1 — quando sua concentração começou a se dispersar e ele foi derrotado em seu primeiro jogo de 5 sets. A inexperiência de Federer foi comprovada quando ele não foi capaz de tirar proveito dos 8 break points no set decisivo — e perdeu.

Após as 7 derrotas consecutivas em primeiras rodadas — Key Biscayne, Monte Carlo, Paris, Queens, Wimbledon, Gstaad e Washington D.C. —, bem como a decepção em Bruxelas, na Copa Davis, Federer perdeu nas rodadas classificatórias dos torneios em Long Island e do US Open, em Nova York. A crise de Federer, entretanto, subitamente desapareceu quando a temporada indoor começou, no outono de 1999.

Com uma vitória em Tashkent, no Uzbequistão, na primeira rodada, sobre Cedric Pioline, da França — que já havia sido finalista de Wimbledon e do US Open —, Federer alcançou os primeiros 100 jogadores do ranking

O estreante chega ao topo

mundial — aos 18 anos, ele era o mais jovem jogador do grupo. Federer venceu mais 7 oponentes na ATP Tour, no final daquele ano, e conseguiu chegar à primeira semifinal de sua carreira na ATP, em Viena. Ele terminou o ano ganhando um Torneio Challenger, em Brest, na França, em sua última participação nos torneios de menor importância. A partir daí, Federer somente participou dos campeonatos da ATP Tour e dos torneios do Grand Slam. Ele levou um ano para fazer a transição de um inexperiente estreante para um profissional estabilizado.

Sua temporada de estreia resultou em 13 vitórias e 17 derrotas nos eventos da ATP Tour, nos torneios do Grand Slam e na Copa Davis, mas seu salto de número 302 para o número 64 do mundo, além da quantia de 223.859 dólares de prêmios em dinheiro, eram impressionantes para um estreante de 18 anos. "Eu não esperava estar em uma posição tão alta no ranking mundial tão rapidamente", disse. "Meu objetivo era ficar entre os 200 primeiros."

Por um momento, ele até mesmo teve chance de fechar o ano ranqueado acima de Rosset e terminar como o jogador suíço mais bem colocado no ranking. Não ter alcançado esse feito, porém, não era problema. Afinal de contas, o objetivo de Roger Federer não era apenas se tornar o primeiro na Suíça — ele queira se tornar o número 1 do mundo.

"Neste ano, todas as partidas que ele jogou eram como se fossem uma final da categoria juvenil", disse Peter Carter, ao final da temporada. "Contra os juvenis, ele costumava ganhar quase todos os jogos, mas agora ele perdeu muitos jogos e, juntamente com eles, sua confiança. Entretanto, aprendeu muito com essas derrotas." Carter estava convencido de que Federer poderia jogar bem em qualquer piso — ao ar livre ou em quadras de saibro. Ele somente era inexperiente. Os objetivos que havia estabelecido para o ano de 2000 eram bem modestos. "Seria muito bom se eu pudesse estar entre os 50 melhores do mundo", afirmou Roger.

Antes de o ano de 1999 terminar, Federer teve de voltar, pela última vez, para uma sala de aula — ele passou 3 dias na "Universidade da ATP Tour", em Monte Carlo. Durante esse treinamento, Roger aprendeu com a ATP quais desafios os jogadores de primeira linha poderiam enfrentar e como lidar com eles. Mais tarde, declarou que foi durante esse treinamento que perdeu o seu medo da imprensa. "Em um primeiro momento, eu tinha medo da imprensa, e achava que iriam escrever coisas ruins sobre mim", confessou. "Por que eu deveria conversar com eles?, pensava. Então percebi que a mídia poderia ajudar nós jogadores a melhorar a nossa imagem e, por sua vez, nós jogadores poderíamos ajudar a imprensa a escrever boas notícias."

6

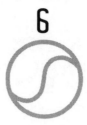

Novo técnico, novos caminhos

O ano de 2000 começou ainda melhor que o ano anterior para Roger Federer. No evento de abertura da temporada em Adelaide, ele finalmente conseguiu sua primeira vitória em uma partida da ATP em um torneio ao ar livre, ao derrotar Jens Knippschild, da Alemanha, na primeira rodada, antes de perder para o sueco Thomas Enqvist. No Australian Open, ele derrotou o ex-campeão de Roland-Garros, Michael Chang, e chegou até a terceira rodada, antes de perder para Arnaud Clement, da França. Contudo, Federer continuou com os seus melhores resultados em torneios indoors. Jogando nessas condições em Zurique, contra a Austrália, na primeira rodada da Copa Davis, ele venceu Mark Philippoussis e, com o companheiro de equipe Lorenzo Manta, superou Wayne Arthurs e Sandon Stolle, para dar à Suíça a liderança de 2 a 1. Porém, quando estava em posição de garantir a vitória para Suíça, ele perdeu por pouco para Lleyton Hewitt, por 6-2, 3-6, 7-6 (2) e 6-1, e a Austrália venceu a Suíça por 3 a 2.

Apenas 8 meses após ter perdido para Hewitt, Federer alcançou um marco em sua carreira — sua primeira final em um campeonato da ATP. Ele chegou à última partida do campeonato, em Marseille, na França, no qual enfrentou, dentre todos os jogadores, seu amigo e compatriota Marc Rosset. Nessa época, Roger estava ranqueado como o número 67, 10 posições acima do homem de 2,01 metros nascido em Genebra. Federer, mesmo tendo ganhado o primeiro set, acabou perdendo para Rosset, por um placar equilibrado de

Novo técnico, novos caminhos

2-6, 6-3, 7-6 (5). Depois de apenas 12 dias, praticamente o mesmo cenário se repetiu em Londres, onde Federer e Rosset se enfrentaram novamente — só que, dessa vez, pelas quartas de final. Mais uma vez, Federer ganhou o primeiro set e perdeu a partida. Como aconteceu em Marseille, Federer acompanhou Rosset até ele se consagrar como o campeão do torneio. Esse foi o último título pela ATP do campeão olímpico de 1992.

Apesar das derrotas para Rosset, Federer ficou entre os 50 melhores do mundo. Já tendo alcançado seu objetivo para a temporada, ele logo começou a almejar estar entre os 25 melhores do mundo.

No domingo de Páscoa, em abril, um fax rodou pelas maiores salas de imprensa da Suíça, sem um remetente e com um título conciso: "Press Communiqué Tennis." O comunicado à imprensa de 22 linhas tinha um texto um tanto confuso e começava da seguinte maneira: "Roger Federer decidiu trilhar seu próprio caminho. A partir do dia 1 de outubro de 2000, ele começará seus trabalhos com seu atual técnico da Federação Suíça de Tênis, Peter Lundgren. A separação da Federação de Suíça de Tênis está acontecendo após muitos anos de cooperação e da melhor maneira possível." A declaração seguiu com um tom de gratidão à Federação Suíça de Tênis e, especialmente, a Peter Carter, que, segundo o comunicado, levou Federer ao 1º lugar do ranking mundial da categoria juvenil, em 1998, e, depois, o colocou entre os 50 melhores do mundo. "Essa posição no ranking me possibilitou prosseguir com os meus próprios pés e por isso eu decidi tomar um caminho independente", disse Federer no comunicado.

A separação oficial da Federação Suíça de Tênis fez sentido para Federer porque lhe ofereceu um ambiente mais flexível, que se ajustava às suas próprias necessidades. Contudo, o fato de Federer ter decidido trabalhar com Lundgren, e não com Carter, que ele conhecia melhor e com quem tinha trabalhado por muito mais tempo, veio como uma surpresa para a maioria. Federer não conseguia explicar claramente as razões de sua escolha.

"Foi uma decisão de momento", disse. "Os dois são caras legais e divertidos." Sua decisão foi tomada pelos seus instintos. "E eles estavam mais a favor de Peter Lundgren", declarou.

Carter não escondeu sua decepção, mas reagiu de maneira honrosa. Ele imediatamente entregou a tutela de seu pupilo de 18 anos de idade ao técnico sueco e voltou a se dedicar ao trabalho como técnico da Federação Suíça de Tênis e a outros jogadores.

Como pressentira, Federer agora tinha um técnico completamente compatível com ele. O robusto sueco de 35 anos, cabelos longos e louros, que lhe davam a aparência de um viking, podia ser rigoroso e exigente. Era tranquilo por natureza, sempre otimista e rápido para fazer piadas. Também conhecia bem os caminhos do tênis profissional, desde o tempo em que ele mesmo jogava no circuito. Lundgren havia jogado contra quase todos os novos adversários de Federer, disputado em todos os grandes torneios pelo mundo e competido nas Quadras Centrais de todos os grandes eventos. Era uma figura conhecida, popular e respeitada dentro do tênis.

As realizações de Lundgren também mereciam méritos. Em sua carreira profissional, que terminou em 1994, ele havia ganhado mais de 1 milhão de dólares em prêmios em dinheiro e obtido muitas conquistas espetaculares, entre elas as vitórias contra Pete Sampras, Andre Agassi, Mats Wilander, Ivan Lendl, Michael Chang e Pat Cash. "Mas também fui derrotado por muitos desconhecidos", respondeu modestamente quando perguntado. Lundgren triunfou em 3 eventos da turnê — Cologne, Rye Brook, em Nova York, e São Francisco — e, em meados da década de 1980, chegou ao ser o número 25 no ranking mundial. Porém, na maior parte de sua carreira, ficou entre as posições de número 50 e 80 do mundo. Lundgren, às vezes, era confundido com Björn Borg por causa de seu cabelo, mas seu estilo de jogo era completamente diferente do legendário sueco — agressivo e sempre atacando, às vezes, do fundo de quadra, às vezes, próximo à rede.

Lundgren, que vivia com sua namorada e seus dois filhos perto de Gotemburgo, via a sua profissão como uma vocação. "Eu sou um treinador porque conheço muito bem tênis e quero passar esse conhecimento adiante", explicou. Ele disse que havia cometido muitos erros em sua carreira e queria evitar que eles se repetissem com Federer, sob o lema: um homem sábio não aprende apenas com os seus próprios erros mas também com os erros dos outros. Federer admitiu que Lundgren possuía uma personalidade muito parecida com a dele. "Ele sempre fazia as coisas do jeito mais difícil", disse. "Quando alguém dizia para ele não jogar a raquete, ele se virava e arrebentava logo duas de uma vez, exatamente como eu fazia antes."

Antes de ir trabalhar para a Federação Suíça de Tênis, em 1997, Lundgren trabalhou também na Alemanha, na Suécia e, em 1996, trabalhou com o jogador chileno de primeira linha Marcelo Rios. O normalmente mal-humorado e não barbeado chileno de cabelos negros e longos era um dos jogadores menos populares da turnê, considerado irritável e teimoso. "Aqueles foram os 8 meses mais longos da minha vida", Lundgren admitiu. Ao contrário, seu trabalho com Federer, que tinha um tempo de contrato de 40 semanas, era quase o paraíso.

Novo técnico, novos caminhos 45

O sueco comprovou o talento ilimitado do adolescente. Ele acreditava que Federer tinha condições de estar entre os 300 ou 400 melhores jogadores do mundo já aos 16 anos e que, com 18 anos, então, "pode ser o número 1, mas temos um longo caminho pela frente. Eu era o número 25 do mundo, mas estava muito abaixo de seu nível. Esse rapaz é especial. Ele é de outro planeta". Sven Gröneveld, da Holanda, também técnico da Federação Suíça de Tênis, igualmente nutria uma grande estima por Federer. "Roger pode chegar onde quiser", disse. "Ele pode ganhar torneios de Grand Slam e ser o número 1 do mundo. Ele consegue levar o seu jogo para um nível maior toda vez que necessário. Quando está em seu estado de concentração máxima, torna-se um dos jogadores mais difíceis de se derrotar na turnê."

Lundgren rapidamente percebeu a questão principal com a qual eles teriam de trabalhar. "Roger tem de ser capaz de ganhar de um jeito feio", declarou. "Ele é um artista e, quando os seus golpes não funcionam, ele fica irritado e perde a concentração. Ele pode fazer qualquer coisa com a bola, mas, às vezes, tem de aprender a simplificar o seu jogo." Seu voleio também era uma fraqueza. "Ele detestava voleios quando nós começamos os trabalhos", disse Lundgren. "Jogava como se tubarões estivessem à espreita na rede, na área de saque. Nós conseguimos espantar os tubarões depois de muito treinamento."

O começo da parceria entre Federer e Lundgren aconteceu no meio da temporada das quadras de saibro. Foi um período desencorajador para Federer. Ele perdeu na primeira rodada nos torneios de saibro em Monte Carlo, Barcelona, Roma, Hamburgo e St. Polten. Ao entrar em Roland-Garros, o histórico da carreira de Federer em quadras de saibro era de 11 derrotas e nenhuma vitória. Lundgren atribuiu as suas derrotas consecutivas ao planejamento errôneo da temporada. Antes de começar a temporada de saibro, Roger participou do torneio de exibição River Oaks Invitational, em Houston, deixando pouco tempo para a sua preparação na Europa.

A escassez de vitórias nas quadras de saibro acabou, para Federer, em Paris. Ele ganhou a sua primeira partida nesse piso como profissional ao derrotar Wayne Arthurs, da Austrália, por 7-6 (4), 6-3, 1-6 e 6-3. Após a segunda vitória sobre Jan-Michael Gambill, dos Estados Unidos, parciais de 7-6 (5), 6-3 e 6-3, Federer venceu seu compatriota de Berna, Michael Kratochvil, em uma tensa partida de 5 sets, tendo como resultado do set de desfecho o placar de 8 a 6, no quinto set, que, em Roland-Garros, não tem tie break. As parciais dessa vitória foram 7-6 (5), 6-4, 2-6, 6-7 (4) e 8-6. Esse resultado colocou Federer nas oitavas de final de um torneio de Grand Slam pela primeira vez. Era um grande resultado estar na quarta rodada de um torneio de Grand Slam que durava um período de 2 semanas e contava com a participação de 128 atletas competindo na chave principal. Embora Federer viesse a perder a partida seguinte em sets seguidos, com parciais de 7-5, 7-6 (7) e 6-2, para o espanhol Alex Corretja, um dos melhores jogadores em quadra de saibro do mundo, Lundgren estava satisfeito como o resultado. "Corretja jogou uma ótima partida, mas Federer conseguiu aguentar por 2 horas", declarou. "Essa experiência vai dar a ele força e autoconfiança."

Sua recém-adquirida confiança não se mostrou imediatamente. Duas semanas depois de sua partida com Corretja, Federer perdeu na primeira rodada de Wimbledon para o ex-número 1 do mundo, o russo Yevgeny Kafelnikov. Federer ainda se sentia encorajado. "Eu não joguei muito bem, mas também não fui tão mal", explicou — e prosseguiu comentando, com entusiasmo, a atmosfera de seu torneio favorito. Como Federer ainda não havia ganhado nenhuma partida na chave principal em Wimbledon nas suas duas visitas, ele disse confiantemente que, da mesma maneira como havia ganhado o torneio na categoria juvenil no All England Club, em 1998, ele iria, algum dia, ganhar o título como profissional na categoria individual masculina. Alguns jornalistas se entreolharam e balançaram a cabeça.

O verão, para Federer, logo após Wimbledon, foi decepcionante. Sua derrota na primeira rodada em Wimbledon foi a primeira de cinco derrotas consecutivas em torneios já na primeira rodada. Essa sequência foi interrompida no US Open, no qual a sua chegada à terceira rodada fez pouco para melhorar seu saldo de derrotas e vitórias nas partidas. Nesse ponto de sua carreira, Federer perdeu 21 vezes na primeira rodada nos primeiros 38 torneios promovidos pela ATP que disputou. Mas esses resultados desencorajadores não tolheram o entusiasmo de Federer para a competição seguinte — os Jogos Olímpicos de 2000, em Sydney, na Austrália. Dentro e fora das quadras, a vida de Federer estava prestes a mudar.

Experiência olímpica

O time olímpico de tênis da Suíça estava destruído no começo dos Jogos Olímpicos de Sydney. Martina Hingis e Patty Schnyder saíram da competição feminina no último minuto. Marc Rosset, o campeão das Olimpíadas de 1992, também foi um desfalque anunciado na última hora, deixando Federer fora da competição em duplas. O Comitê Olímpico suíço estava enfurecido. Os jogadores de tênis ganharam a fama de serem atletas mimados, que não entendiam o verdadeiro valor dos Jogos Olímpicos.

O time suíço de tênis dividia o alojamento, socializava e jantava com os companheiros olímpicos dos times de arco e flecha, judô e luta greco-romana da Suíça na Vila Olímpica, onde Federer teve o privilégio de ocupar um quarto sozinho. "Aquele foi o melhor evento do qual eu já participei", Federer disse, anos depois, ao demonstrar sua fascinação de longa data pelos Jogos Olímpicos. O contraste com a monotonia da vida em hotéis não poderia ser maior. A cerimônia de abertura, a interação com atletas de outros esportes, o ambiente na Vila Olímpica e o sentimento de fazer parte disso tudo também tiveram um impacto em Mirka Vavrinec, um dos membros do time feminino de tênis da Suíça. "As Olimpíadas são algo fantástico, inacreditavelmente lindo, sem paralelo", Vavrinec expressou seu entusiasmo sobre sua experiência olímpica, após um treinamento. Ela também tinha coisas boas para falar sobre Federer, o jovem astro do time suíço, que era 3 anos mais novo que ela: "Eu não tinha ideia de que ele era tão engraçado."

Mirka, filha única, nasceu em Bojnice, na parte eslovaca da Tchecoslováquia, em 1978. Seus pais fugiram do país comunista quando ela tinha 2 anos de idade para começarem uma vida na cidade suíça fronteiriça de Kreuzlingen, no Lago de Constança. Seu pai, Miroslav, um ex-atleta de lançamento de dardos, e sua esposa, Drahomira, tinham uma joalheria. No outono de 1987, quando Mirka estava com 9 anos de idade, Miroslav levou sua família para a cidade próxima de Filderstadt, na Alemanha, onde Martina Navratilova estava competindo em um evento da WTA Tour.

A tcheca de nascença, Navratilova, dominava o tênis feminino e, como os Vavrinecs, havia fugido da Tchecoslováquia. Quando estava em Filderstadt, ela carinhosamente cumprimentou a família Vavrinec. "Nós temos de passar alguns dias com ela", disse Mirka. Navratilova perguntou a Mirka se ela jogava tênis. Mirka respondeu que não. "Eu faço balé." A octacampeã de Wimbledon (ela ainda ganharia o seu 9º título em 1990) a aconselhou a experimentar o esporte, acrescentando que a boa forma física e o talento atlético de Mirka se encaixavam muito bem às quadras de tênis. Navratilova a incentivou, perguntando a Jiri Granat — um ex-jogador tcheco de primeira linha que vivia na Suíça — se ele poderia fazer alguns testes e treinar a garota.

O instinto de Navratilova estava correto. Mirka exibiu imediatamente grandes habilidades com a raquete de tênis. Mas não apenas isso: ela também tinha determinação e resistência. O instrutor de tênis Murat Gürler, que a treinou quando nova, disse que ela se encaixava perfeitamente no esporte. Mirka disse para a revista de tênis suíça *Smash*, em 1994, depois de conquistar o título da categoria júnior sub-18, com 15 anos de idade: "Tênis é a minha vida, mas certamente não é fácil trabalhar comigo, pois sou bem teimosa."

Sua ambição e sua natureza intransigente eram bem fortes em sua personalidade. Em 1993, depois de um torneio na cidade de Maribor, na Eslovênia, ela convenceu o seu técnico a levá-la para um torneio na Croácia. A viagem exigia passar por uma parte do país na qual a guerra civil dos Bálcãs ainda estava acontecendo. Os dois passaram por vilas destruídas, tanques de guerra e carros queimados. Ele estava com medo, mas sua ambição era maior.

Mirka estava ranqueada entre as 300 melhores do mundo já aos 17 anos. Porém, uma lesão prolongada em seu calcanhar, em 1996, a tirou do circuito por meses, fazendo com que caísse no ranking mais de 300 posições. Ela lutou de maneira valente para se recuperar e conseguiu alcançar a posição de número 262 no final do ano de 1997. Mirka estava eufórica com o futuro.

Experiência olímpica

49

"Eu, na verdade, queria estar entre as 30 melhores jogadoras do ranking mundial", declarou.

Mirka, nesse ínterim, obteve seu passaporte suíço. As únicas conexões que ela ainda matinha com a sua terra natal eram alguns parentes que ainda moravam na Eslováquia, bem como a mistura de alemão e eslovaco falada em sua casa. Ela não tinha muito contato com Navratilova e teve sorte ao encontrar um patrocinador, o empresário suíço Walter Ruf, que a ajudou a sobreviver financeiramente no circuito de tênis feminino.

Graças à sua ambição e determinação — e também ao seu backhand, que alguns consideravam o melhor do mundo —, Mika conseguiu figurar entre as 100 melhores do ranking mundial pela primeira vez, em 2000. Ela teve a sorte de receber um convite para participar das Olimpíadas de Sydney, mesmo não estando na posição necessária no ranking para se classificar.

Enquanto Mirka ganhou apenas 2 games na primeira rodada contra a russa Elena Dementieva, que viria a conquistar a medalha de prata, Federer começou a obter vitórias atrás de vitórias. Valendo-se das ausências de Andre Agassi e Pete Sampras e das eliminações surpreendentes, logo na primeira rodada, do campeão do US Open Marat Safin, de Tim Henman e Michael Chang, todos no seu lado da chave, Federer ganhou 4 partidas seguidas e chegou até as semifinais. Foi, até aquela data, o seu melhor resultado, que surpreendentemente aconteceu em um torneio ao ar livre.

Aos 19 anos, Federer estava em condições de se tornar o mais jovem medalhista olímpico no tênis moderno. Contudo, ele jogou cautelosamente contra o alemão Tommy Haas, número 48 do ranking mundial (12 posições atrás de Federer), nas semifinais e acabou perdendo categoricamente. Federer, porém, ainda tinha chances de brigar pela medalha de bronze, mas, em vez de registar um feito de uma vida sendo um medalhista olímpico, Federer sofreu uma de suas maiores decepções, ao perder para Arnaud Di Pasquale, da França, o número 61 do mundo. Apesar de estar na frente por 3-0 no tie break do primeiro set, Federer perdeu 7 dos 9 pontos seguintes e o tie break, por 7-5. No segundo set, Federer lutou contra um match point no tie break quando estava 6-7 e ganhou o tie break 2 pontos depois. Federer quebrou o serviço de Di Pasquale, que começou a sofrer de câimbras, e conseguiu uma vantagem de 2-1 no set final; entretanto, o francês se recuperou e arrancou a vitória das mãos de Federer na partida que durou 2 horas e meia e terminou com o placar de 7-6 (5), 6-7 (7) e 6-3.

"Considerando como a partida estava se desenrolando, não era para eu ter perdido nunca", disse Fereder, quase não conseguindo segurar suas lágrimas. "Eu realmente gostaria de estar no pódio. Agora não tenho mais nada para levar para casa além de meu orgulho."

Contudo, Federer, que havia recentemente dito que "escolheria o tênis em vez de uma namorada", sairia de Sydney com algo mais que apenas o seu orgulho. A sua amizade com Mirka se transformou em romance. A tenista disse que, em um primeiro momento, não havia percebido que ele estava interessado nela romanticamente. "Ele só me deu um beijo no último dia dos Jogos Olímpicos", conta.

Por ora, cada um deles tomou seu caminho. Mirka seguiu o tour feminino para o Japão e depois para a Europa. Entretanto, o relacionamento entre eles se tornou mais intenso durante os meses seguintes. O público ainda teve de esperar um bom tempo antes de as histórias e fotos do novo "casal dos sonhos" aparecerem. Quando um jornal desacatou o pedido de Federer para que mantivesse o seu novo relacionamento em segredo, ele reagiu de maneira raivosa. "Não acho que esse tipo de coisa tem de se tornar pública", esbravejou. "Eu conversei com a minha namorada e ela não quer esse tipo de exposição também, porque daí nós teremos de falar apenas sobre o nosso relacionamento, e não mais sobre nossas carreiras."

A carreira de Mirka, entretanto, não se desenrolou como esperado. Ela conseguiu chegar até a terceira rodada de um torneio do Grand Slam, o US Open de 2001, perdendo para a futura número 1 do mundo, Justine Henin-Hardenne, mas o preço que ela teve de pagar por suas vitórias foi alto. Como a sua colega, Martina Hingis, Mirka teve problemas com seus pés — apesar de várias operações e repouso. Ela alcançou sua maior posição no ranking, de número 76, no dia 10 de setembro de 2001, porém uma lesão em um ligamento de seu pé direito a impediu que continuasse progredindo, e ela foi forçada a parar por meses.

O US Open de 2001 foi o seu último sucesso no tour de tênis — com exceção da Hopman Cup, que aconteceu em janeiro de 2002, em Perth, na qual ela conseguiu celebrar uma vitória contra a Argentina ao lado de seu namorado. Logo depois, aos 24 anos de idade, ela jogou sua última partida pela WTA Tour, em Budapeste. Foi obrigada a fazer uma nova cirurgia e teve de ficar de muletas mais uma vez. Demorou muito tempo para que Mirka percebesse que sua carreira estava definitivamente acabada. Seu recorde

Experiência olímpica

como profissional é de 202 vitórias e 159 derrotas — incluído os torneios de menor importância —, com a soma de 260.832 dólares em prêmios.

O fim abrupto e prematuro de sua carreira a levou à depressão. "Não é nada fácil quando você faz algo que gosta a vida inteira e, de repente, tem de largar da noite para o dia", confessou Mirka, algum tempo depois, em Wimbledon. "Eu passei por maus bocados. A pior parte foi quando tive de ficar 8 meses em casa, sem poder fazer nada. Eu tinha muito tempo para pensar e assistir a partidas de tênis pela televisão. Roger foi quem me deu maior apoio. Ele colocou o tênis de volta em minha vida. Quando ele ganha, é como se eu ganhasse também."

8

Suando a camisa

Roger Federer ainda era o jogador mais jovem entre os 100 primeiros do ranking da ATP no fim da temporada de 2000 e estava rapidamente galgando o seu caminho para o topo. Contudo, quando se tratava de ganhar o seu primeiro título de simples da ATP, parecia que a sorte não estava ao seu lado. Não importava o quão bem jogasse, ele simplesmente não conseguia conquistar o seu primeiro título. Ao contrário, Lleyton Hewitt, que era apenas 5 meses mais velho que Federer, já havia ganhado 6 títulos em sua carreira, incluindo 4 somente no ano de 2000. Hewitt também conseguiu a posição de número 6 do ranking e estava seguramente estabelecido como um dos 10 melhores jogadores do mundo.

O estilo de jogo de Hewitt era diferente e mais simples. Ele era rápido e considerado um dos jogadores mais aguerridos dentro de quadra — lutando intensamente para obter cada ponto e cansando os seus oponentes com o seu jogo estável de fundo de quadra. Ele intimidava seus adversários quando cerrava os punhos e os balançava veementemente para comemorar um ponto e com o seu grito inconfundível — "C'mon!".

Enquanto Hewitt conquistava vitórias de maneira relativamente não muito brilhante, o contrário, normalmente, era o caso de Federer. Ele encantava os espectadores com amostras dinâmicas dos mais variados golpes e com seu ataque virtuoso. Parecia possuir um potencial infinito — mas, apesar disso, perdia repetidamente para oponentes de nível inferior. Ele se parecia com

Suando a camisa

alguém que havia ganhado na loteria, mas não sabia o que fazer com todo aquele dinheiro. "Ele tem tanto potencial que, às vezes, isso acaba até mesmo por confundi-lo", disse o próprio John McEnroe, um ex-artista do tênis.

A hora de Federer parecia finalmente ter chegado, em outubro de 2000, na Basileia, sua cidade natal. Ele defendeu um match point ao derrotar Hewitt pela primeira vez em sua carreira nas semifinais, ganhando com o placar mais apertado possível — 8 a 6 —, no decisivo tie break do terceiro set. "Aquela foi um das minhas partidas mais inacreditáveis", Federer disse, animadamente, de uma de suas grandes vitórias no começo de carreira. Mas ele não conseguiu conquistar o título, perdendo a disputadíssima partida final para o cabeça de chave número 6, o sueco Thomas Enqvist.

Sua presença na final colocou Federer entre os 25 melhores jogadores do ranking mundial. Porém, o cansaço físico e mental da longa temporada cobrou o seu preço, e Federer venceu apenas 3 partidas nos torneios finais que disputou, terminando o ano de 2000 ranqueado como o número 29 do mundo. Pela primeira vez, ele não conseguiu atingir os objetivos estipulados para uma temporada — ganhar o seu primeiro título e terminar o ano entre os 25 melhores jogadores do ranking.

A temporada de 2000 de Federer — sua segunda como profissional — o ensinou amargamente que jogadas espetaculares e talento não eram suficientes para ganhar torneios e chegar ao topo. Ele tinha de se preparar fisicamente. Embora o treinamento físico fosse algo que Federer, particularmente, não gostasse, ele contratou um preparador físico, Pierre Paganini, um velho conhecido de sua época na Federação Suíça de Tênis, em Ecublens, para se juntar a Lundgren como parte do time. Treinar com Paganini, que tinha 43 anos de idade, 100 dias por ano, provou ser um golpe de sorte.

"Ele é o melhor treinador físico que você pode imaginar", disse Lundgren sobre Paganini. O homem calvo e de óculos era um ex-jogador de futebol e um trabalhador esperto, profissional e reservado — e logo percebeu que Federer tinha deficiências na sua preparação física. "Atleticamente, ele tinha grandes defeitos. Havia um grande potencial para melhoramentos, especialmente com trabalhos para as pernas e musculação", Paganini recorda. "O seu problema era que seu enorme talento escondia as suas deficiências físicas." Ao mesmo tempo, entretanto, Federer tinha de defender sua posição no ranking mundial e não podia dar-se ao luxo de ter uma preparação física básica. "Eu tinha um cronograma de 3 anos para colocá-lo no máximo de seu rendimento físico."

O objetivo de Paganini, contudo, não era transformar Federer em um jogador musculoso. "Um jogador de tênis não é um corredor de provas rápidas, um maratonista ou um atleta de arremesso de peso", disse. "Mas ele tem de possuir um pouco de cada uma das características desses atletas e conseguir usá-las quando estiver jogando." Pelo fato de Federer ser um jogador criativo, que improvisava muitas jogadas diferentes durante uma partida, ele tinha de ter a capacidade de executar muitos movimentos diferentes, ao contrário de um jogador como Hewitt, que tende a jogar com estilo menos variado, repetindo os mesmos tipos de jogada. Paganini trabalhou com Federer de maneira que ele alcançasse "uma criatividade coordenada", movimentos de alta precisão e habilidade de manter um alto rendimento físico depois de 4 horas de jogo. "Roger não poderia escolher a tática errada por motivos físicos", disse Paganini.

Novos desafios eram rotineiros no dia a dia de Paganini para motivar o agitado tenista. "Roger não é lá muito viciado em trabalho repetitivo. Você não pode pedir para ele rebater 3 mil bolas de backhand, ele não se sentiria bem fazendo isso. O treinamento tem de ser divertido para Roger", afirmou Lundgren.

"Ele quer trabalhar duro, mas precisa de muita variedade", disse Paganini. "Ele tem de perceber que o exercício é bom para ele. Ele é um artista. Se você motivá-lo, ele vai se tornar um maluco por treinamento."

Em dezembro de 2000, em Bienna, Federer recebeu uma amostra de 2 semanas do que seu novo treinamento exigiria. Paganini desenvolveu exercícios para ele e os chamou de "treinamento físico integrado". Federer, por exemplo, correria em volta da quadra até ficar exausto e, então, imediatamente, voltaria para a quadra para jogar tênis. "Os reflexos naturais e todos os vícios que são os mais difíceis de arrumar entram em cena quando uma pessoa está em um estado de exaustão", Paganini explicou. "Daí, então, o técnico começa a trabalhar nesses vícios."

Enquanto muitos jogadores só se concentravam em adquirir condicionamento físico em dezembro, o único mês do ano em que não havia competições, Federer pontualmente trabalhava em seu condicionamento o ano inteiro. Paganini ficou, já de início, entusiasmado com a dedicação profissional demonstrada por seu pupilo. "Ele era realmente motivado por esses exercícios, e isso me surpreendeu", disse. "Mas ele é, afinal de contas, um atleta nato." Paganini, considerava Federer "naturalmente coordenado", afirma que o tenista aceitou o trabalho físico e o treinamento como parte de suas responsabilidades e o fato de nem sempre serem divertidos. "Ele entendeu que estava ali para adquirir algo que o ajudaria depois dentro das quadras."

O planejamento de 3 anos de Paganini provou ser um sucesso. "Hoje, Roger pode alcançar uma velocidade de 20 km/h, o que significa poder acompanhar um velocista regional pelos primeiros 30 metros", afirmou o treinador em 2003. Federer era capaz de correr 3.300 metros em 12 minutos, 9.300 metros em 40 minutos e conseguia suportar 150 kg enquanto estava fazendo agachamentos. Isso era uma evolução enorme, se comparado com seu estado anterior.

Federer achou fácil se motivar por esse treinamento direcionado, porque quebrava a rotina. "Só de mudar um pouquinho já me faz muito bem", afirmou. "Uma vez que estou em quadra, não tenho nenhuma dificuldade em me motivar. Se eu quero me tornar o número 1, tenho de dar o máximo nos treinamentos." Graças a Paganini, ele entendeu por que estava treinando tão duro e logo percebeu que o seu melhor condicionamento físico estava ajudando a aumentar a sua autoconfiança. "Eu me sentia muito bem porque sabia que estava fisicamente preparado para competir", disse Federer após a sua primeira sessão estendida de treinamento com Paganini.

Lundgren esperava muito de Federer em 2001, sua primeira temporada completa como técnico do suíço. Ele estava convencido de que, "se ele jogar como jogou na temporada passada em Sydney, Viena e na Basileia, ficará entre os 15 melhores do mundo". O sueco até mesmo ousou prever que Federer "ganharia o seu primeiro título muito em breve".

No começo da temporada, Federer e Martina Hingis venceram a Hopman Cup, em Perth. Não foi um evento especialmente significativo, mas se tratava, afinal de contas, de um torneio mundial misto, sancionado pela Federação Internacional de Tênis. Ele chegou à terceira rodada do Australian Open, devolvendo a derrota que sofrera nas Olimpíadas para Di Pasquale, na primeira rodada, antes de perder para o futuro finalista do torneio, Arnaud Clement. Fevereiro, contudo, tornou-se o melhor mês de sua carreira até aquela data. No torneio indoor em Milão, na Itália, após o Australian Open, Federer derrotou o Campeão Olímpico Yevgeny Kafelnikov pela primeira vez em sua carreira nas semifinais e conseguiu chegar à sua terceira final de simples na ATP. Federer aproveitou a oportunidade e, com os seus pais na arquibancada torcendo por ele, finalmente conseguiu conquistar o seu 1º título de simples na ATP, derrotando o número 53 do ranking, Julien Boutter, da França, por 6-4, 6-7 (7) e 6-4.

Lundgren estava correto. Um marco fora alcançado. "O alívio é enorme", disse Federer. "Eu tive de esperar por um longo tempo esse momento. As coisas daqui para frente devem ficar mais fáceis." Porém, a excursão para Milão não terminou tão bem para o pai de Roger. Em sua empolgação, ele trancou o carro com as chaves dentro e teve de quebrar o vidro para recuperá-las.

Uma semana depois, o rapaz de 19 anos alcançou outro marco em sua carreira quando voltou para Basileia para jogar a Copa Davis contra os Estados Unidos. Não havia como parar Federer. Ele venceu Todd Martin e Jan-Michael Gambill em dois desempenhos de tirar o fôlego e, nesse ínterim, formou uma dupla com Lorenzo Manta para derrotar o time americano de Gambill e Justin Gimelstob. Com seus três êxitos na vitória geral, por 3 a 2, da Suíça sobre os Estados Unidos, ele se juntou a Raul Ramirez, Neale Fraser, Nicola Pietrangeli, Frank Sedgman, Henri Cochet e Laurie Doherty como o sétimo e mais jovem jogador a ganhar 3 partidas em uma Copa Davis contra os Estados Unidos. "É como se fosse um sonho", disse Federer, que chorou de felicidade depois da partida em que venceu Gambill.

Os americanos, ao contrário, estavam atordoados. "Você tem de ser cego para não ver que ele tem um futuro brilhante pela frente", disse Gambill. O capitão do time norte-americano, Patrick McEnroe, não tentou dar nenhuma desculpa, mesmo não tendo os dois jogadores mais fortes, Pete Sampras e Andre Agassi, nas partidas. "Nós sabíamos que Federer seria um adversário difícil, mas não estávamos esperando por isso", disse ele. "Todas as vezes que dominava a bola, o ponto era dele."

Fevereiro ainda traria mais sucesso para Federer. Na semana posterior à em que derrotou sozinho o time dos Estados Unidos na Copa Davis, ele chegou às semifinais em Marseille, onde a sua sequência de 10 vitórias consecutivas foi quebrada ao perder para Kafelnikov. Na semana seguinte, ele chegou à sua quarta final de simples da carreira, perdendo para Nicolas Escude, da França, no tie break do terceiro set, na final de Rotterdam. A ATP o escolheu como "Jogador do Mês" e o elogiou efusivamente em seu comunicado oficial à impressa: "O Federer Express Chegou!"* Um aviso em tom de brincadeira também foi publicado no comunicado à imprensa, afirmando que Federer "foi abençoado com tanto talento que quase parece injusto com os seus oponentes".

---

* Esse é um apelido que Federer ganhou e, embora um pouco esquecido, ainda é usado algumas vezes para se referir ao suíço. (N.R.T.)

9

Alvoroço na Copa Davis

Os capitães da Copa Davis estão entre as personalidades mais visíveis do tênis. Durante o torneio, que, na maioria das vezes, é repleto de tensão, eles se tornam a figura mais importante para os jogadores, que estão acostumados com os seus próprios rituais e rotinas. Tendo em vista que as regras da Copa Davis — válidas desde 1900 — permitem que cada capitão fique em quadra para instruir e conversar com os jogadores durante as partidas, eles se tornam ainda mais importantes que os técnicos da turnê regular durante esses jogos, frequentemente dramáticos e cheios de pressão, por se tratar de um campeonato no qual se defende o seu país. Como os capitães costumam ser nativos do país que representam, o número de candidatos a ser escolhido é frequentemente limitado e conflitante; lutas pelo poder e demissões ocorrem com frequência.

Esse fenômeno é bem conhecido na história da Suíça na Copa Davis. Em 1992, quando Marc Rosset liderava o time na sua única presença em uma final de Copa Davis, o capitão Roland Stadler foi repentinamente retirado de suas obrigações. Quando perguntado o que um capitão na Copa Davis realmente faz, o austríaco Thomas Muster, referindo-se ao tênue equilíbrio do cargo, disse que ele deve "segurar a toalha e a garrafa de água e calar a boca".

O esforço praticamente solo de Federer contra os Estados Unidos na Basileia aliviou temporariamente qualquer tensão na equipe suíça da Copa

Davis, mas, apesar disso, problemas ainda estavam fermentando no time suíço. A intranquilidade brotou de uma decisão no fim de 1999, quando a Federação Suíça de Tênis substituiu o popular capitão do time e diretor Claudio Mezzadri por Jakob Hlasek, um ex-jogador que chegou a estar entre os 10 melhores do ranking. Os jogadores claramente estavam a favor de Mezzadri e receberam como uma afronta o fato de Hlasek, o preferido da associação, ter sido empurrado para eles de maneira forçada. Além de tudo, o contrato de 5 anos de Hlasek lhe dava poder absoluto.

A Federação Suíça de Tênis sabia que contratar Hlasek tinha perigos ocultos, mas subestimou as consequências do ato. Tendo Rosset como líder, os jogadores suíços ameaçaram boicotar a partida contra a Austrália que aconteceria na própria Suíça, em 2000, mas recuaram no último minuto. Certo tempo antes, Federer fora forçado a tomar uma posição neutra na controvérsia, pois ele era obrigado por contrato a jogar a Copa Davis, em troca do apoio financeiro que a Federação Suíça de Tênis dava a ele no tour. Mas, agora, tendo se separado do tênis suíço, ele estava livre e poderia escolher se jogaria ou não.

Na véspera dos Jogos Olímpicos de Sydney, o gerente do time suíço na Copa Davis, René Stammbach, conseguiu persuadir Federer a participar da Copa Davis, em 2001, sob o comando de Hlasek. Para deixar a proposta ainda mais sedutora, Federer recebeu uma oferta que consistia em permitir que Lundgren fizesse parte do time. Além disso, Stammbach se comprometeu a revisar a situação no fim do ano e obedecer aos desejos de Federer caso o seu relacionamento com Hlasek não melhorasse.

A tensa relação entre Hlasek e Federer era difícil de compreender. A dinâmica entre os dois simplesmente não funcionava. Hlasek era um profissional prático e mecânico, que dava valor à disciplina e queria manter o time da Copa Davis sob o máximo de controle possível. Federer, contudo, era um artista, que gostava de estar rodeado por pessoas que não fossem monótonas, que tivessem espírito de equipe e que fossem divertidas. Sob o comando de Hlasek, Federer estava privado desse ambiente, o que tornou ainda mais surpreendente o fato de ele ter jogado tão bem até aquele ponto.

A situação se intensificou dramaticamente em abril de 2001, nas quartas de final contra a França, na cidade suíça de Neuchâtel. No primeiro dia, Rosset e Arnaud Clement abriram a série e se empenharam em uma partida épica de 5 sets que durou quase 6 horas, sendo que apenas o quinto set

Alvoroço na Copa Davis

duro 2 horas e meia. Apesar de ter sacado para fechar a partida, Rosset falhou e perdeu para o francês, em 15-13, no quinto set. A partida consistiu de 72 games e, até aquela época, foi a mais longa partida da Copa Davis desde que o tie break foi instituído, em 1989.

Depois da partida extenuante, o inesperado aconteceu. Federer jogou contra o número 2 da França, Nicolas Escude, que estava ranqueado mundialmente abaixo dele, porém repetiu o seu sucesso em Rotterdam contra o número 1 da Suíça, em uma vitória que se confirmou depois de 4 sets, para dar à França a liderança de 2-0. Depois da partida — quase à meia-noite, em virtude da duração da partida entre Rosset e Clement —, Federer falou com a mídia, com uma cara emburrada, na coletiva de imprensa. Quando perguntado sobre seu desempenho fraco, ele não teve o menor receio de dizer tudo que pensava. "A verdade é que não está mais dando certo com Jakob Hlasek", disse. "Eu senti isso em quadra. Nós estamos tendo problemas um com o outro, mas, dessa vez, simplesmente não deu certo, não estava nem um pouco à vontade em quadra." Federer disse que precisava de alguém, sentado na cadeira do técnico, com quem pudesse conversar, com quem ele se desse bem e pudesse se divertir. "Com Jakob não era assim."

O desabafo veemente de Federer revelou o lado intransigente, menos conhecido, de sua personalidade — como um leão orgulhoso reagindo passionalmente quando as coisas não são do jeito que quer. Mas uma questão ainda permanecia no ar: como Federer havia jogado tão bem em partidas anteriores contra a Austrália, Bielorrússia e Estados Unidos, tendo Hlasek sentado ao lado da quadra na cadeira do treinador? Houve rumores de que ele não estava contente com o fato de a relação de Rosset e Hlasek ter melhorado e que estava com ciúme por Rosset estar lhe tirando os holofotes. A partida de Roger com Escude aconteceu logo após a partida épica entre Rosset e Clement, e a maioria dos jornalistas estavam ocupados escrevendo e analisando a partida, em vez de dar atenção para Federer. Os espectadores, cansados, saíram após o fim da partida de Rosset, pois já haviam visto tênis o suficiente para um dia.

A Suíça nunca havia virado uma série na Copa Davis perdendo de 0-2, porém Federer liderou o esforço inesperado. Com Manta, ele ajudou o time suíço a ganhar nas duplas, com um placar de 9-7, no quinto set, sobre Fabrice Santoro e Cedric Pioline. Na primeira partida de simples do domingo, Federer empatou a disputa por 2-2 ao ganhar de Clement em 4 sets. A virada impossível de 0-2 parecia estar em vias de acontecer. Na quinta e última partida decisiva, George Bastl, que substituíra o já exausto Rosset, conseguiu um match point contra Escude. Durante um longo rali de fundo de quadra, um espectador gritou — acreditando que uma bola de Escude havia saído. A bola caiu dentro e Bastl, desconcentrado pelo grito, cometeu um erro e continuou na partida, até perder por 8-6 no quinto set. O time suíço perdeu para o francês por 3 a 2 após ter jogado 23 sets em mais de 21 horas.

Logo depois, Federer declarou para a Federação Suíça de Tênis que não jogaria mais sob o comando de Hlasek. Poucas semanas mais tarde, o contrato entre Hlalsek e a federação — que teria validade até 2005 — foi rompido. O australiano Peter Carter, treinador de Federer em sua época de juvenil, assumiu o lugar de Hlasek como o diretor do time, enquanto foi determinado que jogadores que não estivessem envolvidos nas partidas assumiriam o papel "oficial" de capitão do time.

Hlasek tinha de ir — mesmo tendo acumulado números impressionantes como capitão. Contra a Austrália, os suíços estavam a um set da vitória, e contra a França, eles ficaram a um ponto de alcançar as semifinais. A Bielorrússia e os Estados Unidos foram categoricamente derrotados. Hlasek estava no lugar errado na hora errada — ou, analisando por outro ângulo, Roger Federer já tinha o tênis profissional suíço sob o seu completo controle aos 19 anos de idade.

10

O homem que derrotou Sampras

Wimbledon sempre foi o torneio favorito de Roger Federer. Embora tivesse ganhado o título na categoria juvenil em 1998, Federer ainda não havia vencido uma partida na chave principal do torneio antes da edição de 2001 do campeonato. Ele estava, contudo, muito confiante, pelo melhor começo de ano de sua carreira e por seu melhor desempenho até aquela data na temporada de saibro. Roger alcançou as quartas de final em Monte Carlo e derrotou a número 2 do mundo, passando para a terceira rodada do Aberto da Itália. Em Roland-Garros, ele alcançou o seu melhor resultado em um torneio de Grand Slam até aquela época, chegando às quartas de final e perdendo para Alex Corretja, que viria a ser um dos finalistas desse torneio. Assim que Wimbledon começou, Federer estava ranqueado como o número 15 do mundo, e na Corrida dos Campeões da ATP, que classifica os jogadores com base nos resultados do ano em curso, Federer ocupava a posição de número 7.

A terceira vez de Federer em Wimbledon trouxe a ele, finalmente, sua primeira vitória na chave principal — por 6-2, 6-3 e 6-2 — contra o belga Christophe Rochus — o irmão mais velho de Oliver Rochus, parceiro de Federer durante a conquista do título de duplas na categoria juvenil de Wimbledon, em 1998. Na segunda rodada, Federer escapou da derrota, em uma vitória incomum de 5 sets sobre o também belga Xavier Malisse. Depois de conquistar a vantagem de 2 sets a 0, Federer ficou atrás, em decorrência de uma quebra no seu serviço no quinto set antes de Malisse sofrer um ponto por penalidade, por ter insultado um juiz de linha, e então começar a fraquejar, dando a Federer a vitória, por 6-3, 7-5, 3-6, 4-6 e 6-3, apesar de Malisse ter ganhado mais pontos no total disputado na partida e ter registrado mais quebras de serviço que o suíço. Na terceira rodada, Federer derrotou com facilidade Jonas Bjorkman, da Suécia, mas caiu várias vezes durante a partida na grama escorregadia, o que lhe causou uma lesão dolorosa na virilha e exigiu que ele tomasse muitos analgésicos para aliviar o desconforto.

As partidas de oitavas de final de 2001 em Wimbledon aconteceram em uma segunda-feira, dia 2 de julho, um dia quente para a estação. Foi uma data muito especial para Federer, quando ele colocou os pés na grama da Quadra Central de Wimbledon pela primeira vez. A Quadra Central, conhecida no Brasil como o templo sagrado do tênis, é a Capela Sistina do esporte e o lugar onde todos os seus ídolos conquistaram o sucesso. Além de tudo, Federer teria de encarar Pete Sampras, o rei das quadras de grama e de Wimbledon. Os números do americano de 29 anos nesse torneio eram assombrosos. Ele havia ganhado 7 dos últimos 8 títulos disputados e perdido apenas 1 das suas 57 partidas anteriores, em Church Road*, no ano de 1996, nas quartas de final, para o futuro campeão Richard Krajicek, da Holanda. Sampras vinha de 31 vitórias consecutivas em Wimbledon ao entrar na partida contra Federer.

Sampras era o terceiro jogador favorito de Federer quando pequeno — atrás de Becker e Edberg. O capítulo mais primoroso na história da carreira de Sampras tinha acontecido em Wimbledon apenas 12 meses antes. Com a sua noiva — a atriz Bridget Wilson — nas arquibancadas, acompanhada dos pais dele, Sam e Georgia (o que era extremamente raro), Sampras havia vencido Patrick Rafter, da Austrália, na final de simples masculina, para conquistar o seu 7º título de Wimbledon e o seu 13º torneio de Grand Slam, quebrando o recorde de todos os tempos que ele dividia com Roy Emerson.

Entretanto, a temporada de 2001 estava longe de ser bem-sucedida para Sampras. Ele chegou a apenas uma final de simples, e a sua posição no ranking caiu para o 6º lugar. Mas com seus números e sua história no All

---

* Esta é a rua onde fica o All England Club, a sede do torneio. (N.R.T.)

O homem que derrotou Sampras

England Club, Sampras deixou claro: "em Wimbledon, eu ainda sou o adversário para se ganhar." Sampras estava em um ponto de sua carreira no qual estava completamente concentrado nos torneios de Grand Slam — em especial, em Wimbledon. Ser o número 1 do ranking, o que Sampras conseguiu ao fim de cada ano, de 1993 a 1998 — um recorde da ATP —, não era mais uma prioridade para ele.

Porém, jogando contra Federer nessa rodada, certas pessoas pressentiram que alguma coisa estava no ar e que a invencibilidade de 31 jogos de Sampras poderia ser quebrada. Federer estava em forma, sua autoconfiança estava alta e, nesse ponto de sua carreira, ele já tinha recebido muitas lições como profissional de suas 58 partidas pela ATP. John McEnroe disse: "Federer tem de se impor e mostrar o que realmente sabe fazer." O próprio Federer declarou que poderia ganhar de Sampras, mesmo que fosse em Wimbledon. "Eu não vou jogar para ganhar um set ou somente para fazer um bom papel." Peter Lundgren, sempre otimista, também encorajou a confiança de Federer. "Toda a invencibilidade tem de terminar", declarou. "Até mesmo para Sampras."

Federer desfilou grandioso para dentro da Quadra Central pela primeira vez — com o seus ombros largos jogados para trás e com o rosto sem nenhuma expressão, como se sempre tivesse jogado lá. Ele fez a melhor partida de sua carreira até então. "Eu às vezes olhava sobre a rede para o outro lado da quadra, pensando se aquilo tudo era realmente verdade ou apenas um sonho maravilhoso", disse algum tempo depois. Depois de 3 horas e 41 minutos de jogo, ele deu um golpe vencedor de forehand ao retornar um saque, para fechar a partida em 7-6(7), 5-7, 6-4, 6-7(2) e 7-5 e se declarar vitorioso. Às 19h20min, horário local, Federer caiu de joelhos e, então, deitou-se de lado e chorou de felicidade. Para ele, era um sonho se tornando realidade, mas, para Sampras, era a destruição de um sonho. Sua chance de se equiparar a Björn Borg, ganhando 5 títulos consecutivos em Wimbledon, lhe foi arrancada e, na sua idade, as oportunidades tinham chegado ao fim.

A vitória surpreendente de Federer causou uma sensação global no mundo dos esportes. "Por favor, marquem o dia 2 de julho de 2001 nos seus calendários", o *The Times* de Londres escreveu. "Foi o dia em que tudo mudou em Wimbledon." O tabloide britânico *The Sun* usou de artilharia mais pesada: "O gigante Pete foi derrubado. Federer jogou a partida de sua vida. Ele não somente quebrou o serviço de Sampras como também a vontade dele."

Sampras, apesar de amargamente desapontado, reagiu com dignidade. Ele lamentou ter desperdiçado as duas oportunidades de quebrar o serviço de Federer no quinto set, o que o possibilitaria sacar para a partida em 5-4. Ele também elogiou o seu adversário como nunca havia feito antes. "Eu perdi para um tenista, realmente, realmente excelente, que jogou de forma brilhante", disse Sampras. "Federer é um dos jogadores mais diferenciados no tour. Ele tem tudo para trilhar um caminho de sucessos."

Depois das intermináveis entrevistas por causa de sua vitória, Federer se retirou para o apartamento alugado próximo à Lingfield Road, onde morou durante 2 semanas com Lundgren. Como muitos jogadores, ele alugou um apartamento perto do All England Club durante o torneio no intuito de evitar o caminho estressante entre o clube e os hotéis no centro de Londres. Também havia a vantagem de poder esperar as frequentes pausas e atrasos — em virtude das famosas chuvas de Wimbledon — em casa, e não no vestiário ou na sala de jogadores. Federer não dormiu bem depois de sua vitória épica e não pode escapar do assédio no dia seguinte. Mesmo vestindo um chapéu de abas largas e óculos escuros, ele ainda foi reconhecido e perseguido no caminho para o treinamento por fãs e pela mídia. Seu próximo jogo seria na quarta-feira, e seu adversário era o preferido dos britânicos e o favorito para vencer Wimbledon, Tim Henman. A mídia britânica perguntava incansavelmente para o homem que eliminou Sampras tudo sobre a sua vida, e alguns jornalistas foram procurar por histórias escandalosas e por fotografias de sua infância.

Ao contrário do jogo contra Sampras, as bolinhas não quicaram para o lado de Federer contra Henman. Ele não jogou mal, mas a sua concentração falhou em momentos cruciais e ele não aproveitou oportunidades importantíssimas em dois tie breaks. O terceiro jogo da carreira de Federer contra Henman resultou em sua terceira derrota, e o britânico, com mais de 15 mil torcedores a seu favor na Quadra Central, derrotou Federer por 7-5, 7-6 (6), 2-6 e 7-6 (6).

Roger Federer não seria o campeão de Wimbledon, porém Henman também não o seria. O britânico perdeu nas semifinais para Goran Ivanisevic, que então venceu Rafter, em uma final épica decidida no quinto set, com o placar de 9-7.

11

O taxista de Bienna

As lesões fazem parte do tênis, assim como as irritantes duplas faltas e as viagens cansativas ao redor do mundo. Os tendões e as articulações são submetidos a um estresse considerável todos os dias, por horas a fio, devido às mudanças abruptas de direção que os jogadores têm de fazer. Isso continua ao decorrer do ano, na medida em que as condições dos torneios mudam constantemente — de quadras de piso duro para as de saibro e de grama, em ambiente fechado ou ao ar livre. A colega de Federer, campeã de 5 torneios de Grand Slam, Martina Hingis, teve de abandonar o tour profissional aos 22 anos de idade, em decorrência de dores crônicas em seus pés, que necessitaram de 2 cirurgias.

Até aquele ponto, Federer, felizmente, não tinha passado por nenhum tipo de lesão mais grave. Mesmo o problema com a sua virilha, que o incomodou desde o jogo com Björkman, em Wimbledon, não parecia ser tão sério. Afinal de contas, ele derrotou Sampras na rodada seguinte. Mas depois de Wimbledon, Federer cometeu o erro de participar do Aberto da Suíça, em Gstaad. Ele perdeu facilmente na primeira rodada para Ivan Ljubicic e, no processo, machucou o músculo de seu quadril e desenvolveu uma canelite.* Federer teve de ficar em repouso por 7 semanas e perdeu 3

---

* Nome popular dado à periostite medial de tíbia, inflamação que ocorre na tíbia, principal osso da canela, ou nos tendões e músculos desta; é comum em praticantes de tênis, futebol, corrida, ciclismo e ginástica olímpica. (N.E.)

torneios importantes, como Montreal, Cincinnati e Indianápolis, os 2 primeiros da série Masters e o terceiro de data estratégica para preparação ao US Open.

Federer comemorou o seu 20º aniversário, no dia 8 de agosto de 2001, bem longe do mundo do tênis. Ele havia feito fisioterapia e se recuperava de suas lesões em Bienna, que ainda servia como a sua base de treinamentos. Federer encontrou um amigo de convalescença em Michael Lammer, seu rival na época de juvenil, que também estava machucado. Lammer, que, como Federer, se formou no Tennis Etude e se preparava para os seus testes na faculdade, estava de muletas, porque havia torcido um ligamento em sua perna. Federer podia, pelo menos, dirigir e ofereceu seus serviços para o amigo. "Roger foi muito útil e bancou o taxista para mim", Lammer recorda. "Ele me esperava na estação do trem, me levava de carro até a escola e me pegava para irmos juntos fazer fisioterapia na escola de esportes em Magglingen."

Os dois jogadores de tênis lesionados, que ganharam juntos um título internacional em duplas, muitos anos antes, arranjaram um apartamento de 2 cômodos perto do Centro Nacional de Tênis. Federer tinha seu próprio quarto, enquanto Lammer dormia na sala. "Era bem apertado, quase não havia espaço para nós, não era muito confortável", conta Lammer, que foi colega de quarto de Federer por quase 2 anos. "Mirka ia muito lá quando Roger estava. Ela fazia limpeza, cozinhava e se assegurava de que tudo estaria razoavelmente em ordem." Federer, segundo ele, era muito brincalhão naquela época, mas sempre foi mais maduro que os rapazes da sua idade. "Nós bebíamos uma cerveja ou duas, mas nunca exagerávamos", afirma Lammer. "Ele tinha outras prioridades." O homem que derrotou Pete Sampras em Wimbledon, entretanto, poderia se divertir até altas horas da noite com o seu PlayStation.

Quando Federer retornou para o tour, no fim de agosto, pelo US Open, o seu tempo fora das quadras o deixou um tanto enferrujado e, após a brilhante partida contra Sampras, em Wimbledon, as expectativas eram muito maiores todas as vezes que ele pisava nas quadras. Seu objetivo era de se classificar para o torneio de fim de temporada, o Masters Cup, em Sydney, reservado para os 8 melhores jogadores. Depois de seu descanso no verão, Federer caiu para a posição de número 9 no decorrer do ano na Corrida dos Campeões, que determinava a entrada no Masters Cup.

Em Flushing Meadows, Federer chegou às oitavas de final, na qual, infelizmente, foi categoricamente derrotado por Andre Agassi. O ritmo e a autoconfiança que o levaram de vitória a vitória, no começo do ano, desapareceram, e o conforto natural da temporada indoor não ajudou muito. O

O taxista de Bienna

67

outono presenciou Federer perder suas partidas nas rodadas de abertura em Moscou, Stuttgart e Paris — todas em 3 sets — para jogadores ranqueados abaixo dele. O ambiente caseiro o levou à sua quinta final na ATP, na Basileia, em que a vitória provou ser furtiva, e ele foi vencido por 6-3, 6-4 e 6-2, por Tim Henman.

O grande ano de Federer acabou decepcionante. Ele terminou a temporada ranqueado na posição de número 13 do mundo e perdeu a classificação para o Masters Cup. Lleyton Hewitt estava no centro das atenções, agora mais do que nunca. O australiano ganhou o seu primeiro título de Grand Slam no US Open e foi celebrado como o campeão do Masters Cup em Sydney, terminando o ano como o número 1 do mundo.

Estava claro para Pierre Paganini que o tempo durante o qual Federer passou descansando e se recuperando de suas lesões foi a razão de ele ter perdido a classificação para o Masters. Federer não só teve de deixar de participar de 3 torneios importantes de verão em agosto por causa da canelite como também perdeu treinamentos físicos essenciais. Paganini disse que o corpo todo de Federer havia sido afetado; foi necessário repouso pleno. As consequências disso foram bastante perceptíveis. "Federer teve dificuldades em achar o seu ritmo", conta Paganini. "Mas as lesões fazem parte do trabalho. Outros jogadores passam pelo mesmo problema. O importante foi que Federer agiu muito profissionalmente durante a recuperação."

12

Uma visita aos 10 melhores do mundo

Roger Federer vivenciou um mosaico colorido de vitórias e derrotas em 2002, seu quarto ano como profissional. No começo do ano, o jovem de 20 anos ganhou o seu segundo título da ATP na carreira em Sydney — o palco de seu sucesso olímpico em 2000. A conquista o colocou, imediatamente, como uma ameaça perigosa para ganhar o Australian Open. Depois de vencer suas primeiras 3 partidas em Melbourne, em sets diretos, Federer teve de enfrentar o alemão Tommy Haas nas oitavas de final. Ele liderou a partida por 2 sets a 1 e teve um match point no quinto set antes de perder pelo placar de 7-6 (3), 4-6, 3-6, 6-4 e 8-6. Mais uma vez, outro torneio de Grand Slam estava perdido.

Em fevereiro, pela primeira vez em sua carreira profissional, Federer chegou a um torneio como campeão para defender o título, em Milão. Davide Sanguinetti, da Itália, entretanto, evitou que Federer se consagrasse bicampeão, derrotando o homem da Basileia por 7-6 (2), 4-6 e 6-1, na final. Na Copa Davis, em Moscou, contra os russos — na estreia de Peter Carter como capitão do time suíço —, Federer teve outro desempenho brilhante. Ele dominou Marat Safin e Yevgeny Kafelnikov — ambos entre os 10 melhores do ranking mundial competindo em seu país — em uma quadra de saibro no Estádio Olímpico (Olimpiysky), com a presença, nas arquibancadas, do ex-presidente da Rússia, Boris Yeltsin. Nenhum deles ganhou um set sequer de Federer e, em um total de 6 sets, os russos ganharam apenas

Uma visita aos 10 melhores do mundo

16 games somados. Apesar disso, eles ganharam as outras 3 partidas da disputa e derrotaram a Suíça por 3-2. De volta ao circuito da ATP, em Key Biscayne, Federer venceu Hewitt e chegou à final — a sua primeira em um torneio de nível Masters Series — apenas para perder novamente para Andre Agassi, 9 anos mais velho que ele.

A temporada de saibro começou um pouco desfavorável. Em Monte Carlo, Federer ganhou 3 games contra David Nalbandian na segunda rodada, enquanto, em Roma, caiu diante de um italiano de ranking muito menor que o dele, Andrea Gaudenzi, já na primeira rodada. Roma era o primeiro torneio em que Federer jogava com a sua nova raquete Wilson 6.0. Ele mudou para o novo modelo — 5% maior em sua área de impacto — no intuito de atingir menos bolas com a moldura da raquete e reduzir o número de erros não forçados.

A visita de Federer a Hamburgo, na Alemanha, provou ser mais surpreendente. Em duas participações anteriores, no tradicionalmente rico torneio de Masters Series, Federer ainda tinha de ganhar a sua primeira partida na competição. No ano anterior, a partida contra Franco Squillari, na primeira rodada, tinha se transformado em um momento ruim de sua carreira, quando, jogando em uma quadra secundária contra o argentino canhoto, Federer perdeu o controle e destruiu uma raquete na derrota por 6-3 e 6-4. O incidente o fez repensar a maneira de se comportar em quadra e decidir que esse tipo de comportamento deveria acabar.

Em 2002, a campanha de Federer em Hamburgo começou discreta e sem muito alvoroço, e ele próprio não tinha grandes expectativas. Apenas queria passar da primeira rodada. Depois de vencer a partida da primeira rodada contra Nicolas Lapentti, do Equador, Federer se soltou. Dessa vez, ele competiu sem pressão e jogou como se não tivesse nada a perder. Depois de mais duas vitórias sem perder um set contra Bohdan Ulihrach, da República Tcheca, e Adrian Voinea, da Romênia, Federer alcançou as quartas de final, na qual enfrentaria o tricampeão de Roland-Garros, Gustavo Kuerten. Federer — em um jogo que Lundgren disse ser, na época, a melhor partida em saibro que ele já havia jogado — derrotou o brasileiro por 6-0, 1-6 e 6-2. "Ele jogou o primeiro set muito solto", disse Lundgren. "Quando ele joga dessa maneira, ninguém consegue derrotá-lo."

Max Mirnyi, da Bielorrússia, um amigo de Federer que ele frequentemente convidava para treinarem juntos na Suíça, não teve a menor chance nas semifinais — perdendo de 6-4 e 6-4. Na final, Federer não teve dificuldades em derrotar Safin, ganhado a partida de melhor de 5 sets por 6-1, 6-3 e 6-4. O título do torneio foi o terceiro de sua carreira como profissional, o seu primeiro em um torneio de Masters Series — e, de longe, sua maior conquista na carreira até então. "Ele jogou muito bem", Safin disse, resignadamente. "Eu não tive a menor chance."

Orgulhoso de sua conquista, Federer não conseguiu segurar o choro. "Foi uma partida fabulosa; definitivamente, o jogo da minha vida", disse. Ele, então, ofereceu taças de champagne para os jornalistas e falou: "Eu definitivamente preciso ter o vídeo dessa partida para assisti-la muitas e muitas vezes, para aumentar a minha autoconfiança."

Federer já sabia de um dos prêmios que receberia por ter sido o campeão em Hamburgo — pela primeira vez em sua carreira, ele figurava entre os 10 melhores do ranking mundial. Ele subiu da posição de número 14 para a de número 8 e, na Corrida dos Campeões daquele ano, passou para o número 2. Federer alcançava outro marco em sua carreira. "Essa sensação faz com que o tênis se torne muito mais divertido", disse, alegremente, antes dos torneios de Grand Slam em Paris e Londres. Lundgren estava mais radiante que o normal. "Tenho certeza que ele estará em forma para Roland-Garros", afirmou. "A autoconfiança dele está muito alta agora. Ele está, sem sombra de dúvida, entre os favoritos para o torneio em Paris."

Federer era considerado o jogador do momento no ATP Tour nas vésperas de Roland-Garros e Wimbledon. Ele chegou a Paris com o status de herói e despontava como um dos favoritos para ganhar os dois campeonatos. Antes de sua partida de estreia em Roland-Garros contra o marroquino Hicham Arazi, Federer disse que estava esperando não gastar muita energia. Ele conseguiu esse objetivo, mas não com o desfecho que havia planejado. Em uma terça-feira fria e garoenta, na pequena quadra de número 2, Federer enfrentou Arazi, que, depois de uma temporada lamentável no saibro, conseguiu apenas a posição de número 45 do mundo. Porém Federer cometeu 58 erros não forçados em 95 minutos de jogo e perdeu, categoricamente, por 6-3, 6-2 e 6-4. Foi um desastre. Ele reclamou das condições escorregadias do piso da quadra, do mau tempo, da garoa, do cansaço depois de Hamburgo, mas também deu créditos a Arazi pela vitória. Resumindo — Federer estava confuso.

Roger tinha agora muito tempo para se preparar para as quadras de grama em Wimbledon, onde havia derrotado Pete Sampras no ano anterior.

Uma visita aos 10 melhores do mundo

Nas agências de apostas, Federer estava atrás de Hewitt, Safin, Agassi e Henman, cotado como o quinto jogador com mais possibilidades de ganhar o título. Para John McEnroe, Federer era o favorito, prevendo, de maneira contundente, que o suíço ganharia o título. Um ex-finalista de Wimbledon, MaliVai Washington, disse para a ESPN: "É apenas uma questão de tempo para que Federer ganhe um título de Grand Slam. A pergunta é: quantos títulos de Grand Slam ele vai conquistar?"

Antes de o campeonato começar, a ATP organizou uma coletiva por telefone com Federer para a imprensa internacional. "Sinto que as minhas chances de conquistar o torneio são boas", explicou durante a chamada, enquanto tentava refutar a teoria de que não se sentia bem em ser o favorito. "Eu me sinto melhor quando sou o favorito e tenho a certeza de que posso ganhar o torneio. É bom para mim não ser o azarão. É por isso que estou jogando melhor esse ano do que nos anos anteriores."

Entretanto, Federer também estava ciente do fato de ainda não haver conquistado um título de torneio Grand Slam e de que muitos esperavam que ele ganhasse um — e logo. O próprio Federer sentia a pressão das expectativas, porém mais pelas que ele mesmo colocou sobre si próprio. A sua impaciência crescia a cada oportunidade desperdiçada. Ele colocara uma enorme pressão sobre os seus ombros para ganhar Wimbledon ou o US Open em 2002.

Na primeira rodada em Wimbledon, Federer tirou como adversário o adolescente croata Mario Ancic. Federer não tinha ideia de quem ele era e não descobriu muito sobre esse tenista antes da partida. Antes da competição de 2002 em Wimbledon, Ancic, que tinha 18 anos, havia participado de torneios na categoria juvenil e conseguido chegar até a chave principal de Wimbledon por meio do *qualifying*. Ele estava na posição número 154 do ranking mundial e tinha quase 2 metros de altura. O campeão de 2001 em Wimbledon, Goran Ivanisevic, que, assim como Ancic, vinha da cidade costeira de Split, na Croácia, deu algumas dicas para o seu compatriota sobre como jogar contra Federer. Wimbledon era o primeiro torneio de Grand Slam de Ancic, e a sua primeira partida era na Quadra Central e contra Federer, o homem que havia derrotado um dos maiores campeões de Wimbledon naquela mesma quadra um ano antes.

O pai de Roger, Robert, que dificilmente assistia pessoalmente ao filho jogar, viajou até Wimbledon para, dessa vez, acompanhar o seu menino de perto. Sentado nas arquibancadas da Quadra Central, ele tinha certeza de que veria pacificamente uma vitória de praxe de Roger na primeira rodada, naquela tarde agradável, morna e seca. Ele não pôde acreditar nos seus olhos. Assim como em Paris, Roger perdeu sem fazer cerimônia logo na rodada de abertura do torneio, sem sequer ganhar um set. Ele estava irreconhecível, se comparado com os feitos heroicos do ano anterior, e apenas conseguiu fazer um ace contra o jovem Ancic na derrota que terminou em 6-3, 7-6 (2) e 6-3.

Federer ficou em choque. Como em Paris, ele não conseguia entender por que havia jogado tão mal. "Eu normalmente gosto de elogiar jovens jogadores", ele disse, "mas, do jeito que joguei hoje, eu não posso realmente julgar Ancic". Federer foi forçado a testemunhar um dos melhores jogadores da época, Hewitt, que não era considerado um especialista em quadras de grama, vencer David Nalbandian na final e se consagrar o primeiro australiano a ser campeão de Wimbledon desde Pat Cash, em 1987.

Federer, em contrapartida, saiu da lista dos 10 melhores do ranking por causa de seu desempenho em Wimbledon. Duas semanas mais tarde, no Aberto da Suíça, em Gstaad, Federer sofreu outra derrota inesperada para Radek Stepanek, da República Tcheca, na segunda rodada. A sua crise era incompreensível. "Ele não encontra mais o seu jogo em quadra", disse Lundgren. "Tecnicamente, não há nada de errado com ele. O problema está em sua cabeça. Ele sentiu a pressão." Por ora, Federer havia perdido toda a sua criatividade, toda a sua alegria em jogar tênis e, consequentemente, a sua autoconfiança. "Eu me deixei enfraquecer mentalmente e achei que não voltaria a jogar tênis novamente", revelou, tempos mais tarde. Mas o seu maior infortúnio ainda estava por vir — e chegaria de um lugar completamente inesperado.

13

Tragédia na África do Sul

A África do Sul foi, desde sempre, um lugar especial para Roger Federer. Ele tinha um passaporte sul-africano desde pequeno e se apaixonou pela terra natal de sua mãe. Quando pequeno, viajava rotineiramente para lá com a família. "A África do Sul é um refúgio do mundo do tênis para ele. Lá, ele renova a sua inspiração", sua mãe explicou certa vez. "Há uma liberdade naquele lugar. Na África do Sul, você cresce com muito espaço, o que é algo completamente diferente comparado com o espaço reduzido de uma região montanhosa. Os sul-africanos são mais abertos, menos complicados. Roger tinha se apegado a essas características."

No decorrer de sua carreira, Federer adquiriu uma propriedade na pitoresca Garden Route, costa oeste da África do Sul, no luxuoso Pezula Resort. Depois da exaustiva temporada de 2000, Federer tirou suas férias na África do Sul, onde visitou um safári com o seu padrinho, Arthur Dubach, um colega de trabalho do pai de Federer durante os anos em que vivera na África do Sul. Eles até presenciaram uma cena rara para turistas — um grupo de leopardos matando e comendo uma gazela.

No começo da tarde do dia 2 de agosto de 2002, um anúncio chegou à agência de notícias suíça *Sportsinformation*: "O capitão do time da Copa Davis morre em um acidente de carro." Segundo a história, o acidente ocorreu na

74 A biografia de Roger Federer

África do Sul, onde ele estava passando as férias com a sua esposa, Silvia. Não havia mais informações. A má notícia, então, foi atualizada com o anúncio de que um segundo homem também havia morrido no acidente.

O que realmente transcorreu durante essa lua de mel atrasada entre Peter e a sua esposa não chegou imediatamente ao conhecimento do público. Carter estava em uma Land Rover, próximo ao Parque Nacional Krueger, no dia 1º de agosto, feriado nacional na Suíça. O acidente aconteceu na área de Phalaborwa, por volta de 450 km ao norte de Johannesburgo. Carter estava como passageiro em um veículo que, aparentemente, estava seguindo outro, em que estavam alguns amigos e sua mulher. Segundo informações, o veículo perdeu o controle por causa de um pneu com defeito e, então, caiu no leito de um rio e capotou.

As notícias eram contraditórias. Em um primeiro momento, foi anunciado que Carter havia morrido no começo da noite e, mais tarde, que os dois passageiros haviam morrido imediatamente. Segundo informações iniciais, era Carter quem estava ao volante. Depois, foi publicado que um amigo de Carter estava dirigindo o automóvel e, mais tarde, que era um sul-africano que estava conduzindo o veículo. O porta-voz da polícia de Limpopo, na África do Sul, declarou: "Carter e o motorista, um sul-africano, morreram instantaneamente quando o teto do carro foi forçado pela forte batida para dentro do veículo."

Silvia Carter explicou o que realmente havia acontecido: "Meu marido estava no carro com um grande amigo nosso. Nós estávamos logo à frente, e eles estavam nos seguindo. O automóvel não tinha nenhum pneu com defeito. Nosso amigo teve de desviar de um micro-ônibus que estava vindo de frente, em direção a eles. Esse tipo de manobra, infelizmente, é rotineira na África do Sul. Para evitar uma colisão frontal, ele desviou para o caminho do acidente. O fatal foi que estavam chegando a uma ponte e tiveram de voltar para o asfalto. Tanto a velocidade quanto a diferença entre os terrenos — a superfície natural e a asfaltada — que as rodas tiveram de suportar fizeram com que a Land Rover capotasse. O carro passou pela ponte, quebrando o parapeito dela, e pousou a cerca de 3 metros, de ponta-cabeça."

Federer recebeu a notícia quando estava participando do Master Series, em Toronto. Ele nunca havia ficado tão triste em sua vida. Carter era um grande amigo e o técnico mais importante de sua carreira.

Embora Federer tivesse perdido logo na primeira rodada de simples, ele ainda estava participando das duplas, tendo como parceiro Wayne

Tragédia na África do Sul 75

Ferreira, que, ironicamente, era sul-africano. O clima para a partida da terceira rodada de duplas estava pesado e triste, e Federer e Ferreira perderam para Joshua Eagle e Sandon Stolle. Federer jogou a partida com uma faixa preta no braço em homenagem a Carter. Seus olhos estavam vermelhos. Contudo, ele anunciou, depois da derrota nas duplas, que estava preparado para dar uma entrevista. "Nós passamos muito tempo juntos, desde que eu era garoto", declarou sobre a sua relação com Carter. "Eu o via todos os dias quando eu era menino. É terrível... Ele morreu tão jovem e de maneira tão repentina." Federer ainda comentou que os dois tinham uma ligação muito forte e que nasceram sob o mesmo signo zodiacal — ele nasceu no dia 8 de agosto, e o técnico, um dia depois. "Peter era bem calmo e também era divertido, com o típico senso de humor australiano. Eu nunca poderei agradecê-lo o suficiente por tudo que ele fez por mim. Graças a ele, eu desenvolvi minha técnica e minha tranquilidade."

Carter assistiu a Federer jogar pela primeira vez quando ele era criança, na década de 1990; na ocasião, disse, empolgado, para os pais de Roger, no Vale de Barossa, na Austrália, que ele havia descoberto um talento gigantesco, que poderia ir muito longe. Ele trabalhou com Federer por volta de 2 anos, até 2000, e o ajudou a escrever a sua história de sucesso na categoria juvenil e também a chegar entre os primeiros 50 melhores do ranking mundial. Depois que Federer escolheu Lundgren como seu técnico particular, Carter permaneceu como treinador da Federação Suíça de Tênis e ficou responsável por promover novos talentos no tênis masculino. Ele se casou com Silvia von Arx, da Basileia, no mês de maio de 2001.

Já fazia muito tempo que Carter era o preferido dos jogadores para ser o capitão do time na Copa Davis. Porém, quando sua mulher foi acometida por um câncer linfático, ele parou com todas as suas atividades como técnico até que ela se recuperasse. Como Carter não era um cidadão suíço com passaporte desse país, não lhe era permitido, como capitão do time na Copa Davis, sentar com os jogadores na quadra ou assumir o papel de capitão "oficial". Contudo, a Federação de Tênis Internacional concordou em reconhecê-lo como um cidadão suíço e como o capitão oficial do time assim que ele adquirisse um visto de residência, o qual estava agendado para ser entregue no mês de setembro de 2003. Carter liderou o time apenas uma vez, em fevereiro de 2002, em Moscou.

Federer deixou Toronto e foi para Cincinnati, onde, assim como em Paris, Wimbledon e Toronto, perdeu na primeira rodada. Ele não conseguia se concentrar; não tinha mais confiança em seu jogo, e jogar tênis não era mais divertido. Seus pensamentos estavam com Peter Carter. "Quando algo assim acontece," Federer disse, "você percebe o quando o tênis não tem importância alguma". Ele puxou o freio de emergência. Retirou-se do torneio de duplas em Cincinnati, não participou do evento da semana seguinte, em Washington D.C., e pegou um avião para a Suíça.

O funeral aconteceu no dia 14 de agosto de 2002, em um dia quente de verão, na Igreja Leonhard, na Basileia. Cerca de 200 pessoas compareceram para dar adeus a Peter, entre eles, muitos rostos familiares no mundo do tênis. O amigo de infância de Carter, Darren Cahill, que, naquele momento, era o técnico de Andre Agassi, também estava presente. A cerimônia simples, acompanhada de música, foi conduzida pelo mesmo clérigo que havia casado os Carters um ano antes. Silvia Carter deu um breve e emocionante discurso, assim como fez um amigo de Peter vindo da Austrália, o fisioterapeuta da Copa Davis, Caius Schmid, e também Christine Ungricht, a Presidente do Swiss Tennis. "Ele era uma pessoa maravilhosa", ela disse. "Por que ele? Por que isso sempre acontece com os melhores?"

Os pais de Federer também estavam inconsoláveis. Carter formou uma ligação muito forte com o filho deles por anos. Ele os informava tudo sobre Roger quando estavam viajando juntos. "Era a primeira morte que Roger teve de encarar, e isso o atingiu profundamente", disse sua mãe. "Mas, em contrapartida, isso o deixou mais forte."

Federer deixou a igreja com uma sensação de pesar que nunca havia experimentado antes em sua vida. "Qualquer derrota no tênis não é nada se comparada com esse momento", explicou, semanas mais tarde. "Eu normalmente tento evitar eventos tristes como esse. Foi a primeira vez que estive em um funeral. Eu não posso dizer que isso me fez bem, mas eu estava próximo a ele em meus pensamentos e, dessa maneira, pude lhe dizer adeus de um jeito mais digno. Eu me sinto um pouco melhor agora, especialmente com relação ao tênis."

Embora Federer tivesse perdido, na primeira rodada, 5 dos 8 torneios, ele não via mais o seu estado atlético de maneira tão negativa. Ele deixou claro que havia gastado pouca energia desde sua vitória em Hamburgo, em maio, e que ainda estava fisicamente bem para o resto da temporada. "Você

Tragédia na África do Sul

também tem de ver o lado positivo das coisas, apesar das derrotas", falou. "Eu joguei muito no começo da temporada e agora tive tempo para descansar. Toda a energia que, agora, eu consegui acumular, vai me ajudar no fim deste ano ou no ano que vem."

Após chegar até as oitavas de final no US Open pelo segundo ano consecutivo, Federer tinha apenas uma coisa na cabeça — a próxima partida da Copa Davis, em Marrocos. "Nós simplesmente temos de ganhar — pelo Peter", disse. O espaço vazio deixado pelo então capitão do time foi preenchido, durante o verão em Casablanca, por Lundgren. A tarefa que os suíços encarariam no moderno complexo de tênis em al-Amal provou ser difícil. Os norte-africanos tinham dois especialistas perigosos em quadra de saibro à sua disposição — Hicham Arazi, para quem Federer havia perdido em Roland-Garros, no começo do ano, e Younes El Aynaoui, que estava entre os 20 melhores do ranking mundial. "Eu acredito que os marroquinos são os favoritos porque eles têm a vantagem de jogar em casa", comentou Federer.

Michel Kratochvil perdeu a partida de abertura da série para El Aynaoui, mas, então, aconteceu outro espetáculo de Federer na Copa Davis. Ele derrotou facilmente Arazi e El Aynaoui, pelo mesmo placar de 6-3, 6-2 e 6-1, e também foi figura dominante na partida em duplas para liderar a vitória da Suíça por 3-2.

"Perfeito do começo ao fim", assim descreveu Lundgren o desempenho de Federer. Houve uma grande sensação de alívio no time suíço após a vitória. Os gritos e as palmas reverberavam através dos corredores e das portas enquanto o time vitorioso se retirava para o vestiário. Federer disse que a vitória foi importante, mas "o fato de eu ter jogado tão bem foi apenas um bônus". Sem surpresa nenhuma, ele dedicou a vitória a Carter. "Eu pensei nele hoje ainda mais do que normalmente faço."

O bom resultado no US Open e o seu espetacular desempenho em Casablanca aniquilaram todas as dúvidas e medos de Federer. O seu sofrimento pela morte de Carter, vagarosamente, foi perdendo as forças, e a sua autoconfiança retornou. "O fato de eu ter conseguido manter a Suíça no Grupo Mundial da Copa Davis, por meio das minhas vitórias, me traz um momento muito propício", Federer disse, antes da temporada indoor. Fisicamente, ele ainda estava muito bem, em virtude das muitas derrotas no começo dos campeonatos durante o verão, e a sua motivação para as 6 semanas finais da temporada estava alta. O seu objetivo era conseguir, pela primeira vez, uma vaga no Tennis Masters Cup de fim de ano, em Xangai, na China, como um dos 8 melhores jogadores do ano.

O caminho, no entanto, não seria nada fácil. Federer estava ranqueado como o número 10 na anual Corrida dos Campões da ATP, mas teria de ficar, pelo menos, entre os 7 primeiros do ranking para garantir um lugar em Xangai. Em Moscou, Federer alcançou as quartas de final, em que perdeu, pela primeira vez, para Safin. Oito dias depois, em Viena, um torneio em que ele sempre mostrou o melhor de seu tênis, Federer, mais uma vez, levantou o troféu sobre sua cabeça. Nas semifinais, ele derrotou Carlos Moya por 6-2 e 6-3, em uma partida em que jogou tão bem que Lundgren falou sobre ela durante meses. Na final, ele venceu Jiri Novak, da República Tcheca, que era um rival direto para as últimas vagas do torneio em Xangai, pelo placar de 6-4, 6-1, 3-6 e 6-4. Era o seu primeiro troféu depois da morte de Carter, e seus pensamentos estavam, mais uma vez, com o seu amigo e treinador australiano. "Eu dedico esse título a ele", disse Federer, com os olhos rasos d'água, na cerimônia de premiação.

14

A alvorada vermelha na China

O título conquistado por Roger Federer em Viena representou um grande passo para sua classificação no Tennis Masters Cup, na China. Federer passou Albert Costa, Andy Roddick e Tommy Haas na Corrida dos Campeões até chegar ao número 7, depois da vitória às margens do Danúbio. O seu ranking na ATP, com base nos resultados de 52 semanas, também o levou ao número 7, o seu melhor resultado de carreira até então — o mesmo resultado que o seu compatriota Jakob Hlasek havia alcançado em 1989. Depois de chegar às quartas de final no Tennis Masters Series, em Madri, Federer passou para o número 6 do ranking — marcando a mais alta posição alcançada por um jogador suíço até aquela época. Sua viagem para China estava quase marcada, mas agora ele queria ganhar o "seu" torneio — o Swiss Indoors, na Basileia.

Depois de terminar como vice-campeão nos últimos 2 anos, Federer parecia determinado a ganhar o torneio de sua terra natal. Nas quartas de final, enfrentou Roddick pela primeira vez em sua carreira e derrotou o americano de 19 anos por 7-6 (5) e 6-1, em um jogo empolgante que durou até a meia-noite. Nas semifinais, o aguerrido David Nalbandian, rival de Federer desde a época da categoria juvenil, destruiu os sonhos de Roger, ao vencê-lo em sua terra natal, ganhando a partida por 6-7 (2), 7-5 e 6-3; David virou o jogo depois de estar perdendo por 7-6 e 3-1.

O último Masters Series do ano é o de Paris, que acontece no Palais Omnisports de Paris-Bercy, uma arena majestosa localizada na parte norte do Sena, caracterizada pelas suas paredes cobertas de grama meticulosamente aparada. O evento normalmente decide os últimos classificados para o Tennis Masters Cup no fim de ano, e em 2002 não foi diferente. Federer oficialmente garantiu sua passagem quando Tim Henman perdeu na 3ª rodada para Nicolas Escude, conseguindo passar para as quartas de final. Como o seu objetivo havia sido alcançado, Federer relaxou na partida das quartas de final e perdeu, sem ganhar nenhum set, para o número 1 do mundo, Lleyton Hewitt.

Federer viajou para Xangai em novembro de 2002 como o número 6 do ranking mundial. Aos 21 anos de idade, ele era o mais jovem jogador no Tennis Masters Cup, não tinha nada a perder, pois era a sua primeira vez no torneio e, por isso, estava completamente relaxado para o evento. "Qualquer coisa além disso vai ser um bônus", disse. O Tennis Masters Cup aconteceu em um dos 5 pavilhões gigantescos de exibições que restaram de um hangar para aviões, no distrito de Pudong, em Xangai, uma área sem muitos atrativos entre o aeroporto e o centro da cidade.

Para Federer, a sua viagem para o Tennis Masters Cup na China era única. "Esse não é um torneio comum; é uma aventura", disse, enquanto fazia malabarismos com bolas de tênis na frente do hotel, andando de um lado para outro às margens da rodovia de 4 vias, em uma sessão de fotos para publicidade. Ele estava jogando no extremo oriente pela primeira vez e, imediatamente, se sentiu muito à vontade nesse novo ambiente. Federer gostou do clima único dos 11.500 metros quadrados do Expo-Hall, no qual os 10 mil espectadores criavam uma atmosfera eletrizante.

O Tennis Masters Cup era o maior evento esportivo, o mais caro e com a maior cobertura profissional na China naquele tempo. Para a maioria dos chineses, o tênis era relativamente desconhecido. Era um esporte ainda por descobrir, que eles não entendiam em sua plenitude. Toda vez que os jogadores cometiam dupla falta, os espectadores gritavam. Jornalistas chineses faziam as mais estranhas perguntas nas coletivas de imprensa. Um repórter chinês perguntou a Federer, em inglês, com um sotaque bem carregado: "Por que está sempre sorrindo, senhor Federer? É porque está em boa forma?" Depois de outra partida, o campeão de Roland-Garros, Albert Costa, ouviu de um jornalista chinês a seguinte pergunta: "Você sempre costuma comer bananas quando troca de lado, por que não o fez hoje? Talvez você não tenha gostado das bananas chinesas?"

Federer, o estreante do campeonato, que foi para China com a sua mãe, Lynette, e com sua namorada, Mirka, deleitava-se com o tratamento

A alvorada vermelha na China

preferencial dado a cada um dos 8 jogadores. "Eu me sinto especial aqui, com todo esse alvoroço e todos esses guarda-costas", disse. "Eles leem os desejos de seus lábios. É uma sorte haver apenas poucos jogadores aqui." Em Xangai, ficou ainda mais evidente que Federer possuía certa vocação para ser um astro, mas que não se deixaria cegar pelos holofotes. Ele adorava toda aquela atenção e se sentia muito à vontade com isso.

O Tennis Masters Cup é um torneio com a primeira fase em pontos corridos (*round robin*), em que os 8 jogadores selecionados são divididos em 2 grupos de 4. No seu grupo, Federer colocava Andre Agassi como favorito, e ele próprio, juntamente com Juan Carlos Ferrero, da Espanha, como os principais jogadores para assumirem o segundo lugar. O palpite de Federer logo se provou equivocado, quando derrotou Ferrero na partida da rodada inicial e, então, venceu Jiri Novak, obtendo 2 pontos no seu grupo. Federer, na sequência, assumiu a liderança de seu grupo assim que Agassi perdeu as 2 partidas para Novak e Ferrero. Sem chances de chegar às semifinais, Agassi prontamente deixou a China, desapontado, colocando a culpa em uma lesão nos quadris.

Nas semifinais, Federer teve de encarar Hewitt, que já havia conquistado a posição de número 1 até o fim do ano, pela segunda vez consecutiva. O australiano quase não chegou às semifinais, beneficiando-se da vitória de 3 horas de Carlos Moya — que já não teria nenhum benefício além da vitória — sobre o companheiro espanhol Costa; se Costa vencesse, iria para as semifinais, no lugar de Hewitt. Embora Federer tivesse perdido 5 das 7 partidas contra Hewitt, ele avaliou como sendo bem reais as suas chances de derrotá-lo e conquistar o seu primeiro grande campeonato.

Federer começou a sua partida de semifinal contra Hewitt de maneira furiosa, fazendo 3-0, e, então, liderando por 5-2 no primeiro set, porém Hewitt lutou com todas as suas forças, como se sua vida dependesse daquele resultado. O australiano defendeu 5 set points e lutou para assumir a liderança do primeiro set, por 6-5. Sacando para fechar o set, Hewitt ainda defendeu mais 5 break points, antes de ganhar o primeiro set por 7-5. Federer, contudo, ainda não estava pronto para se entregar. O segundo set transformou a partida em uma batalha sem favoritos. Hewitt sacou para fechar a partida em 5-4 e chegou até o match point, mas Federer quebrou o seu serviço e empatou o jogo, por 5-5. Depois de sacar para 6-5, Federer empatou a partida, por 1 set a 1, após quebrar o serviço de Hewitt, conseguindo encaixar o seu quarto set point no jogo.

82

A biografia de Roger Federer

Os torcedores chineses ficaram enlouquecidos — em pé, gritando e torcendo. Na cabine de imprensa, acima do estádio, Heinz Günthardt e Stefan Bürer, do time de comentaristas da tevê suíça, descreviam a tensão e a rapidez da partida para o público de seu país: lá, ainda era manhã, e muitas pessoas adiaram suas compras de fim de semana para assistir à dramática partida de seu novo herói nos esportes.

Enquanto a partida se estendia para a terceira hora, as quebras de serviço pareciam cair a favor de Federer. Liderando por 4-3 no set final, ele teve duas oportunidades de quebrar o serviço de seu oponente e se colocar na posição de sacar para fechar a partida. Entretanto, as duas oportunidades foram perdidas, e Hewitt empatou o set, por 4-4. Hewitt, então, na sequência, quebrou o serviço de Federer no game seguinte e teve a oportunidade de sacar em 5-4 para fechar a partida. O australiano conseguiu o seu segundo match point e, incrivelmente, cometeu uma dupla falta. Federer, então, quebrou o serviço de Hewitt, para igualar em 5-5. Sacando com bolas novas no game seguinte, Federer cometeu 2 duplas faltas consecutivas, permitindo que Hewitt quebrasse o seu serviço e ganhasse outra oportunidade de sacar para fechar a partida. Hewitt levou outros 4 match points para, finalmente, conseguir arrancar uma vitória épica de Federer e avançar para a final com um placar fenomenal — 7-5, 5-7 e 7-5. Após a partida, o jornalista do Hall da Fama, Bud Collins, foi até a sala de imprensa e perguntou para os seus colegas jornalistas: "Algum de vocês já presenciou um partida melhor do que essa?"

Na partida mais emocionante de sua carreira até aquela época, Federer estava consciente de que havia deixado a vitória escapar por entre os dedos. "Não há mais ninguém para culpar além de mim mesmo", declarou para um pequeno grupo de jornalistas suíços que viajaram para China. "A sorte não estava do meu lado. Eu deixei de aproveitar uma grande oportunidade. E isso dói bastante." As férias em Phuket, na Tailândia, o ajudaram a curar as feridas.

15

O bloqueio do Grand Slam

O objetivo declarado de Roger Federer para 2003 era, como antes, ganhar um torneio de Grand Slam. Ele finalmente queria se ver livre da alcunha de ser considerado o melhor jogador no tênis sem um título de Grand Slam. Na sua 14ª participação em um desses torneios, seus melhores resultados foram chegar duas vezes às quartas de final — ambas em 2001.

O técnico Peter Lundgren ainda tinha uma crença inabalável em Federer. Ele constantemente repetia, com sua voz sonora, que o suíço precisava de mais tempo que os outros jogadores para se desenvolver. "Ele tem um repertório inacreditável e precisa de mais tempo para que todas as peças de seu jogo se encaixem", disse, declarando que o objetivo a ser alcançado na temporada de 2003 era estar entre os 4 primeiros do mundo. "Roger está no caminho certo e não tem de dar ouvidos a certas pessoas. Ele é como um pássaro que está aprendendo a voar. Assim que conseguir dar o seu máximo, será muito difícil derrotá-lo. Ele agora está ganhando de todos os jogadores dos quais supostamente teria de ganhar. Não há uma grande diferença em ser o número 1, 5 ou 10 do mundo."

Palavras agradáveis e pensamentos bons — mas o que mais Peter Lundgren poderia dizer?

Mais perturbador que as derrotas inesperadas para Jan-Michael Gambill, em Doha, e para Franco Squillari, em Sydney, foi o reaparecimento das dores em sua virilha, que simplesmente não queriam ir embora. Federer foi forçado a descansar e ficar longe dos treinamentos por 2 dias, e a sua condição para o Australian Open era duvidosa. Além disso, o seu esforço no fim da temporada e a sua participação no Tennis Masters Cup, na China, no fim de 2002, diminuíram o seu já insignificante treinamento fora de temporada. O primeiro torneio de Grand Slam do ano vinha muito cedo, especialmente para aqueles que competiram no Tennis Masters Cup no fim do ano. "Não há tempo suficiente para se preparar", disse Federer.

O fisioterapeuta tcheco Pavel Kovac era um membro da equipe de Federer desde o verão anterior. Ele era um homem taciturno e robusto, completamente devotado a Federer. O cansaço e a correria do circuito de tênis tornaram Kovac e seus serviços muito importantes para o futuro sucesso do jogador. Kovac conseguiu acabar com as dores de Federer a tempo para que ele competisse no Australian Open. Nas suas primeiras 3 partidas, Federer não perdeu um set sequer. As expectativas aumentaram, especialmente quando os seus dois rivais — Lleyton Hewitt e Marat Safin —, que estavam na metade da chave de Federer, foram eliminados do torneio — Hewitt perdeu para Younes El Aynaoui, e Marat Safin se retirou antes de sua partida contra Rainer Schuettler na terceira rodada, por conta de uma lesão. Nas oitavas de final, Federer enfrentou David Nalbandian pela terceira vez em sua carreira profissional e, pela terceira vez, foi derrotado. Federer parecia atordoado na disputa contra Nalbandian, ao lutar contra o backhand do argentino e seu poderoso contra-ataque, na derrota por 6-4, 3-6, 6-1, 1-6 e 6-3. Outra oportunidade de ganhar um torneio de Grand Slam despareceu. Federer ficou completamente arrasado.

Longe das pressões de um torneio de Grand Slam, Federer se soltou e continuou o seu caminho de vitórias. Ele venceu 16 das 17 partidas seguintes — incluindo duas vitórias individuais na Copa Davis contra a Holanda, em que os suíços, liderados pelo seu novo capitão, Marc Rosset, derrotaram os holandeses por 3-2. Ele, então, conquistou os 6º e 7º torneios da ATP em sua carreira, em Marseille e Dubai. Pelo terceiro ano consecutivo, a ATP o nomeou "Jogador do Mês", em fevereiro. Enquanto Federer se decepcionava nos grandes palcos dos eventos de Tennis Masters Series, em Indian Wells e Key Biscayne, ele novamente demostrava sua força na Copa Davis, registrando todos os 3 pontos da Suíça na vitória surpreendente por 3-2 contra a França, em Toulouse. Federer ficou tão empolgado por liderar os suíços até as semifinais da Copa Davis que, fugindo de seus hábitos, comemorou em uma danceteria da cidade francesa, dançando e se divertindo até de madrugada.

O bloqueio do Grand Slam

O sucesso de Federer continuou até o começo da temporada de saibro; ele ganhou o titulo em Munique e também chegou à final do Aberto da Itália, perdendo inesperadamente para Felix Mantilla, da Espanha. O resultado, contudo, ainda o colocou na discussão sobre quais seriam os favoritos para ganhar Roland-Garros.

Em uma das várias entrevistas antes do torneio, ele explicou: "Eu me sinto melhor agora do que no ano passado, quando fiquei, pela primeira vez, entre os 10 melhores do ranking mundial. Era uma situação nova para mim, naquela época. Eu me acostumei a ela, nesse meio-tempo." Federer admitiu estar se sentindo pressionado pelo público. "O mundo inteiro fica me lembrando de que eu tenho de ganhar um torneio de Grand Slam e me tornar o número 1 do mundo. Isso não é justo, porque não é algo fácil de alcançar", disse. Então, de maneira desafiadora, declarou: "Qualquer um que quiser me derrotar terá de trabalhar duro para isso. Eu não quero perder na primeira rodada em Roland-Garros novamente."

Em uma segunda-feira de verão à tarde em Paris, a primeira partida de Federer em Roland-Garros aconteceu na Quadra Philippe Chatrier, a quadra central, que foi nomeada em homenagem ao francês uma vez presidente da Federação Internacional de Tênis. O seu oponente era um peruano desconhecido chamado Luiz Horna, de quem Federer já havia ganhado anteriormente, em Key Biscayne. Horna, ranqueado como o número 88 do mundo, nunca vencera uma partida em um torneio de Grand Slam. Federer conseguiu a dianteira no primeiro set, por 5-3, mas começou a mostrar sua insegurança e tensão quando, durante uma ida normal à rede, tropeçou e caiu no chão; sua reação foi resmungar para si mesmo e cultivar emoções negativas. Apesar da sua vantagem inicial, ele parecia desencorajado e, de maneira muito incomum, frequentemente olhava para Peter Lundgren. Federer perdeu a vantagem de ter quebrado o serviço de seu oponente e, apesar de ter chegado a um set point no tie break, entregou o primeiro set no tie break por 8-6. A partida imediatamente se transformou em um drama para Federer. Ele parecia frustrado e apático e não mostrou nenhuma vontade de reverter a situação. Parecia muito displicente, perdendo até as jogadas mais fáceis e registrando 82 erros não forçados na sua derrota na primeira rodada por 7-6 (6), 6-2 e 7-6 (3).

O torneio, para ele, havia, de maneira impressionante, terminado antes mesmo de começar. Federer, o favorito eliminado, apareceu cabisbaixo na sala de imprensa abarrotada. "Eu não sei de quanto tempo vou precisar para superar essa derrota", disse. "Um dia, uma semana, um ano — ou a minha carreira inteira."

Federer se tornou o fiasco do torneio. O jornal de esportes francês *L'Equipe* publicou uma manchete, no dia seguinte, traduzida como "Naufrágio em Águas Calmas", e também um desenho em que um navio a vapor chamado "Roland-Garros" se distanciava, deixando Federer para trás, em águas tranquilas. O *Palm Beach Post*, da Flórida, o descreveu como o "Phil Mickelson do Tênis", comparando Federer com o golfista americano, que não ganhou nenhum dos torneios de maior importância em várias oportunidades, apesar de seu grande talento. "Federer tem todos os golpes, mas não tem um troféu de torneio de Grand Slam. Ele carrega a alcunha de ser o melhor jogador de tênis que nunca ganhou um dos 4 torneios mais importantes."

A derrota inegavelmente confirmou a reputação de Federer como um azarão em Grand Slams. Ele mostrou que era um jogador que não conseguia reverter o placar negativo de uma partida se não estivesse jogando bem — uma característica que a maioria dos jogadores campeões tinha; o caso mais notável na época era Lleyton Hewitt, que conseguia vencer uma partida apenas com a sua determinação e vontade. Desde a sua vitória contra Sampras em Wimbledon, em 2001, Federer tinha o recorde de 4 derrotas e nenhuma vitória em Roland-Garros e Wimbledon — disputando as 3 últimas partidas sem sequer ganhar um set. Os seus 5 últimos torneios de Grand Slam terminaram com derrotas para jogadores ranqueados bem abaixo dele.

O que se poderia dizer em sua defesa? Federer estava agora no seu 5º ano de carreira na ATP e perto de completar 22 anos. Ele havia ganhado 6 títulos de simples da ATP, havia tido um ótimo desempenho na Copa Davis, e o tempo novamente demonstrava que ele era capaz de alcançar um grande sucesso. Era considerado uma das maiores estrelas do tênis e avançou para o número 5 do ranking mundial. Mas, com exceção do título em Hamburgo, todos os torneios que havia ganhado eram de menor importância, e até mesmo o Aberto da Alemanha não era um torneio de Grand Slam. Federer falhava rotineiramente nas arenas que decidiam se um jogador era realmente um campeão ou não. O rapaz rebelde e precoce de antes simplesmente não conseguia levar o seu enorme potencial para as quadras de um torneio de Grand Slam. Quando olhava para o sucesso de seus ídolos, rivais ou para os grandes jogadores de antigamente, ele não podia fazer nada a não ser invejá-los. Na sua idade, Becker, Borg, Courier, Edberg e Sampras, bem como Hewitt, Safin e muitos outros, já haviam ganhado, havia muito tempo, o seu primeiro torneio de Grand Slam. Federer, contudo, não havia nem chegado às semifinais de um Grand Slam. Os especialistas eram unânimes

O bloqueio do Grand Slam 87

em dizer que ele estava suficientemente maduro no aspecto atlético para conseguir o seu primeiro título. Porém, só o brilhantismo atlético não era suficiente, e Federer ainda estava procurando pelo caminho do sucesso completo.

Uma análise indicaria que um bloqueio mental o estava impedindo de ganhar. Ele se sentia pressionado a tal ponto nos torneios de Grand Slam que não conseguia se concentrar, especialmente nas rodadas iniciais. Isso era uma regra básica para o sucesso. A pressão vinha de todos os lados — mas a maioria vinha dele mesmo. Ele não havia aprendido que esses torneios não podiam ser vencidos na primeira semana, mas certamente podiam ser perdidos. Com um pouco de sorte, Federer já poderia ter ganhado um título de Grand Slam — como em 2001, por exemplo, depois da vitória surpreendente contra Sampras. Tudo teria sido diferente.

Após a sua derrota para Horna, Federer parecia ser o jogador mais solitário do tênis. Ele era um homem procurando o seu caminho em meio a uma tempestade torrencial. Como ele poderia saber que essa seria a última derrota categórica que sofreria em um torneio de Grand Slam durante muito, muito tempo? Como ele adivinharia que essa experiência dolorosa era necessária para que se tornasse mais forte e concentrado, mas ainda um campeão modesto, que teria o mundo do tênis aos seus pés?

Federer descreveu, meses depois, o que realmente havia acontecido quando enfrentou Horna em Paris. "Eu simplesmente não estava preparado mentalmente", disse. "Eu me coloquei sob muita pressão. Depois de perder o primeiro set, eu não consegui voltar para a partida. Tive a sensação que seria impossível, que eu não tinha mais o controle da situação. Depois do primeiro set, eu disse para mim mesmo: mesmo que sobreviva a esta rodada, ainda tenho de resistir a mais 6 rodadas para vencer este torneio. Isso quase me deixou louco. Eu me coloquei sob tanta pressão que não consegui jogar mais."

Depois da partida, Federer disse que ficou alarmado com as perguntas sobre "como" e "porquê". "Mas, naquele momento, eu não queria falar sobre o assunto. Eu estava muito decepcionado. Não queria fazer nada além de tirar os meus 8 dias de férias e, então, começar a minha preparação para o torneio de grama em Halle. Eu não queira pensar sobre Roland-Garros — queira esquecer. Não queria analisar o que havia acontecido porque sabia que tinha simplesmente falhado mentalmente. Eu não aceitava aquilo de jeito nenhum."

16

Um domingo mágico

Duas semanas depois de sua participação trágica, contra Luis Horna, em Roland-Garros, no ano de 2003, Roger Federer retornou às suas atividades normalmente. A derrota para Horna parecia um sonho surreal para ele, mas o destino de Federer mudaria rapidamente — e para melhor. Ele alcançaria a final do luxuoso torneio de grama do empresário Gerry Weber, que aconteceria antes de Wimbledon, em Halle, na Alemanha, no qual enfrentaria o alemão Nicolas Kiefer. Apesar de ter perdido todas as 3 partidas anteriores contra Kiefer, Federer não lhe deu chances e ganhou o seu 4º título do ano — e o seu primeiro em quadra de grama desde o título juvenil em Wimbledon, em 1998. "Os prognósticos para Wimbledon são favoráveis", Federer disse, depois de conquistar o título em Halle. "Eu sei que irei para a Inglaterra como favorito e estou preparado para ganhar o grande título. As minhas chances na grama são maiores que no saibro."

Ao contrário de 2002, quando alugou um apartamento luxuoso para o torneio daquele ano, Federer, por conta de um conselho de Peter Lundgren, alugou um apartamento pequeno e simples de 3 cômodos na Lake Road, 10, em Wimbledon Village, para o torneio de 2003. Federer se acomodou no apartamento modesto com Lundgren, sua namorada, Mirka Vavrinec, e Pavel Kovac, o seu fisioterapeuta, que teve de dormir na sala por causa das condições do lugar. Federer chegou cedo ao All England Club, mantendo, de propósito, uma atitude discreta. Ele deu apenas as entrevistas obrigatórias, não

Um domingo mágico

leu nenhum jornal e não competiu nas duplas, no intuito de se concentrar apenas nas simples. "Não foi tarefa fácil mantê-lo distante de todos, porque o telefone não parava de tocar, todo mundo queria falar com ele", disse Mirka, que, nesse ínterim, tinha assumido oficialmente o papel de sua empresária, organizando os seus compromissos e viagens. Apesar de seus números baixos em torneios de Grand Slam, a maioria das agências de apostas britânicas considerava Federer um dos favoritos para ganhar o título, em 5:1 — atrás de Andre Agassi e Andy Roddick.

Graças à sua boa preparação e atitude melhorada, Federer finalmente entrou em um torneio de Grand Slam mentalmente preparado e confortável. O campeão da edição passada, Lleyton Hewitt, não estava bem e acabou perdendo na primeira rodada para o croata de 2 metros de altura, Ivo Karlovic.

Federer lutou até as oitavas de final, tendo perdido apenas um set, para o americano Mardy Fish, na terceira rodada. Na tradicional segunda-feira em que as partidas das oitavas de final acontecem em Wimbledon, Federer enfrentou o espanhol Feliciano Lopez na pequena e famosa Quadra 2 — apelidada de o "Cemitério dos Campeões", em virtude de conter histórias turbulentas de muitas das grandes derrotas de jogadores famosos para rivais desconhecidos. O espanhol canhoto estava ranqueado como o número 52 do mundo e, certamente, não apreciava a fama de Sampras, a quem Federer havia derrotado nessa mesma quadra 2 anos antes, na mesma fase do campeonato.

O jogador suíço teve um fim de semana tranquilo antes de sua partida nas oitavas de final. Ele treinou por apenas uma hora e se sentia descansado e em plenas condições de jogo. Então, de repente, no aquecimento de sua partida contra Lopez, sentiu uma fisgada na lombar depois de ter dado um saque. "Eu pensei, Meu Deus, o que foi isso? Eu não conseguia me mexer mais. Tudo estava travado", explicou, tempo depois. Federer começou a partida com Lopez sem o seu dinamismo de costume. Depois do segundo game da partida, ele se sentou na cadeira, mesmo não sendo uma pausa de troca de lados, e pediu atendimento médico.

Minutos ansiosos se passaram. Enquanto estava sendo tratado com um relaxante muscular pelo fisioterapeuta, durante a sua pausa para atendimento, Federer deitou-se na grama e olhou para o céu, em desespero. "Eu pensei em desistir", disse. "Mas então eu rezei por um milagre ou para que a próxima nuvem escura trouxesse a chuva novamente." O seu pedido pela chuva não aconteceu, mas um pequeno milagre, sim. Federer teve possibilidades de continuar no jogo e de se esforçar para ganhá-lo por 3 sets a 0, com o resultado de 7-6 (5), 6-4 e 6-4. Ele não tinha ideia de como havia conseguido e não podia acreditar em sua sorte. "Lopez teve várias oportunidades de me vencer em 3 sets ou de ter prolongado a partida", declarou. Federer começou a se sentir melhor com o decorrer do tempo — e, graças aos analgésicos e também à temperatura, que estava aumentando, seus músculos relaxaram. "Ajudou também o fato de estarmos jogando em quadra de grama e a vontade de Lopez em querer fechar os pontos logo", disse Federer. Ele também admitiu, mais tarde, que a dor estava tão forte que não só havia prejudicado o seu serviço e as suas devoluções de saque como também havia tornado difícil ficar sentado nos intervalos dos games.

Antes de as quartas de final começarem, já estava certo que o campeão seria um jogador que nunca havia ganhado um torneio de Grand Slam antes, e isso pelo sétimo ano consecutivo. Depois da derrota de Hewitt, o campeão de Roland-Garros, Juan Carlos Ferrero, e o cabeça de chave número 1, Andre Agassi, também foram eliminados. Mark Philippoussis, o australiano que nem cabeça de chave era, conseguiu, contra Agassi, 46 aces, em uma vitória surpreendente nas oitavas de final.

Na terça-feira, um dia de descanso para a chave de simples masculina, Federer estava ainda com dores. "Sem dúvida, vou competir", assegurou aos jornalistas suíços por telefone. Mas, naquela tarde, os jornalistas holandeses insinuaram que o oponente de Federer, Sjeng Schalken, provavelmente não poderia competir, quando declararam que seu compatriota estava no hospital com um severo hematoma, fazendo uma radiografia do pé.

A chuva deu a Schalken uma folga. A partida foi marcada para a Quadra Central na quarta-feira, mas, por causa da chuva, teve de ser remarcada para quinta-feira, na Quadra 2. "Mesmo tomando um medicamento mais potente, se eu jogasse na quarta-feira, teria de desistir depois de 2 games, no máximo", disse Schalken. Na quinta-feira também choveu, adiando o jogo por mais 3 horas, mas Federer estava saudável novamente e conquistou uma vitória de rotina por 6-3, 6-4 e 6-4 sobre o holandês número 12 do ranking mundial. Federer cometeu apenas 8 erros não forçados, mostrando um jogo sólido diante das arquibancadas parcialmente lotadas.

Para seu alívio, Federer estava nas semifinais de um torneio de Grand Slam pela primeira vez e se juntou a Marc Rosset como o segundo jogador

Um domingo mágico

da Suíça a alcançar esse estágio nos torneios de grande importância (Rosset perdeu para Michael Stich nas semifinais de 1996, em Roland-Garros). A partida na semifinal de Federer tinha um sentimento de já ter o vencedor predeterminado, quando os fãs e os especialistas intuíram que Andy Roddick seria o futuro campeão de Wimbledon. Roddick fora invicto nas 10 últimas partidas em quadras de grama e estava ranqueado como o número 6 do mundo. Na outra partida de semifinal estavam o número 14 do mundo, Sebastian Grosjean, da França, e o australiano Mark Philippoussis, o número 48 do ranking mundial.

Roddick era considerado o aparente herdeiro do tênis americano, dominado por Agassi e Sampras. Ele era o queridinho da mídia de tênis americana e o favorito entre eles para derrotar Federer — mesmo tendo perdido todas as 3 partidas anteriores para o seu rival suíço. Federer parecia não estar impressionado com isso. "Vai ser muito difícil ele conseguir 200 aces."

A partida não foi como muitos esperavam. Federer deixou Roddick irritado, ao conseguir devolver sem fazer muito esforço os seus saques, que normalmente registravam uma velocidade maior que 215 km/h. Embora o americano tenha ficado atrás na maioria do primeiro set, ele teve um set point quando estava 6-5 no tie break do primeiro set e o desperdiçou, ao rebater a bola com o seu poderoso forehand na rede. Essa seria a única oportunidade de Roddick contra Federer naquela tarde.

Federer ganhou a que, de longe, foi a sua melhor partida no torneio. O seu serviço estava impecável e só teve duas chances de ser quebrado na sua vitória por 7-6 (6), 6-3 e 6-3. Federer estava, pela primeira vez, na final de um torneio de Grand Slam. Assim que ele saiu da Quadra Central, foi aplaudido de pé pelos torcedores que assistiram à brilhante apresentação. No dia seguinte, o *Daily Telegraph*, de Londres, publicou: "Os espectadores não tiveram alternativa, a não ser aplaudir em pé. (...) O tênis apresentado por Federer ao eliminar Roddick, o favorito de muitos da quadra, foi tão inspirador e perfeito que só poderia ter acontecido na grama."

Roddick, que é bem conhecido pelo seu saque potente, só conseguiu 4 aces na partida, contra os 17 de Federer. O suíço avaliou o seu desempenho como um dos melhores em sua carreira: "Eu não acho eu joguei uma partida perfeita, mas foi, definitivamente, uma ótima partida", disse.

Lundgren não conseguia se lembrar de uma época em que Federer havia jogado tão bem. Roddick estava perplexo. "Eu não sei se há alguém mais talentoso por aí", declarou. "Ele tem, praticamente, tudo que um jogador precisa. É bem atlético e muito ágil na quadra."

Federer provou que poderia vencer uma grande partida nas rodadas finais de um torneio de Grand Slam. Essa era a sua marca registrada quando estava na categoria juvenil, mas ele tinha de demonstrar essa habilidade nos palcos maiores do tênis profissional.

Contudo, a partida mais importante de sua carreira ainda estava por vir — a final de Wimbledon. O seu oponente era Philippoussis, que também ganhou sua semifinal por 3-0, derrotando Grosjean por 7-6, 6-3 e 6-3 (o mesmo placar da partida entre Roddick e Federer). O australiano já havia estado uma vez entre os 10 melhores do ranking mundial e havia alcançado a final do US Open em 1998, perdendo para o seu compatriota Patrick Rafter. Philippoussis era mais conhecido pela sua coleção cara de carros esportivos, pelas suas motos velozes e pelo seu interesse por mulheres bonitas que pelo seu tênis, até que a sua carreira deu uma guinada para pior devido a lesões e distrações. Depois de uma terceira cirurgia no joelho, Philippoussis ficou confinado temporariamente a uma cadeira de rodas, porém conseguiu se recuperar e alcançar a posição de número 48 do ranking mundial.

Um dos poucos que acreditavam em Philippoussis antes da final era Pat Cash, o campeão de Wimbledon em 1987. "Ele pode devolver saques melhor do que Roddick e, se continuar a sacar como tem feito, irá ganhar", disse Cash. Porém, o australiano estava errado. E essa não seria a única previsão errônea que Cash faria sobre a carreira de Federer.

Federer parecia relaxado e otimista quando entrou na sala de imprensa de Wimbledon, no sábado, dia anterior à final, vestindo jeans e uma camiseta, após o seu treino. "Será uma partida completamente diferente, comparada com a de Roddick", disse. "Philippoussis vai à rede depois do serviço e seus saques são mais curtos. Eu terei de ficar mais perto da linha de fundo e tentar devolver o saque de maneira diferente. Não posso só bloquear o seu serviço como eu fiz com Roddick. Eu terei de tentar devoluções nos pés dele para dificultar ao máximo o seu jogo."

As preparações e táticas de Federer se mostraram ideais. O fisicamente superior Philippoussis, apelidado de "Scud" — um míssil russo —, começou a final em boa forma e marcou 18 pontos, valendo-se diretamente de seu serviço no primeiro set, dos quais 7 foram aces. Ele tentou intimidar Federer com devoluções perigosas, mas o suíço não se impressionou e não demostrou a mínima vulnerabilidade. No tie break do primeiro set, Philippoussis

Um domingo mágico

cometeu uma dupla falta na hora errada e deu para Federer 2 set points quando estava 6-4. Dois pontos mais tarde, um ace de Federer deu a ele o primeiro set.

Desse ponto em diante, o homem da Basileia dominou a partida quase como se estivesse a passeio, jogando em um nível ainda mais alto que na partida contra Roddick nas semifinais. Ele não sofreu nenhum break point na partida inteira e, da mesma forma como na partida contra Roddick, teve mais aces que o seu oponente, de saque mais poderoso — 21 aces, contra 14 de Philippoussis. O tempo todo Federer manteve a sua concentração, até mesmo nas horas em que a partida se tornava mais complicada. No terceiro set, com 2 sets a 0 a seu favor, ele alcançou uma diferença de 15-40 no serviço de Philippoussis quando estava 5-5 — pontos que tiveram a sensação de match points. Federer não conseguiu segurar o saque de Philippoussis no primeiro break point e, no segundo break point, mandou a bola milimetricamente para fora da linha de fundo com um golpe de forehand, o que lhe daria a quebra crucial do serviço de seu oponente. Era como se um jogador de futebol errasse um pênalti no minuto final, sem o goleiro estar lá para defender.

Federer se recuperou imediatamente da oportunidade perdida, forçando um tie break em que atacou sem moderação e rapidamente ganhou 6 dos primeiros 7 pontos. Federer tinha 5 match points para ganhar o título de Wimbledon. "Você consegue ver pela TV que eu estava chacoalhando a minha cabeça", explicou depois. "É uma loucura, pensava. Eu estou tão perto. Sempre sonhei com isso. Passou rápido depois do 6-2, 6-3. Eu tinha o serviço e sabia que, se não conseguisse naquela hora, ficaria triste para o resto da minha vida." Mas ele conseguiu. No seu terceiro match point, Philippoussis retornou o saque na rede. "*Game, set and match* de Federer", disse o juiz Gerry Armstrong. "7-6, 6-2, 7-6."

Federer, no seu caminho para a rede, caiu de joelhos, ergueu os braços, olhou para o céu e, então, para Peter Lundgren, Mirka Vavrinec e Pavel Kovac. Eles pulavam e se abraçavam nas arquibancadas. Federer apertou a mão de seu oponente e do juiz de cadeira, acenou para o público, colocou a mão esquerda no rosto e voltou para a sua cadeira, onde começou a chorar. Ele chorava profusamente quando Alan Mills, o árbitro supervisor, o parabenizou, segurando os seus ombros. Ele olhou para o céu novamente, levantou-se e cumprimentou mais uma vez o público, que o estava aplaudindo de pé. Voltou a se sentar em sua cadeira. As lágrimas continuaram a fluir.

94

A biografia de Roger Federer

Pouco mais de um minuto havia se passado desde o ponto final da partida, mas, para Federer, segundos se tornaram minutos. "Estava aliviado, exausto e muito emocionado", disse. "Eu pensei que tivesse ficado de joelhos por muito mais tempo do que realmente fiquei." Enquanto a cerimônia de premiação era preparada, uma calma quase de devoção tomou conta da Quadra Central. Seguindo o protocolo, o Duque de Kent deu a Federer o "Challenge Cup", troféu, usado desde 1887, de prata banhado a ouro, de 47 cm de altura, com duas alças e um abacaxi em miniatura talhado no topo — certamente, o mais bonito e importante troféu no tênis. Federer ergueu o troféu bem alto, mas não o beijou. Ainda era muito cedo. O troféu original ficaria em Wimbledon. Federer levaria para casa uma réplica, de 22 cm de altura.

Na entrevista oficial do campeão, dentro de quadra, com Sue Barker, da BBC, Federer ainda não tinha pleno controle de sua emoção e de sua voz. Ele se perdeu quando a ex-jogadora de ponta britânica perguntou se ele sabia que muitos amigos haviam vindo de Basileia para assistir à final. O seu discurso saiu truncado: "Obrigado a todos... É ótimo..." As lágrimas voltaram a correr pelo seu rosto.

Federer agora pertencia a um exclusivo grupo em seu esporte. Tendo ganhado o título de Wimbledon na categoria juvenil 5 anos antes, Federer se tornou o quarto jogador a ganhar o título em ambas as categorias individuais, juvenil e profissional, no All England Club, juntando-se a Björn Borg, Stefan Edberg e Pat Cash. Quando deixou a Quadra Central, depois das sessões de fotos, descobriu que o seu nome já havia sido gravado na placa de prata do campeonato de 2003, localizada na parede à direita.

17

Uma vaca para o ganhador

As sessões de Roger Federer com a mídia depois da sua vitória na final de Wimbledon em 2003 duraram mais de 2 horas — mais demoradas, na verdade, que a própria partida. Ele corria de uma entrevista para outra e respondia às mesmas questões repedidas vezes — Como você se sentiu imediatamente após o ponto final? Como você se sentiu depois de receber o troféu? "Eu somente sabia que, se ganhasse, cairia na grama e iria aproveitar o momento", disse. "Eu também pensei, esperançosamente, que não iria chorar."

Federer sempre acreditou que poderia ganhar um torneio de Grand Slam. "O meu sucesso nos torneios de menor importância me ajudou a ganhar autoconfiança e me deixou mais convencido de que poderia vencer", disse. Durante a partida, segundo ele, pensou no *Alinghi*, o barco de iatismo suíço que, inesperadamente, venceu a American's Cup. "Lembrei como os suíços estavam na frente por 3-0 e, simplesmente, continuaram a navegar. Eu disse para mim mesmo depois do segundo set: continue a navegar."

Cinco anos antes, como o campeão juvenil de Wimbledon, Federer havia perdido o tradicional Jantar dos Campões de Wimbledon, por causa de sua viagem urgente para Gstaad no intuito de jogar o seu primeiro torneio da ATP. Esse ano, Gstaad teria de esperar. Ele apareceu no Jantar dos Campões no Hotel Savoy com um traje formal, acompanhado por Serena Williams, a campeã de simples feminina, e por Martina Navratilova e Leander Paes, os campeões em duplas mistas. Federer foi ao evento com a sua namorada, Mirka Vavrinec, o seu técnico, Peter Lundgren, e sua mãe, Lynette, e, mais uma vez, encantou os digníssimos membros do All England Club com o seu breve discurso. "Eu estou orgulhoso por fazer parte do clube de vocês agora", disse. "Seria um grande prazer para mim rebater algumas bolas por lazer. Quem estiver com vontade de jogar, é só me chamar."

Depois de apenas 3 horas de sono, as sessões de entrevista com Federer continuaram, na manhã seguinte. A entrada de cascalho da garagem do apartamento que alugara na Wimbledon Village foi logo transformada em um centro de mídia provisório. Vários canais de televisão apareceram — BBC, Sky TV, CNN, ITV, Swiss Television —, assim como vários jornalistas de todo o mundo.

Embora quase cada minuto de seu dia já estivesse ocupado, Federer achou um tempo para dar uma entrevista especial para a *Tages-Anzeiger*, que já havia sido marcada há dias por Mirka, na noite em que Roger venceu Wimbledon. Enquanto estava sendo entrevistado, sentado no pequeno gramado em frente à sua casa alugada, Federer parecia contente, mas não eufórico. Parecia entender o significado de seu triunfo. "A minha hora chegou e eu provei para todo mundo que sou capaz. Se a minha carreira terminasse hoje, seria quase perfeito", disse. Ele sabia que, antes de ganhar Wimbledon, já era um jogador de tênis fora do comum, mas agora era um astro do esporte. "Vencedores e derrotados têm tanto e, ao mesmo tempo, tão pouco em comum. Os verdadeiros campeões são aqueles que erguem o troféu no fim. Os vencedores ficam. Os perdedores se vão."

O fardo do qual ele se livrou no momento da vitória era tão imenso que, "depois da cerimônia de premiação, fui para o vestiário e não conseguia me mover. Eu estava completamente exausto", disse Federer. "Meus músculos estavam tão tensos, por causa da pressão, que ficava pensando durante a partida que se, por um acaso, eu estivesse perto de ganhar, teria câimbras. Isso não é fácil de imaginar."

Ele agora esperava que aquele dia, 6 de julho de 2003, marcasse uma virada para melhor em sua carreira. "Eu sei como ganhar grandes campeonatos agora e posso fazer isso novamente", afirmou. Federer admitiu que decidiu por não dedicar a vitória apenas a Peter Carter, pois não tinha certeza se ganharia outros torneios de Grand Slam. "Isso seria injusto com os outros", falou. "O título deveria ser para todos, mas, especialmente, para mim. Peter Carter naturalmente está incluído nesse grupo. Se ele ainda

Uma vaca para o ganhador

estivesse aqui, nós teríamos dado uma grande festa. Eu espero que ele esteja me assistindo de algum lugar."

Lundgren estava exultante e não conseguia parar de rir. "As emoções que senti foram surreais", confessou. "Eu mal posso descrevê-las, mesmo já prevendo essa vitória, pelo ótimo jogador que ele é." Lundgren chamou a atenção para o fato de ser o primeiro sueco desde o técnico de Björn Borg, Lennart Bergelin, a conduzir um jogador à vitória em Wimbledon. Mirka explicou que sempre sentiu o quanto Roger queria ganhar esse título. "Era um sonho de infância seu", ela disse. "Ele não parecia nervoso antes da final. Acho que a noite anterior à final foi a melhor noite que ele já teve."

O principal foco dos jornais britânicos, na manhã seguinte à final, não estava relacionado ao resultado e ao feito de Federer, mas às suas lágrimas e emoções. Contudo, o fato de a imprensa ter voltado sua atenção para a conduta emotiva de Federer não era nenhuma surpresa, pois, durante 2 semanas, Roger desfilou sobre a grama das quadras com um olhar inexpressivo, com uma tranquilidade impassível e não parecia se abalar com nada — nem mesmo com a dor causticante que lhe assolava as costas durante a partida contra Feliciano Lopez. Alguns fotógrafos reclamaram que Federer não estava expressando nenhum tipo de emoção — as fotos tiradas dele pareciam todas iguais, como se fossem bolas de tênis: idênticas umas às outras. Mas agora, no momento de seu triunfo, a máscara da frieza caíra, expondo um lado de sua personalidade que muitos não conheciam ou nem mesmo suspeitavam que ele possuísse.

O *Daily Mirror* publicou a manchete "Roger, o Chorão", e até mesmo jornais mais respeitados, como o *Independent* e o *Daily Telegraph*, publicaram fotos grandes nas suas primeiras páginas com o campeão de Wimbledon chorando enquanto segurava o troféu. Porém, Federer não estava envergonhado. Normalmente não ligava para o que a mídia escrevia sobre ele e, nesse momento, se importou menos ainda.

A febre Federer já tinha acontecido havia muito tempo na Suíça. Um grupo grande de fãs e admiradores se reuniram em seu antigo clube, o The Old Boys Tennis Club, para assistir à partida final, incluindo Seppli Kacovsky, o primeiro técnico de Federer. O jornal suíço *Blick* escreveu: "lágrimas para a história" derramadas pelo "Rei Roger I". A audiência televisiva na Suíça foi impressionante, quando 613 mil suíços sintonizaram os seus aparelhos de TV para assistir ao evento, ao vivo — um número correspondente a 61,6% do mercado de telespectadores. Os fãs de Federer comemoraram sua vitória por toda a Suíça.

Honrar o seu compromisso de competir no Aberto da Suíça em Gstaad, na semana seguinte a Wimbledon, era muito importante para Federer. Foi em Gstaad, 5 anos antes, que ele competiu em seu primeiro campeonato da ATP, graças a um *wildcard*. A fidelidade de Federer para com o evento persistiu. Quando ficou claro que o novo campeão de Wimbledon iria realmente competir no torneio de saibro de estádio pequeno em Gstaad, o evento recebeu 40 credencias a mais, para novos jornalistas.

Às 18h11min no horário local em Gstaad, na segunda-feira, dia 7 de julho, o jato privado de Federer chegou à pequena cidade suíça nas montanhas. Ele foi recepcionado no aeroporto com champagne e o permitiram escolher entre duas suítes no Hotel Belleveu: a suíte Etoile ou a Tower Room. Ele escolheu aquela que tinha uma vista para as estrelas.

A surpresa seguinte, que esperava por ele na terça-feira, pesava meros 800 kg. Cinco horas antes de sua primeira partida de simples na terça-feira, ele foi recebido de maneira calorosa na Quadra Central de Gstaad por 6 mil fãs, na "Saudação Oficial ao Campeão de Wimbledon", quando lhe foi dado outro presente: uma vaca leiteira, chamada Juliette. A vaca era um presente dos organizadores do torneio, chefiados por Jaques Hermenjat, que assegurou a Federer que ele poderia deixar o animal nas montanhas e apreciar o seu queijo a hora que quisesse. Juliette se tornou o tópico principal entre Federer e a mídia pelo resto do ano. Ele até mesmo a visitou no inverno seguinte, como mandava o protocolo.

Federer continuou em sua onda de sucesso nas montanhas da Suíça, que o carregou para mais longe de onde já havia chegado no Aberto da Suíça. Ele alcançou a final do torneio pela primeira vez, na qual ficou sem combustível na luta de 5 sets contra o número 10 do ranking mundial, Jiri Novak. Seria a sua última derrota em uma final de torneio por um longo período.

O tempo que Federer passou nos Alpes bernenses o ajudou a lidar com o significado de um título de Grand Slam. Ele não tinha escolha a não ser encarar o público no pequeno e luxuoso resort. Federer percebeu que, agora, era um *superstar* — e isso não o incomodava nem um pouco. Era a sua vontade, afinal de contas, chegar até o topo, e ele estava preparado para as consequências. "Uma vitória em Wimbledon muda a sua carreira toda, sua vida e o seu mundo interior", admitiu. "As pessoas te olham de maneira diferente. Eu sempre quis ganhar o meu primeiro torneio de Grand Slam

Uma vaca para o ganhador

em Wimbledon. Foi onde tudo começou. Os uniformes brancos, a grama — é simplesmente um clássico."

Só depois que entrou de férias Federer pôde realmente refletir sobre o seu título em Wimbledon em paz. Então percebeu o quanto a sua vida havia mudado. "Eu estava deitado na praia em Sardenha, com sol batendo em minha barriga, quando disse para mim mesmo: então agora você é o campeão de Wimbledon. Nunca ninguém poderá tirar isso de você", contou, mais tarde. "Naquela época, eu estava muito atento dentro da quadra, em uma espécie de transe, e quase não me lembro de nada. Estava na zona de concentração máxima. De repente, tudo estava no automático. Eu tinha a sensação de que não faria nada de errado. Foi maravilhoso poder jogar em um nível tão alto nas 2 partidas mais importantes da minha carreira. Isso me dará a confiança e inspiração para os meses e anos que estão por vir."

18

Alcançando as estrelas

Com um título de torneio de Grand Slam, finalmente, em seu currículo, Roger Federer voltou suas atenções para o seu próximo objetivo da carreira — assegurar-se como o número 1 do ranking mundial. Quando deixou Londres com o seu triunfo em Wimbledon, Federer era o número 3 do mundo, atrás do americano de 33 anos Andre Agassi e do campeão de Roland-Garros, Juan Carlos Ferrero. Federer disse que, até essa época, era cedo para discutir sobre o primeiro lugar do ranking. "Era muito cedo", disse. "Sabia que primeiro precisava de um bom resultado em um torneio de Grand Slam. Eu consegui isso. Agora sei que tenho uma chance de me tornar o número 1 nos próximos anos."

As oportunidades inicias para Federer ascender até o número 1 do ranking se materializaram muito mais cedo que o esperado. No dia após o seu 22º aniversário, ele estava a apenas uma vitória do topo do ranking, em Montreal, onde enfrentou Andy Roddick pelas semifinais do Aberto do Canadá. Federer estava invicto nos 4 duelos que teve com o jovem americano, e sua vitória sem perder nenhum set em Wimbledon era um momento recente para ambos os jogadores. Apesar de estar ganhando de 4-2 no set final, Federer parecia tenso e inquieto. Dez duplas faltas o entregaram e as suas chances de se tornar o número 1 do mundo desapareceram na derrota por 6-4, 3-6 e 7-6 (3) para Roddick. "Eu estava tão nervoso que meu corpo todo tremia", admitiu depois.

Alcançando as estrelas   101

Uma semana mais tarde, em Cincinnati, Federer poderia ter alcançado o primeiro lugar no ranking se chegasse às semifinais, porém foi derrotado por David Nalbandian, na segunda rodada.

O US Open, último torneio de Grand Slam do ano, apresentou outra oportunidade para ele alcançar o seu objetivo. Quando o torneio começou, Federer parecia estar na melhor posição para se tornar o número 1 do ranking, pois era o jogador com a menor quantidade de pontos do ano anterior para defender, entre os candidatos, para a posição mais alta do ranking. Ele passou pelas primeiras 3 rodadas sem ser seriamente desafiado, mas, nas oitavas de final, mais uma vez, o seu oponente era ninguém menos que Nalbandian.

A mídia e as pessoas de dentro do tênis consideravam o argentino como o algoz de Federer. Os dois jogadores haviam se enfrentado 4 vezes como profissionais, e Nalbandian havia ganhado todas. Federer, contudo, rejeitava a ideia de que Nalbandian era o jogador que mais temia.

"Isso me incomoda, porque eu nunca disse coisa parecida e também não vejo as coisas dessa maneira", disse aos repórteres, quase em tom de desafio, em Nova York. "Eu nunca perdi para ele de maneira categórica e já o derrotei na categoria juvenil."

A segunda semana do US Open se tornou um tormento, pois a chuva criou um caos na agenda do torneio. As oitavas de final, que estavam agendadas para a segunda terça-feira do evento, não começaram até as 15h da quinta-feira. Depois de 4 horas de jogo e mais duas interrupções por causa da chuva, Federer — pela quinta vez em 5 partidas profissionais — sucumbiu diante de Nalbandian, por 3-6, 7-6(1), 6-4 e 6-3. O argentino ainda era um mistério para ele.

"Eu não entendo direito porque assumo a dianteira ou fico para trás no placar", Federer disse, após a derrota. "Eu sabia que tinha de jogar agressivamente. Mas não sabia o quanto deveria arriscar ao sacar contra ele. Ele consegue pegar muitas bolas rapidamente e é muito bom em ler o meu jogo. Não sei o que faço com ele." Federer só pôde assistir, à distância, Nalbandian chegar às semifinais, quando perdeu em uma partida emocionante de 5 sets para Roddick, depois de estar à frente por 2 sets a 0 e desperdiçar um match point. Roddick continuou no torneio até ser o campeão, ao derrotar Juan Carlos Ferrero, que assumiu o número 1 no ranking em virtude da pontuação que ganhou, por ser o vice-campeão. O americano chorou, depois de conquistar o seu primeiro título de torneio de Grand Slam, assim

102   A biografia de Roger Federer

como Federer fez 2 meses antes, em Wimbledon. Roddick ganhou os torneios de Montreal e Cincinnati no começo do verão e alcançou a 2ª posição no ranking mundial.

Melbourne e as semifinais da Copa Davis contra a Austrália eram os próximos compromissos na agenda de Federer. Por sugestão do próprio jogador e Lleyton Hewitt, os dois times, o suíço e o australiano, decidiram dedicar a partida à memória de Peter Carter. Uma bandeja de prata foi feita e dada aos pais de Carter durante as partidas.

Depois que Hewitt abriu a série, com uma vitória fácil sobre Michel Kratochvil, Federer derrotou novamente Philippoussis por 6-3, 6-4 e 7-6 (3), como na final em Wimbledon. Na partida fundamental de duplas, Federer e Marc Rosset, que já estava com uma idade avançada, foram derrotados em 5 sets por Wayne Arthurs e Todd Woodbridge, dando à Austrália a vantagem importante de 2-1, depois do segundo dia de jogos. A Suíça tinha de faturar as 2 últimas partidas de simples para conseguir chegar à final da Copa Davis.

Federer e Hewitt foram até a Rod Laver Arena, em um domingo frio, para abrir o último dia de jogos. Federer dominava facilmente Hewitt e deu início à sua 11ª vitória de simples consecutiva na Copa Davis, ao liderar a partida por 7-5, 6-2 e 5-3. Com Federer a 2 pontos da vitória, porém, a maré mudou. Uma pequena queda no desempenho de Federer foi o suficiente para Hewitt, apoiado por 12 mil espectadores, lutar para permanecer na partida.

Depois de ganhar o terceiro set no tie break e o quarto set por 7-5, a partida empatou por 2 a 2. O tempo ficou tão frio no começo do quinto set que muitos jornalistas mal conseguiam anotar os fatos da partida, pois seus dedos estavam duros e gelados. Christine Ungricht, a presidente do Swiss Tennis, reclamou para a imprensa suíça que os australianos deixaram o teto retrátil da Laver Arena aberto intencionalmente para que Hewitt tivesse uma vantagem, por causa o tempo frio. "Eles querem que Federer tenha hipotermia", disse. "O que eles estão fazendo não é contra a lei, mas eu vou me queixar mesmo assim."

O momento de Hewitt foi muito intenso para Federer conseguir virar o jogo, e o australiano venceu a partida épica por 5-7, 2-6, 7-6 (4), 7-5 e 6-1, dando, assim, o passaporte para a final da Copa Davis para a Austrália. O peito de Hewitt se estufou de orgulho enquanto ele explicava que pensou constantemente na virada que Pat Cash, depois de estar perdendo por 2 sets a 0, aplicou em Mikael Pernfors, da Suécia, durante a final da Copa Davis

Alcançando as estrelas

103

de 1986. Federer, que só apareceu na sala de entrevistas 2 horas depois da derrota, humildemente disse: "Eu não poderia estar mais frustrado". O seu voo de volta para a Europa foi uma tortura. Ele não conseguia dormir direito e seu corpo doía, assim como a sua alma.

Federer não tinha maiores esperanças de se tornar o número 1 do mundo em 2003. "Roddick e Ferrero mereciam estar ranqueados na minha frente", disse, antes de começar a temporada indoor. "Ferrero é o melhor jogador em quadras de saibro e Roddick é o jogador mais difícil de vencer dentro de quadra. Neste outono, eu simplesmente quero provar que sou o melhor jogador indoor." Ele não teve essa sorte. Embora tenha derrotado Carlos Moya na final de Viena, defendendo esse título com sucesso pela primeira vez em sua carreira, o restante da temporada de outono não produziu os resultados que ele desejava.

Depois de perder nas semifinais de Madri, Federer, mais uma vez, falhou em realizar o seu sonho de menino de conquistar o título em sua terra natal, Basileia. No maior torneio de seu país, Federer era apenas um esboço dele mesmo. Em decorrência de problemas nas suas costas, ele perdeu na segunda rodada para Ivan Ljubicic. O torneio seguinte, em Paris, também não contribuiu para que Federer se coroasse como o rei do tênis indoor, perdendo pela quinta vez em 6 encontros com Tim Henman, da Grã-Bretanha, nas quartas de final. Henman, juntamente com Hewitt e Nalbandian, se tornou parte do seleto grupo de desmancha-prazeres de Federer.

19

Duelos no Texas

Em 2003, Roger Federer venceu 6 torneios em todos os diferentes pisos — em ambiente fechado, em Marseille e Viena, em piso duro, em Dubai, em saibro, em Munique, e em grama, em Halle e Wimbledon. Entretanto, havia uma deficiência em seu currículo: vencer um torneio na América do Norte. Dos 21 torneios dos quais havia participado no continente norte-americano desde que se tornara profissional, 10 terminaram na primeira rodada. Em apenas uma ocasião — em Key Biscayne, no ano de 2002 — ele conseguiu chegar até a final de simples. Federer nem mesmo conseguiu chegar até as quartas de final no US Open ou nos grandes eventos em Cincinnati e Indian Wells.

No final de 2003, ao começar o Tennis Masters Cup — que havia sido transferido de Xangai para Houston, no Texas —, Federer era visto como apenas mais um jogador do torneio — em contraste com o alvoroço natural em torno do campeão de Wimbledon. Bud Collins, o famoso colunista de tênis do *Boston Globe*, disse: "Se você quer ser famoso nos Estados Unidos, terá de vencer aqui."

Federer estava bem consciente de seus números fracos em solo norte-americano, mas culpou, pelo seu insucesso, o fato de ter jogado apenas nos grandes torneios da América do Norte. Esses torneios tinham todos os principais jogadores e, dessa maneira, era mais difícil ganhar, especialmente com uma quantidade mínima de horas de treinamento nas quadras de piso duro americanas. "Os jogadores que vivem nos Estados Unidos têm

Duelos no Texas

uma vantagem aqui porque podem se preparar melhor", disse. "Mas, em contrapartida, nós, europeus, temos vantagem na Europa." Para Federer, as condições de treinamento nos Estados Unidos eram menos ideais para ele — a quantidade de tempo de treinamento e de preparação era reduzida, em virtude da viagem e das condições climáticas, que eram mais extremas que na Europa. Para um jogador técnico como Federer, esses detalhes faziam a diferença entre o sucesso e o fracasso —, considerando especialmente que, sob condições ideais, ele havia alcançado as finais de 7 dos últimos 12 torneios que havia disputado na Europa. No geral, 15 de suas 18 finais, até aquela época, tinham sido jogadas na Europa.

Federer ainda se considerava um especialista em ambiente fechado — os torneios indoors —; metade de suas participações em finais havia sido em torneios desse tipo. Na América do Norte, entretanto, os torneios indoors são escassos, pagam menos e não têm o prestígio daqueles que acontecem na Europa. Na verdade, ele ainda não havia jogado em um evento desses nos Estados Unidos. O que o deixou ainda mais decepcionado foi fato de o Tennis Masters Cup, tradicionalmente um torneio indoor, ser jogado ao ar livre em Houston.

Diferentemente de sua primeira visita ao Tennis Masters Cup, no ano anterior, em Xangai, onde tudo era organizado nos seus mínimos detalhes, Federer estava desapontado com as condições no Westside Tennis Club, de Houston, localizado no meio de uma área residencial, com 46 quadras, apresentando todos os pisos característicos dos 4 torneios de Grand Slam. Para começar, a superfície da quadra estava fora de prumo, inclinando-se para baixo, em direção ao juiz de cadeira, e estava tão irregular que as bolas tomavam direções imprevisíveis ao quicarem. O novo — e, aparentemente, construído às pressas — estádio conseguia acomodar apenas 7 mil espectadores — uma capacidade considerada pequena para um torneio daquele porte. Como o evento em Houston apresentava — pela primeira vez em quase 20 anos — os campeonatos de simples e duplas no mesmo local, Federer e seus colegas competidores acharam que não havia espaço suficiente nos vestiários e nas quadras de treino para se preparar e praticar de maneira apropriada. Em certo momento, durante a sua estadia em Houston, Federer foi forçado a treinar com Lundgren em uma quadra sem rede.

A sorte de Federer na chave não ajudou em nada para melhorar seu humor. Ele foi colocado no torneio, parcialmente de pontos corridos, no "Blue Group", em que estavam Juan Carlos Ferrero, Andre Agassi e... David Nalbandian. Seria um grande desafio para Federer, que tinha perdido 3 das

106   A biografia de Roger Federer

5 últimas partidas contra Ferrero, não havia ganhado contra Agassi nas 3 partidas mais recentes e tinha 5 derrotas contra Nalbandian das 5 partidas disputadas na carreira.

Na coletiva de imprensa antes do torneio, Federer não se absteve em expressar o seu ponto de vista sobre a situação da competição, declarando, firme e objetivamente, que não considerava correto que o torneio fosse jogado ao ar livre. Ele também não se intimidou em discutir sobre as condições precárias — declarando que o estádio era muito pequeno e que o piso da quadra, que era inclinado, não estava à altura do padrão de um Tennis Masters Cup. As suas críticas foram consistentes — fosse ele indagado em inglês, francês ou alemão.

Seus comentários tiveram repercussão. Pouco depois das sessões com a imprensa, Federer foi abruptamente abordado por um homem de cabelos grisalhos, que veio falar com ele sem mesmo se apresentar apropriadamente. Esse homem, Jim McIngvale, e a sua esposa, Linda, eram os donos do Westside Tennis Club. McIngvale, conhecido pelo seu colorido comercial de televisão como "Mattress Mack", era uma figura irritadiça — e o responsável pelo evento. Ele se tornou milionário por esforço próprio, e seu negócio de móveis — "Gallery Furniture" — era o mais bem-sucedido do mercado nos Estados Unidos. Ele era a personificação do texano espalhafatoso — o estereótipo familiar de uma variedade de piadas.

McIngvale era um autoproclamado patriota e costumava vestir camisas que mostravam a bandeira dos Estados Unidos. Era um fã inveterado de Andy Roddick e, especialmente, de Andre Agassi. Tanto Roddick como Agassi já haviam ganhado o U.S. Men's Clay Court Championships — outro torneio da ATP organizado e administrado pelos McIngvales, todos os anos, no Westside Tennis Club. Agassi elogiava McIngvale como um "promotor fenomenal" e "uma das melhores coisas que aconteceram no tênis". Os McIngvales disseram que haviam investido mais de 25 milhões de dólares na organização do Tennis Masters Cup. Eles até mesmo chegaram a fazer propaganda sobre o evento durante o Super Bowl* —, pagando cerca de 1 milhão de dólares para cada um dos 3 comerciais de televisão.

A crítica de Federer às instalações e ao torneio alcançaram os ouvidos de McIngvale, que as encarou como um insulto pessoal. McIngvale confrontou

---

* Partida final da temporada de futebol americano, um dos eventos televisivos de maior audiência nos Estados Unidos. (N.T.)

Duelos no Texas

e repreendeu severamente Federer, de uma maneira com a qual o campeão de Wimbledon não estava acostumado. O jogador se sentiu confuso, magoado, desapontado e nervoso. Por um momento, até mesmo considerou a ideia de abandonar o torneio. Felizmente, ele pensou melhor antes de tomar tal decisão.

O *Houston Chronicle* especulou que Federer não sabia quem era McIngvale e explicou para o tenista que ele era "a melhor coisa que aconteceu para o tênis desde a introdução do tie break". O jornal também declarou que McIngvale havia recrutado torcedores para levantar o astral do torneio e torcerem contra Federer na sua primeira partida contra Agassi.

Sem surpresa nenhuma, Federer parecia um pouco desconfortável contra Agassi, que havia ganhado o Australian Open no começo do ano. No tie break do primeiro set, Federer rapidamente perdeu os 6 primeiros pontos e, por fim, o primeiro set, por 7-3. Em vez de sucumbir às condições desfavoráveis, Federer brigou e venceu o segundo set — era a segunda vez que ganhava um set do lendário jogador americano. Quando Federer estava ganhando de 5-3 no último set, um grande triunfo estava iminente. Porém, como na sua experiência na Copa Davis contra Hewitt, 2 meses antes, os nervos de Federer o prejudicaram novamente, quando a grande vitória estava muito perto. Uma dupla falta permitiu que Agassi retornasse para a partida, empatando por 5-5 no terceiro set. Muitos dos torcedores de McIngvale pularam e gritaram. O próprio McIngvale não teve a menor vergonha em torcer descaradamente para Agassi. A decepção de Federer era visível. No tie break do último set, outra dupla falta o colocou na desvantagem de 1-3. O fim parecia estar próximo.

Entretanto, os minutos que se seguiram tornaram-se os mais importantes para Federer no torneio — e, possivelmente, em sua carreira. Talvez se valendo do fato de Agassi não ter jogado nenhum torneio desde o US Open, 2 meses antes, em virtude do nascimento do seu segundo filho, Federer foi presenteado com um alívio temporário. Agassi perdeu o que ele chamou de "um golpe de forehand curto que eu não perdia desde 1989", seguido de uma dupla falta, o que permitiu Federer voltar para a partida. Agassi, contudo, alcançou o match point ao placar de 6-5 e acabou o desperdiçando ao devolver o serviço. Dois pontos mais tarde, Agassi conseguiu outro match point, quando estava 7-6, que Federer defendeu com um forehand brilhante. Um ponto depois, Federer tinha um match point, com o placar em 8-7. A devolução de serviço de Agassi caiu perigosamente na linha — alguns espectadores gritaram que a bola havia sido fora. Mas, sem um pronunciamento do juiz de linha, Federer continuou a jogar — sem distrações — e golpeou a bola com uma passada de forehand para conquistar a sua única vitória até aquela data contra o lendário jogador americano. *Game, set and match* para Federer, por 6-7 (3), 6-3 e 7-6 (7).

Com um boné de beisebol, Federer foi até a coletiva de imprensa, que aconteceu por volta da meia-noite, e tentou manter as coisas no seu equilíbrio. A vitória foi muito importante para ele — a sua melhor apresentação nos Estados Unidos — e Federer, apesar da tentativa, teve dificuldades em esconder as suas emoções e expressá-las com palavras. A vitória teve um efeito liberador para ele, demonstrado 2 dias depois, quando, pela primeira vez, acabou com a sua sequência de derrotas contra Nalbandian, derrotando o argentino pela primeira vez em sua carreira profissional, por 6-3 e 6-0. Com a vitória anterior de Nalbandian sobre Ferrero, que também perdeu para Agassi, Federer confirmou o seu lugar nas semifinais como o vencedor de seu grupo da fase de pontos corridos, o *round robin*. O mau humor de Federer agora era apenas uma lembrança distante.

A busca para atingir a posição de número 1 do ranking também foi decidida em um jogo por pontos corridos a favor de Roddick, que detinha essa posição desde o dia 3 de novembro. Contudo, como um presságio do que estaria por vir, Federer eliminou Roddick por 7-6 (2) e 6-2, nas semifinais, para alcançar a final do Tennis Master Cup. Esperando o seu adversário para a final estava Agassi, que havia terminado em 2º lugar no grupo de Federer, na primeira fase do torneio, mas que havia ganhado do alemão Rainer Schuettler na outra partida de semifinal. Dessa vez, Federer não deu chances para ele desde o começo do jogo. Mesmo depois de um atraso de 2 horas e meia, por causa da chuva, Federer dominou Agassi, ganhando a última partida do campeonato por 6-3, 6-0 e 6-4, em apenas 88 minutos. "Essa foi uma das melhores partidas da minha carreira", disse Federer, contra quem nem Roddick nem Agassi conseguiram obter um break point. "Eu não sei se ainda tenho potencial para melhorar, mas estou satisfeito se puder manter este nível." O seu prêmio foi alto. Ele recebeu 1,52 milhão de dólares — além de uma Mercedes conversível e 750 pontos, que o permitiram passar Ferrero e chegar à posição de número 2 do ranking mundial, atrás apenas de Roddick. "Terminar o ano como segundo não é ruim", disse Federer, antes de deixar o Texas. Enquanto a ATP o ranqueava como o número 2, ele estava ranqueado em primeiro do ano em número de títulos (7), em partidas vitoriosas (78) e prêmios em dinheiro (4.000.680 dólares). Bud

Duelos no Texas

Collins, do *Boston Globe*, concordou. "Esqueçam o ranking mundial", escreveu Collins. "Roger Federer é, no momento, o melhor desse esporte."

Apenas o Sr. McIngvale pareceu ter uma visão destorcida dos eventos da fileira mais alta nas arquibancadas, onde sentou durante a final. Qualquer um ao escutar o seu discurso interminável na cerimônia de premiação teria presumido que Agassi era o campeão do torneio, em vez de Federer. Em seus comentários após a partida, McIngvale elogiou abertamente os feitos e o talento de Agassi, reservando apenas uma pequena sentença para Federer, o homem que realmente havia ganhado o torneio.

20

Um fim repentino

Em Houston, não havia nenhuma indicação de quaisquer mudanças na equipe de Roger Federer. Peter Lundgren era o seu treinador de confiança e tudo estava correndo como sempre. Durante uma entrevista no Westside Tennis Club, Lundgren discutiu sobre como a nova estratégia para 2004 estava tomando forma e qual seria o regime de treinamentos para dezembro. "Roger pode melhorar bastante. Ele ainda tem muito potencial para evoluir", disse. "Nós temos de continuar a trabalhar nos voleios e nas devoluções de serviço, o saque pode ficar melhor e ele pode se tornar mais forte e mais rápido."

Nesse ínterim, muitos cidadãos suíços já tinham um grande apreço por Lundgren. Ele era o pai substituto, a quem fora entregue a "Joia da Coroa do Tênis da Suíça" — e que colocou Federer debaixo de suas asas como se fosse seu próprio filho. Quem conseguia não gostar do sueco sorridente, amigável e alegre? Ele combinava profissionalismo, desprendimento, seriedade e humor de uma maneira única. Ao contrário de muitos colegas, Lundgren ficava no plano de fundo, evitando a publicidade e a atenção, preferindo que os holofotes ficassem sobre seu pupilo. Além disso, o seu tênis estava em excelente forma para a sua idade, 38 anos — com uma noção de jogo que ninguém esperava, por causa de sua aparência rechonchuda.

Apesar dos muitos contratempos que Federer encontrou durante a sua longa caminhada para o topo do tênis profissional, Lundgren nunca perdeu a fé ou desacreditou nele, nem mesmo nos meses mais obscuros, quando o seu grande momento tardava por vir. Lundgren também pareceu profético em suas previsões para o sucesso de Federer, em 2003. Depois de tantas coisas juntos, ele parecia ter se tornado parte de Federer.

Tudo isso tornou ainda mais atordoante o anúncio da separação deles, em dezembro daquele ano. A notícia vazou de maneira inesperada. Federer e Lundgren haviam organizado uma coletiva de imprensa para o dia 15 de dezembro para, juntos, anunciarem o fim da parceria como treinador e jogador, mas uma jornalista obteve, de antemão, a informação sobre a separação, que foi publicada 6 dias antes no *Neue Zürcher Zeitung*. Federer e a sua equipe foram forçados a alterar os seus planos e improvisar.

Rapidamente, foi expedida uma nota à imprensa, anunciando a dissolução da parceria profissional. "Com o sucesso e as habilidades que Roger conseguiu com Peter Lundgren, ele está muito bem equipado para os desafios que estão por vir. Porém, isso também mostra o desejo por uma reorientação no seu ambiente de treinamento. Maiores informações com relação a um sucessor ainda estão em progresso. Nenhuma decisão ainda foi tomada."

Naquela mesma noite, foi concedida uma coletiva de imprensa, no escritório do advogado de Federer, Bernhard Christen, na Basileia. O campeão de Wimbledon estava no meio de sua preparação para a temporada seguinte. Ele apareceu com a sua mãe, que agora era uma figura central em sua equipe depois de se separar da International Management Group (IMG), no meio do ano. Seu olhar estava sério e distante. A comunicação caótica não combinava com alguém que gostava de ter tudo perfeitamente sob controle.

Federer teve dificuldades em expressar com palavras as razões da separação. Ele falou sobre o desgaste e sobre o longo processo em tomar tal decisão, que começou no início da temporada de 2003. "A nossa relação profissional se tornou muito rotineira, especialmente nos últimos meses", disse. "Eu tenho a sensação de que preciso de algo novo, um novo impulso, alguém que vai levar o meu tênis ainda mais adiante." Federer explicou que já havia falado com Lundgren havia algumas semanas e que não estava sentindo as coisas fucionarem. "Ele me falou que, se eu estivesse com a sensação de que precisava de algo mais, não faria objeção a qualquer decisão minha", disse. Federer declarou ter tomado essa difícil decisão enquanto estava de férias, nas Ilhas Maurício. "Peter ficou tão desapontado quanto eu. Nós estávamos nos separando no ápice de tudo e isso torna as coisas ainda mais difíceis. Eu tenho certeza que continuaremos amigos."

A decisão, que aparentemente não tinha uma explicação, fez muitas pessoas especularem sobre o que realmente poderia ter acontecido, se havia alguma coisa a mais na decisão que não foi discutida publicamente. Alguns, até mesmo, criticaram Federer por tomar tal decisão tão radicalmente, quando estava no topo de sua carreira. Os dois tiveram problemas de relacionamento entre eles? Seria um problema relacionado a dinheiro? O sueco teria se tornado muito caro para Federer, que estaria ganhando mais prêmios em dinheiro do que qualquer outro jogador? Haveria outras pessoas envolvidas? Já existiria um novo sucessor? Federer estaria sendo mal auxiliado e colocando em risco tudo o que já havia conquistado? O *Neue Zürcher Zeitung* especulou imediatamente que Mirka Vavrinec, "a primeira-dama na quadra de Federer", teve papel significativo no processo da separação. Essa teoria foi totalmente negada e não serviu para melhorar os ânimos de Federer e de sua namorada durante esses dias desagradáveis de Natal.

Visto de maneira superficial, não havia realmente nenhuma razão para Federer e Lundgren se separarem depois de sua melhor temporada. A relação profissional com o sueco deveria estar bem mais tranquila agora que a pressão de vencer um torneio de Grand Slam não era mais problema. Os títulos de Wimbledon e do Tennis Masters Cup eram os feitos mais importantes de uma fase empolgante de sua carreira, que lhe permitiria se tornar o número 1 do mundo e ganhar, até mesmo, mais títulos de Grand Slams.

Mais uma vez, Federer agiu instintivamente — e como se explicam ações conduzidas pelo instinto? Ele sentiu que estava no fim de uma jornada com Lundgren, que o sueco havia completado a sua missão. Lundgren era o homem ideal para levar Roger até os 50 melhores do mundo e para fazê-lo obter a vitória em Wimbledon. Ele, que não havia ganhado nenhum grande torneio como jogador, não poderia esperar por mais. Federer sentiu que o sueco não tinha mais a oferecer do que aquilo que já havia dado. Lundgren já tinha compartilhado todo o seu conhecimento. Federer agora estava expandindo para áreas que eram novas para o seu treinador e nas quais ele não tinha experiência.

Federer provavelmente também sentiu que algo importante estava acontecendo com ele nesse estágio de sua carreira. As conquistas dos torneios não apenas o satisfaziam mas também o estimulavam. Ele procurava alcançar a grandiosidade e a perfeição. Federer percebeu que era um novo jogador, com novos objetivos, que precisava de outros estímulos para alcançar lugares ainda

Um fim repentino

mais altos. Logo ficou claro para ele que esse era o seu caminho. Se necessário, Federer estaria preparado para dar os primeiros passos sozinho.

Lundgren acompanhou o Australian Open de sua casa, na vila costeira de Hunnebostrand, na Suécia. "Eu viajei pelo mundo durante 22 anos e estou cansado dessas viagens constantes, da vida agitada e de estar sempre fora de casa", explicou pelo telefone. "Eu precisava de um descanso. Houston foi muito bom, mas alguns torneios no fim do ano foram brutais. Meus filhos choravam todas as vezes em que me ausentava. Foi muito difícil para a minha namorada também, que tinha de cumprir com as suas obrigações no trabalho. Acho que essa pausa veio em boa hora para mim." O filho de Lundgren, Lukas, tinha 5 anos na época, e sua filha, Julia, 8. Ela tinha diabetes e toda a rotina diária girava em torno dela.

"Eu avisei Roger que ele teria problemas em explicar as razões de nossa separação para a imprensa", falou Lundgren. "Mas ele sabe o que quer. Ele estava procurando por novas ideias e eu lhe disse: nós não devemos continuar se você pensa dessa maneira. Eu também tenho o meu orgulho. Fui jogador profissional e o compreendo. Não fiquei surpreso. Mas quando se tem uma relação como a nossa, é difícil se separar tão de repente."

A amizade deles, de fato, não foi prejudicada pela separação, mesmo quando Lundgren assumiu o cargo de treinador de um de seus maiores rivais, Marat Safin, poucos meses depois. Federer e Lundgren se encontraram pouco antes do Natal, na Suíça. Lundgren revela: "Nós tivemos uma das melhores conversas dos últimos tempos."

21

A coroação

No fim de 2003, Roger Federer saiu da casa que dividia com seus pais havia 2 anos em Bottmingen, próximo a Basileia, e se mudou para a cidade vizinha de Oberwil com a sua namorada Mirka Vavrinec, o primeiro apartamento dos dois. Enquanto isso, ele foi homenageado na capital suíça, Berna, como o "Atleta do Ano", no dia 13 de dezembro. No dia seguinte, depois de apenas 3 horas de sono, ele pegou um avião para Londres para visitar novamente o All England Club como convidado de honra de um programa esportivo de televisão britânico organizado pela BBC, por ser o então campeão de Wimbledon.

Tim Phillips, o Presidente de Wimbledon, recebeu Federer — agora um membro honorário do clube — como se fosse um velho amigo. Ele acompanhou o jogador e seus convidados da Suíça, bem como dois repórteres e a equipe de televisão da BBC, para um chá na sala do clube no edifício da Quadra Central, onde os troféus de Wimbledon estavam à mostra. Federer olhava fixamente e maravilhado para a sua foto como campeão do torneio, localizada à esquerda, acima da entrada para a Quadra Central. A imagem foi colocada próxima à famosa frase do vencedor do Prêmio Nobel, Rudyard Kipling: "Se, encontrando a desgraça e o triunfo, conseguires tratar da mesma forma esses dois impostores".*

---

* Tradução de Guilherme de Almeida. (N.R.T.)

A coroação

115

Federer já tinha se encontrado com o desastre e agora estava evidente que poderia lidar com o triunfo da mesma forma. A maneira como se portou naquele dia foi impressionante — considerando a natureza agitada de sua agenda e as poucas horas de sono que lhe foram concedidas. Estava agindo de maneira modesta, mas autoconfiante, amigável e firme. Boris Becker uma vez chamou a Quadra Central de Wimbledon de "minha sala de estar", e depois ela se tornou parte da casa de Pete Sampras, na década de 1990. Parecia, agora, que Federer estava disposto a transformá-la em sua sala de visitas particular.

O retorno ao lugar de seu triunfo visivelmente o encheu de orgulho. Ele explicou minuciosamente o que havia acontecido antes e depois da sua partida final contra Philippoussis, apenas 6 meses atrás. Ele conduziu os três membros da imprensa pelo edifício do clube e das instalações do torneio, pelas quadras vazias sobre as quais a luz declinante do sol de dezembro brilhava. "Essa entrada estava repleta de pessoas mais velhas, e eles abriram caminho assim que cheguei", explicou, como se fosse um guia turístico. "Esse é o lugar onde eu joguei em dupla com Hewitt" e também "o lugar onde tiraram a foto da vitória, mas, por alguma razão, parece estar completamente diferente agora". Ele olhou por um longo tempo para a Quadra 2, onde havia caído e pensado em desistir, por causa da forte dor nas costas.

Federer também visitou o museu onde as raquetes, roupas e tênis que usou na conquista do título estavam em exibição. Como não poderia faltar no seu retorno ao All England Club, obviamente, ele visitou a Quadra Central. O local estava barrado por uma cerca elétrica, para impedir que raposas e outros animais danificassem o gramado. "Por favor, não pise a grama", alertou rigidamente uma voz amplificada nos alto-falantes da Quadra Central. Federer riu. Quando ele pôs os olhos no gramado onde conquistou Wimbledon, repetiu a história sobre a emocionante cerimônia de premiação. "O momento em que consegui levantar o troféu pela primeira vez foi mágico. Parecia irreal", recordou. "É tão bonito, feito de ouro, não é muito pesado nem muito leve, tem simplesmente o peso ideal. Tudo aqui, o verde, a grama, sempre foi muito especial para mim. Todos os meus jogadores preferidos jogaram muito bem aqui. Wimbledon é o meu torneio de Grand Slam favorito. Tantas pessoas sonham em ganhá-lo. E eu me pergunto: por que eu?"

No dia 5 de janeiro de 2004, Federer foi honrado com um título inesperado. Por meio da televisão, o público suíço o elegeu o "Cidadão Suíço do Ano", entre várias personalidades famosas e bem-sucedidas da indústria, do entretenimento, do esporte e da política. Federer ficou extremamente surpreso — não havia um prêmio mais prestigioso em seu país. O seu nome foi gravado em uma montanha no Cantão de Obwald, o suposto centro geográfico da Suíça.

Quando Federer chegou à Austrália, em janeiro de 2004, em preparação para o Australian Open, críticas sobre a sua separação de Peter Lundgren já lhe precediam. A mídia internacional queria saber as razões. Pat Cash, o australiano campeão em Wimbledon, se apressou ao declarar para o jornal londrino *Sunday Times* que Federer havia cometido um erro e que estava colocando a sua carreira em risco ao dispensar Lundgren do seu cargo de treinador. Cash não entendia a situação e nem os motivos da separação e chegou ao extremo de afirmar que Federer não estava pronto para a nova temporada, bem como que se deixava influenciar demais pelas opiniões de sua namorada. "Já foram cometidos erros de julgamento, e a primeira coisa que Federer tem de fazer é se assegurar de manter sua namorada no lugar dela", Cash escreveu. "É uma questão óbvia que cai no senso comum."

O golpe agressivo — e abaixo da cintura — que Cash deu em Federer era infundado. Roger não apenas tirou todas as dúvidas levantadas sobre o seu profissionalismo como também questionou fundamentalmente as teorias sobre a importância de até mesmo ter um treinador. Não faltavam para Federer ofertas de treinadores do mundo inteiro. Afinal de contas, ele era o único jogador entre os 10 primeiros do ranking mundial que estava sem técnico. Entretanto, o número 2 do mundo não queria ser precipitado em sua escolha. "Fora das quadras, sou eu quem decide o que será feito", declarou. "Não há mais ninguém para me auxiliar."

Assim que o Australian Open começou, questionamentos sobre a preparação de Federer apareceram. Ele havia perdido para Juan Carlos Ferrero em um torneio de exibição em Hong Kong, então, no Kooyong Classic, em Melbourne, Andre Agassi acabou com a partida em menos de 1 hora, com o resultado de 6-2 e 6-4. Agassi, campeão do Australian Open por 4 vezes, era apontado como o grande favorito no Melbourne Park, pois estava invicto há 21 partidas nesse torneio de Grand Slam.

Federer passou, sem muito esforço, para as oitavas de final. Graças à sua recém-encontrada autoconfiança, pôde devolver a derrota sofrida na Copa Davis contra Hewitt, vencendo o australiano por 4-6, 6-0, 6-3 e 6-4, na mesma quadra em que teve de se despedir das semifinais da Copa Davis, 4 meses antes. Para piorar ainda mais a situação, para os torcedores

A coroação 117

australianos e para Hewitt, a vitória de Federer aconteceu bem no Australia Day, o feriado nacional australiano, e se podiam ouvir os fogos de artifício disparados no centro de Melbourne.

Os fogos de artifício de Federer continuaram nas quartas de final contra o seu grande rival, David Nalbandian. Nos momentos decisivos do primeiro set contra o argentino, Roger confirmou o estado equilibrado de seu espírito. Sacando em 15-40 no placar de 5-5 games no primeiro set, Federer disparou 4 aces seguidos para fechar o game, logo depois, o set e, por fim, vencer a partida por 7-5, 6-4, 5-7 e 6-3. As suas incertezas sobre Nalbandian, agora, faziam parte do passado.

Com a derrota inesperada do número 1 do mundo, Andy Roddick, para Marat Safin em uma partida de 5 sets nas quartas de final, Federer conseguiu ultrapassar Roddick no ranking, mas isso não garantiria a primeira posição. Se Ferrero, o adversário de Federer nas semifinais, ganhasse o título do torneio, ele retomaria a posição de número 1 do mundo. Porém, se Ferrero não levasse o título, Roger alcaçaria o lugar mais alto do ranking pela primeira vez. Pela segunda oportunidade em sua carreira, Federer estava a uma vitória de se tornar o número 1 do mundo, ao entrar em quadra contra Ferrero. Depois de um primeiro set um tanto tenso, não havia dúvidas sobre quem venceria a partida. Às 21h18min no horário local do dia 30 de janeiro, após dominar completamente a partida, que terminou com o placar de 6-4, 6-1 e 6-4, contra o espanhol, Federer caiu de joelhos e ergueu as mãos para o céu.

Agora estava certo, Roger Federer seria o número 1 do ranking mundial assim que a lista saísse oficialmente, no dia 2 de fevereiro. "Eu queria aproveitar aquele momento", desabafou. "Você só consegue se tornar o número 1 uma vez." Mas ele declarou com firmeza que o seu principal objetivo era o título. "Será uma enorme decepção se eu não conquistar o campeonato."

Safin era o adversário de Federer na final. O russo passou por Agassi, depois de uma partida de 5 sets na semifinal, para alcançar o último jogo do Australian Open pela segunda vez em 3 anos. Apesar de não ter sido um dos cabeças de chave, por estar na posição de número 86 do ranking mundial — em decorrência de uma cirurgia no punho que o afastou por um bom tempo das quadras em 2003 —, o russo ex-número 1 do mundo era um jogador poderoso, capaz de vencer partidas e títulos contra qualquer um.

Entretanto, Federer não estava disposto a deixar ninguém atrapalhar os seus planos. Depois de o suíço ganhar o primeiro set no tie break, Safin

118 A biografia de Roger Federer

parecia ficar cada vez mais cansado e frustrado, até que, por fim, resignou-se à derrota. A vitória de Roger, por 7-6 (3), 6-4 e 6-2, no jogo final garantiu a ele o seu 2º título de Grand Slam e serviu como uma joia valiosíssima para a sua coroa de número 1 do mundo.

"Virar o número 1 do mundo era um objetivo, mas ganhar o título era outro muito maior", falou.

Federer não se esqueceu de Peter Lundgren. Em quase todas as suas entrevistas durante o campeonato, o número 1 do mundo mencionava a importância de seu antigo treinador e até lhe enviou um mensagem de texto o agradecendo mais uma vez pelos seus esforços com ele.

Não haveria discussão entre os especialistas do tênis sobre a validade do jogador ranqueado como o número 1 do mundo. Tendo vencido Wimbledon, o Tennis Masters Cup e o Australian Open, Federer havia conquistado, nos últimos 7 meses, 3 dos 5 torneios mais importantes no tênis. O seu sucesso se igualou ao de Hewitt, que detinha a melhor sequência de resultados no tênis masculino quando conquistou os títulos de Wimbledon, do US Open e do Tennis Masters Cup em um intervalo de tempo de 10 meses, entre 2001 e 2002.

A fase de transição no tênis masculino, que produziu 8 campeões diferentes em um período de 2 anos, chegava ao seu fim. A ATP promoveu esse período com a sua campanha "New Balls Please" (Novas Bolas, Por Favor), uma vez que ninguém realmente sabia quem seria a figura dominante no tênis masculino. A discussão estava encerrada. A Era Federer havia começado.

22

O número 1

Em sua autobiografia *You Cannot Be Serious*, o tricampeão de Wimbledon John McEnroe comparou o caminho para ser o número 1 do ranking mundial com a escalada do Monte Everest: "O ápice, como o topo do Monte Everest, é um território insólito, impossível de entender, a não ser que você realmente chegue até lá."

O nova-iorquino, que pôs um fim à era Björn Borg, concordava com Arthur Ashe na seguinte declaração, que dizia: "É a mesma diferença entre ser o número 10 e chegar ao número 5 como ser o número 100 e chegar ao número 10. Galgar do número 5 para o 4, ele [Ashe] afirmou, é como sair do número 10 para o número 5. E, daí para frente, é inconcebível."

Roger Federer também concordava com essa comparação. "É um longo caminho até chegar ao número 1. Você tem de passar por muitos obstáculos para chegar lá", confirmou, na primavera de 2004. "Eu consegui chegar até esse ponto e ganhei muita confiança." Ele expôs que somente depois de ter vencido em Wimbledon — título responsável por ter lhe tirado das costas a pressão de nunca ter conquistado um torneio de Grand Slam — foi capaz de jogar tranquilamente e sem se sentir pressionado em Houston e Melbourne. A partir de então, não via mais nenhuma razão que o impedisse de conquistar outros títulos de grande importância.

Aos 22 anos e 5 meses de idade, Federer não era o jogador mais jovem a se tornar o número 1 do mundo. Lleyton Hewitt, Jimmy Connors, Björn

Borg, John McEnroe, Jim Courier, Pete Sampras, Marat Safin e Andy Roddick eram todos mais novos quando chegaram pela primeira vez no lugar mais alto do ranking. Porém, Federer alcançou o número 1 antes de Boris Becker, Stefan Edberg, Ivan Lendl e Andre Agassi. Como um dos únicos 3 atletas que tinham o alemão como primeira língua a chegar ao número 1 do mundo (depois de Boris Becker e Thomas Muster), Federer poderia agora aproveitar esse status que lhe havia sido negado em 2003. Um sonho de sua infância, que havia fugido dele nos meses anteriores, agora era realidade.

Certamente, para ele, brilhar como o jogador do topo do ranking não era uma questão de tempo. Ser o número 1 do mundo foi um fardo para muitos de seus predecessores. O caçador vira o caçado; o perseguidor, o perseguido; o desafiante, o desafiado. Ser o primeiro do ranking também envolve responsabilidades como o representante mais importante do esporte. Espera-se que o número 1 do mundo forme opiniões sobre o esporte. Suas palavras têm um peso maior, e responsabilidades extras o faziam estar constantemente no centro das atenções. O número 1 é o elemento central do esporte e, por isso, é perseguido e cercado pela mídia, torcedores e diretores de torneios, além de ter a obrigação de continuar treinado e mantendo os resultados para se garantir na primeira posição do ranking.

Todavia, ser o número 1 do mundo é, para a maioria, o objetivo final da carreira — a realização de um sonho há muito almejado. Todos os que alcançam esse patamar pela primeira vez têm a sensação de já ter chegado ao fim do caminho e são forçados a se reorientar. Nem todos se dão bem com a responsabilidade de ser o número 1. Não é ruim ser o número 2, 3 ou 4 — ao contrário; é muito mais tranquilo.

Como o ranking da ATP foi criado em 1973, muitos dos 22 jogadores que alcançaram a primeira posição desapareceram logo depois de terem conseguido tal feito. O australiano Patrick Rafter, os espanhóis Carlos Moya e Juan Carlos Ferrero, o chileno Marcelo Rios, o austríaco Thomas Muster e o russo Yevgeny Kafelnikov foram capazes de se manterem como número 1 do ranking apenas por um período menor do que dez semanas.

Entretanto, Federer não se via no fim de um caminho, mas no começo de um novo. Ficou imediatamente claro que ele queria permanecer no topo o maior tempo possível. Essa era a nova missão, em nome da qual teria de fazer sacrifícios e determinar prioridades. Infelizmente, o objetivo de permanecer como o número 1 do mundo lhe custou, mais adiante em sua carreira, a sua participação na Copa Davis. "Ser o número 1 é fantástico. Eu recomendo

O número 1

a todos", brincou certa vez. "Eu me sinto muito melhor do que quando era o número 5 ou 6. Agora jogo muito mais confiante, não apenas porque ganho muitas partidas e torneios mas também pelo fato de saber que não há ninguém melhor do que eu. Talvez um dia haja — mas isso não será suficiente para me tirar da primeira posição do ranking." Federer confessou que não tinha problemas com as expectativas e o crescente alvoroço em torno dele por ser o principal jogador do tênis. Ao ser indagado, no Aberto da Alemanha, em Hamburgo, quanto a gostar ou não de sua popularidade, ele, francamente, confessou: "Eu gosto de ser a estrela. Adoro atrair a atenção do público."

Após a sua vitória na Austrália e a sua ascensão para o 1º lugar no ranking, Federer voltou para casa, na Basileia, onde foi recepcionado por fãs e patrocinadores com alvoroço e bandeiras com a inscrição "nº 1". De lá, ele continuou viagem para a Romênia, em um jato privado, providenciado por um rico cidadão de nacionalidade suíço-romena, com o intuito de fazer parte da primeira rodada da Copa Davis de 2004. Na sua chegada, logo cedo pela manhã, ao hotel em que o time suíço se hospedava em Bucareste, ele se deparou, ao sair do carro, com as luzes das câmeras amontoadas das emissoras de TV romenas. Depois de apenas 5 dias de sua última partida no Australian Open, Federer entraria novamente nas quadras, no outro lado do mundo, em um lugar completamente diferente — a "Sala Polivalenta", no meio de um parque malcuidado, na capital da Romênia. Ele tinha apenas 2 dias para se adaptar ao fuso horário, se ajustar do verão da Austrália para o inverno da Europa e das quadras duras de Melbourne para as quadras de saibro de Bucareste. Apesar da transição brutal, Federer levou a Suíça à vitória, vencendo as suas 2 partidas individuais, e formou dupla com o seu bom amigo e estreante na Copa Davis, Yves Allegro, para derrotar Andrei Pavel e Gabriel Trifu por 10-8, no quinto set de uma partida que durou 4 horas. Esse acontecimento representou a quarta vez em que Federer vencia, na sua carreira dentro da Copa Davis, 3 vezes em uma mesma série.

O ano de 2004 estava se transformando em uma marcha triunfal para Federer. Ele era aclamado por todos os lugares em que passava. Seus resultados continuaram a fazer valer a sua posição de número 1 do mundo. A sua primeira derrota do ano aconteceu no meio do mês de fevereiro, quando perdeu para Tim Henman nas quartas de final em Roterdã. Ele rapidamente recuperou a sua forma e defendeu o título em Dubai, ao vencer o espanhol

Feliciano Lopez na final. No Masters Series, em Indian Wells, Federer teve a sua revanche contra Henman, ao vencer a partida do título e garantir uma vitória importante contra outro de seus grandes rivais. O seu êxito contra Henman foi apenas o segundo em 8 partidas, sendo a única vitória de Federer contra o britânico, até então decidida por a uma desistência de Henman, depois do primeiro set, forçada por dores no pescoço, em Key Biscayne, no ano de 2002. A vitória de Roger, contudo, foi especialmente satisfatória. "Agora acredito que nenhum oponente tenha uma vantagem psicológica sobre mim", afirmou.

Porém, um oponente que iria derrubar Federer apareceu logo após Indian Wells. Imediatamente após a final, ele começou a ter febre, náuseas e dores musculares. Apesar de estar doente, Federer não cancelou a sua viagem já pré-arranjada para Portland, em Oregon, o lar de um de seus patrocinadores, a Nike, para fins promocionais. Entretanto, quando estava em seu caminho para Miami, onde aconteceria o seu próximo torneio, Federer foi forçado a parar e se hospedar em um hotel no aeroporto de Los Angeles, com a finalidade de descansar e se recuperar. Assim que ele e Mirka chegaram à Flórida, Roger considerou a hipótese de desistir do torneio, mas quando a chuva lhe deu um dia a mais para descansar, ele resolveu prosseguir no campeonato.

Depois que o suíço conseguiu juntar forças o suficiente para negociar uma vitória de 3 sets com o número 54 do mundo, o russo Nikolay Davydenko, ele teria, como próximo adversário, o altamente estimado espanhol Rafael Nadal. O canhoto de Mallorca, de 17 anos de idade, jogou o que ele mesmo descreveu como a melhor partida de sua vida, derrotando categoricamente o adoentado número 1 do mundo por 6-3 e 6-3. A derrota foi a mais irrefutável que Federer sofrera em um ano. Nadal também foi o jogador mais jovem a derrotar o campeão de Wimbledon. Federer não ficou surpreso com a derrota, já que estava se recuperando da doença. Mesmo assim, suspeitou que Nadal seria um rival perigoso nos anos seguintes. "Ele se tornará o canhoto mais poderoso do tênis nos próximos anos", profetizou.

Após a sua eliminação em Key Biscayne, Federer se recuperou e jogou suas primeiras partidas na Suíça, como o número 1 do mundo, pelas quartas de final da Copa Davis, contra a França, em Lausanne. Os fãs o saudaram com *cowbells*, apitos e um barulho ensurdecedor na arena de hóquei Malley, que estava em sua lotação máxima. Federer confessou, mais tarde, que ficou um pouco assustado com o barulho, mas gostou da experiência. "É como se fosse um sonho poder jogar em uma atmosfera como aquela." Embora tenha categoricamente derrotado Nicolas Escude e Arnaud Clement, sem perder sequer um set para os dois, Federer e Yves Allegro não foram capazes de vencer a partida de duplas, fundamental na vitória por 3-2 da França, que teve, assim, a sua revanche pela série do ano anterior.

Federer venceu o Aberto da Alemanha, em Hamburgo, pela segunda vez e registrou a sua melhor participação na temporada de saibro. Em Roland-Garros, contudo, foi eliminado na terceira rodada pelo tricampeão do campeonato, Gustavo Kuerten. "Não há como não aceitar essa derrota", Federer desabafou, reconhecendo a grande habilidade de seu oponente brasileiro. Ninguém suspeitou que essa derrota seria a única por um longo tempo.

A popularidade de Federer alcançou novas alturas no torneio de Wimbledon. Como cabeça de chave número 1 e atual campeão do torneio, ele estava sendo mais requisitado do que nunca. Federer escolheu ficar em uma casa de 3 dormitórios na Clifton Road, dentro da Wimbledon Village — a mesma casa em que Pete Sampras se hospedara durante as suas estadias em Wimbledon. Esse ano, o fisioterapeuta de Federer, Pavel Kovac, não precisou dormir no sofá e pôde se acomodar no seu próprio quarto.

Reto Staubli, amigo e antigo colega de Federer do time suíço interclubes, juntou-se à equipe para o torneio de Grand Slam. Ex-jogador que havia assumido um trabalho como banqueiro, Staubli via as viagens e a ajuda que dava para Federer como uma aventura e se responsabilizou pelos detalhes e compromissos que normalmente ficam a cargo de um treinador. Como um ex-campeão nacional da Suíça, ele ocasionalmente praticava com Federer. O defensor do título, entretanto, se isolara na casa e nas quadras. As questões sobre um novo técnico, por enquanto, desapareceram. Por que mexer em um time que está ganhando?

A estrela suíça estava cotada, sem grandes discussões, como o grande favorito no All England Club. A diferença entre Federer e o número 2 do mundo, Andy Roddick, era de aproximadamente 1.000 pontos — o equivalente a um título de Grand Slam. Com outro êxito no torneio anterior a Wimbledon, em Halle, Roger aumentou o número de partidas invicto, em quadra de grama, para 17. Ele se sentia em casa nas quadras de grama, e mesmo o clima inglês, previsivelmente úmido, não era o suficiente para desencorajá-lo.

124 A biografia de Roger Federer

Com 4 vitórias relativamente fáceis, Federer, chegou, de maneira confiante, às quartas de final para enfrentar Lleyton Hewitt, que testou o defensor do título em uma partida dramática, interrompida três vezes pela chuva. Após ter perdido o primeiro set, Hewitt conseguiu vencer o segundo set no tie break, quebrando uma sequência de vitórias do suíço de 26 sets em Wimbledon. Depois de Federer vencer o terceiro set por 6-0, Hewitt quebrou o seu saque — interrompendo uma sequência de 105 games de serviços sem quebra — e assumiu a liderança do quarto set por 4-3. Um quinto set parecia inevitável, porém o campeão reuniu as suas forças para vencer os 3 últimos games e sair de quadra com uma vitória por 6-1, 6-7 (1), 6-0 e 6-4.

O ágil francês Sabastien Grosjean encarou Federer na semifinal, mas novamente a chuva transformou a partida em um caos, forçando o jogo a ser adiado da sexta-feira — com o suíço na liderança por 6-2, 6-3 e 4-2 — para o sábado de manhã, no qual Federer precisou de apenas de 30 minutos para ganhar o terceiro set em um tie break. Uma espera de quase 24 horas começou depois da partida.

No dia 4 de julho, com um clima chuvoso e gelado, o campeão enfrentou Roddick, que não apenas estava na final de Wimbledon pela primeira vez no Dia da Independência de seu país como também no dia do aniversário de seu irmão mais velho, John. Roddick surgiu como um sólido número 2 do ranking, logo atrás de Federer, caracterizando-se como o principal desafiante do suíço, especialmente na grama. Os números das partidas entre os dois favoreciam, por 5-1, Federer, que, ao contrário do ano anterior, na sua partida de semifinal contra Roddick, era considerado o grande favorito.

Contudo, tanto Roddick quanto seu técnico, Brad Gilbert, haviam feito a lição de casa. Roddick jogou com intensidade, o que era perceptível até mesmo nas fileiras mais altas da Quadra Central. O jogo de força do número 2 do mundo dominou o início da partida e, com os seus golpes potentes e seu saque veloz, garantiu o primeiro set por 6-4. O segundo set, inexplicavelmente, se transformou em uma montanha-russa — Federer estava na frente por 4-0 e com uma oportunidade para estender a vantagem para 5-0, mas teve o serviço quebrado por duas vezes seguidas, o que permitiu com que Roddick empatasse, por 4-4. Porém, os deuses do tênis estavam a favor de Federer. Quando estava 6-5, uma bola que tocou na rede deu a ele um set point. Um golpe vencedor de forehand, cruzando a quadra, fez com que Federer vencesse o set.

O defensor do título, entretanto, ainda não tinha o total controle da partida. No terceiro set, ele estava atrás no placar quando a chuva forçou

O número 1

125

uma parada temporária. A pausa, que durou 40 minutos — por mais estranho que possa soar —, foi um momento fundamental para a partida.

A pausa por conta da chuva também proporcionou ao australiano, Pat Cash, tempo suficiente na cobertura televisiva da BBC para fazer outra previsão errada — ele disse que não apostaria o seu dinheiro na vitória de Federer. O suíço retornou transformado para a quadra e com uma nova tática. Como Cash costumava fazer, com muito sucesso, Federer começou a ir frequentemente para rede e marcar ponto após ponto nessa posição. Ele ganhou o terceiro set no tie break e foi capaz de impedir seis break points no quarto set, antes de quebrar o saque do americano ao placar de 4-3, sem perder um ponto. Em questão de minutos, Federer era, mais uma vez, consagrado o campeão de Wimbledon.

Eram 17h55min no horário local na Grã-Bretanha quando Federer caiu de joelhos e se deitou de costas, ao ganhar mais uma vez o maior título do tênis. O sol, nesse meio-tempo, abriu caminho entre as nuvens e, como no ano anterior, banhou com raios de luz a cerimônia de premiação. Como em 2003, as lágrimas não foram contidas. "Pelo menos, desta vez, eu consegui segurar a emoção um pouco durante a cerimônia de premiação", disse. "Estou ainda mais feliz que no ano passado." O bicampeão admitiu que ficou surpreso com o jogo agressivo e consistente de Roddick. Ele comentou que, durante a pausa pela chuva no terceiro set, tomou a decisão de mudar de tática e começou a jogar mais no saque e no voleio. Admitiu estar orgulhoso por tomar essa decisão. "O técnico Federer está contente com o jogador Federer", brincou.

23

O retorno de Sansão

O segundo título de Roger Federer em Wimbledon o consagrou de maneira consistente como o número 1 do ranking mundial e lhe permitiu evitar a primeira ameaça potencial à sua posição no topo do tênis masculino. Se tivesse perdido para Andy Roddick na final de Wimbledon, Federer ficaria com uma vantagem de apenas 65 pontos em relação ao americano e teria de chegar, pelo menos, até as semifinais do Aberto da Suíça, na semana seguinte, em Gstaat, para se manter na primeira posição do ranking. Com o seu êxito no All Engalnd Club, ele detinha uma vantagem de 665 pontos em relação ao número 2 do mundo, Andy Roddick, o que lhe dava uma folga para competir sem muita pressão, a fim de assegurar o seu frágil status de número 1 do mundo.

Mais uma vez, os organizadores do torneio em Gstaad tinham um presente original para o campeão de Wimbledon: uma trompa alpina em tamanho real. Federer se esforçou bastante em Gstaad, perdendo um set em 4 das suas 5 partidas, e assim fechou a semana com uma vitória de 4 sets, parciais de 6-2, 6-3, 5-7 e 6-3, contra Igor Andreev, da Rússia, na partida final do campeonato. Depois de 13 tentativas — e 3 derrotas na final —, Federer finalmente ganhou um torneio da ATP em sua terra natal. Não era importante, nesse momento, que o seu primeiro título na Suíça tivesse acontecido em Gstaad, em vez de em "seu" torneio, na Basileia. Federer era o primeiro suíço a vencer em Gstaad desde Heinz Günthardt, em 1980, e a

O retorno de Sansão

sua participação estabeleceu um recorde de público no Aberto da Suíça. O seu alívio era tão grande quanto o seu cansaço: "Finalmente", desabafou, "eu posso dormir um pouco".

Após suas férias em Dubai, nos Emirados Árabes, Federer retornou para Basileia e começou a sua preparação para a temporada de verão em quadras duras, que incluía um evento muito especial — Os Jogos Olímpicos de Atenas. O suíço declarou que os Jogos Olímpicos constituíam um dos seus três grandes objetivos para o ano, além de defender o título em Wimbledon e manter-se no 1º lugar no ranking mundial.

Porém, em primeiro lugar, Federer se concentrou nos torneios do Masters Series, em Toronto e Cincinnati, no qual esperava aumentar a sua vantagem no ranking mundial.

No dia 1º de agosto, feriado nacional na Suíça e segundo aniversário da morte de Carter, Federer derrotou Roddick, por 7-5 e 6-3, na final de Toronto. Ele dedicou o seu 8º torneio do ano a Carter — e "apenas para ele". A vitória de Federer estabeleceu outro grande feito no tênis — era o primeiro jogador, desde Björn Borg, em 1979, a ganhar 3 campeonatos seguidos em 3 pisos diferentes — grama (Wimbledon), saibro (Gstaad) e piso duro (Toronto). "Espero um dia poder tomar um café junto com Borg e conversar sobre essas séries", disse. Federer, orgulhosamente, enfatizou que alguns jogadores chegaram a ser o número 1 do mundo sem vencer campeonatos em certos pisos, incluindo Boris Becker, que não conseguiu nenhum título em quadras de saibro durante a sua carreira.

Vencer o campeonato não foi a única experiência para Federer em Toronto — ele também deixou o seu cabelo mais curto. Em abril, a cabeleira de Federer perdeu muitos centímetros, conferindo-lhe visualmente uma aparência muito semelhante a de Peter Lundgren. Seu cabelo, agora, estava consideravelmente mais curto e com um estilo em camadas. Ele, na verdade, só queria aparar um pouco, Mirka explicou depois, mas o cabelereiro o convenceu a experimentar algo novo, para variar.

O novo visual de Federer, contudo, não agradou muito os "deuses do tênis". Suas forças pareciam vir de seus cabelos, como na história bíblica de Sansão. Sansão possuía uma força sobre-humana, mas, depois que os filisteus cortaram o seu cabelo, o seu poder diminuiu. Se Federer soubesse o que aconteceria nos torneios seguintes, teria evitado a sua ida até o cabelereiro, em Toronto.

Em Cincinnati, Federer perdeu surpreendentemente na primeira rodada para Dominik Hrbaty, da Eslováquia, acabando com a sequência de vitórias em 23 partidas consecutivas. Essa sequência de vitórias era a maior do tênis nos últimos 5 anos, e a derrota de Federer em uma rodada de abertura era a primeira desde Roland-Garros, em 2003 — um período de 15 meses.

Entretanto, Roger rapidamente viu o lado positivo de sua derrota prematura — isso deu a ele mais tempo para se preparar para os Jogos Olímpicos. O bicampeão de Wimbledon era a estrela da delegação olímpica da Suíça, e estava certo que levaria uma medalha para casa. Ele estava muito motivado e falou por meses o quão importante era a sua viagem à Grécia. "Eu estou esperando ansiosamente esse torneio por anos", confessou Federer. Confessou também que sonhava com a medalha de ouro e com a comemoração do feito — e de seu relacionamento com Mirka, que, como a chama olímpica, acendera sob a bandeira dos Jogos Olímpicos 4 anos antes, na Austrália. Após a sua derrota frustrante para Arnaud Di Pasquale, da França, na disputa pela medalha de bronze em Sydney, Federer estava especialmente motivado para subir ao pódio.

Sua estadia na vila olímpica foi modesta— em comparação com muitos outros jogadores de tênis profissional, que preferiam ficar em hotéis. Ele recebeu a honra de ficar à frente da delegação suíça, ostentando a bandeira de seu país na cerimônia de abertura. No entanto, como a maioria dos jogadores de tênis na cerimônia, destacava-se entre a enorme massa de atletas do mundo inteiro, que fizeram muitos sacrifícios nos anos anteriores para terem uma chance de alcançar a glória. Enquanto muitos atletas passavam desapercebidos na atmosfera da Cerimônia de Abertura dentro do estádio olímpico, Federer se viu forçado a fazer poses para fotos e dar autógrafos para os seus colegas atletas olímpicos.

A Federação Internacional de Tênis estava encantada com o fato de Federer levar os Jogos Olímpicos tão a sério e com tanto carinho. Muitos representantes e seguidores olímpicos de vários esportes tinham a opinião de que os jogadores de tênis altamente remunerados não tinham nada a ver com os Jogos e que não davam a importância devida para o evento.*

Em uma competição olímpica de tênis muito surpreendente, a derrota de Federer na segunda rodada para o desconhecido tcheco, de 19 anos

---

* Em 1988, o tênis havia se tornado, novamente, um esporte olímpico.

de idade, Tomas Berdych foi talvez o resultado mais inesperado. Para piorar as coisas, algumas horas depois de sua derrota devastadora, por 4-6, 7-5 e 7-5, para o número 79 do ranking, ele e seu parceiro, Yves Allegro, foram eliminados da competição em duplas pelos representantes da Índia, Leander Paes e Mahesh Bhupathi.

As derrotas de Federer foram uma grande decepção, não só para ele mas para a delegação olímpica da Suíça como um todo, que teve outro forte candidato a medalhista olímpico, o judoca Sergei Aschwanden, eliminado no mesmo dia. Federer chegou aparentemente bem para a coletiva de imprensa — porém não sabia explicar o que havia ocorrido. Disse que estava se sentindo um pouco pressionado e cansado da longa temporada, que havia sido difícil jogar contra um atleta jovem como Berdych, que ele não conhecia. Alguns meses depois, entendendo a sua experiência olímpica sob uma nova perspectiva, brincou: "Pelo menos, eu carreguei a bandeira muito bem em Atenas."

Ao contrário de alguns atletas olímpicos de outros esportes, Federer não teve de esperar por meses, ou mesmo anos, pela a próxima oportunidade de obter grandes conquistas. Apenas uma semana após a conclusão da competição de tênis nos Jogos Olímpicos, teve início o US Open. Federer rapidamente colocou os seus olhos no futuro. "Se eu pudesse ter escolhido, escolheria ter ganhado o ouro olímpico, mas agora que esse sonho foi destruído, eu quero ganhar o US Open", afirmou. Então partiu em direção a Nova York, para o quarto e último torneio de Grand Slam do ano.

O US Open é conhecido por ser o mais caótico dos torneios de Grand Slam e um campeonato que muitos consideram difícil de ganhar, incluindo Björn Borg. "O US Open é o torneio de Grand Slam mais difícil de ganhar", declarou Andre Agassi. Muitos outros concordavam com ele. "Alguém poderia levantar-se na arquibancada e começar a tocar saxofone que ninguém se incomodaria", disse Boris Becker, em sua juventude.

Federer acabou com a sua falta crônica de sucesso nos Estados Unidos, ao conquistar 2 dos 4 maiores campeonatos em solo americano, o Tennis Master Cup, em Houston, e o Pacific Life Open, em Indian Wells. Como em Wimbledon, ele chegou bem antes à Nova York para, tranquilamente, se preparar para o torneio. Além de suas sessões de treinamento e condicionamento físico, passou o seu tempo ocioso indo aos musicais da Broadway, como *A Bela e A Fera* e *The Boy from Oz*. Ele também concedeu algumas entrevistas e cumpriu com as obrigações perante o seu patrocinador. Até mesmo

130   A biografia de Roger Federer

torceu pelos seus colegas do time suíço da Copa Davis, assistindo-os competirem no torneio classificatório para o US Open — algo muito incomum para um jogador número 1 do mundo.

A fraqueza que Federer mostrou em Cincinnati e nos Jogos Olímpicos não estava evidente no US Open. Seria em virtude do fato de seu cabelo estar crescendo novamente? De qualquer maneira, ele teve poucas dificuldades para avançar até as quartas de final, na qual enfrentou Andre Agassi, que estava, na época, com 34 anos de idade. Depois de um verão europeu destacado por problemas físicos e derrotas inesperadas, Agassi achou o seu ritmo nas quadras americanas, derrotando Roddick e Hewitt para ganhar em Cincinnati — o seu primeiro título depois de mais de um ano. A confiança de Agassi estava alta.

Em uma das partidas noturnas do US Open, Federer e Agassi duelaram em uma quarta-feira, dia 8 de setembro, e Federer imediatamente se encontrou na partida. Ele estava na frente, por 6-3, 2-6 e 7-5, quando começou a chover, e o jogo teve de ser adiado. A partida foi retomada na tarde seguinte, e os jogadores foram saudados com ventos de temporal — parte de uma frente fria que passou por Nova York, resquício do furacão que havia atingido a Flórida uma semana antes. Federer descreveu as ventanias como sendo a pior condição sob a qual ele já havia jogado. "Se fosse há cinco anos, eu teria ficado maluco por ter de jogar nessa ventania", disse.

O vento forçou Federer a mudar de tática. Ele não mais tentaria encaixar golpes vencedores e não jogaria agressivamente como sempre fez, mas se concentraria em passar a bola e o seu serviço para o outro lado da quadra, com o objetivo de simplesmente dar andamento ao jogo — já que o vento forte era um desafio por si só. "Eu joguei como se estivesse praticando e acabou dando certo", comentou. Uma vitória por 6-3, 2-6, 7-5, 3-6 e 6-3 contra Agassi o colocou nas semifinais do US Open pela primeira vez. Ele agora enfrentaria um antigo conhecido, Tim Henman. O britânico de 30 anos havia ganhado 6 das 8 partidas que disputou contra o seu adversário suíço, mas Federer agora era um oponente diferente do que fora em outras partidas: estava com mais energia e muito mais autoconfiante. Como em março, em Indian Wells, Federer não encontrou muita resistência em Henman, vencendo por 6-3, 6-3 e 6-4 e avançando para a final do US Open, pela primeira vez.

Esperando por ele na final estava um de seus grandes rivais do passado, Lleyton Hewitt, campeão do US Open de 2001. O australiano não participou dos Jogos Olímpicos, mas ganhou os 2 torneios, que aconteceram concomitantemente com as Olímpiadas, em Washington D.C. e em Long Island. Ao entrar em quadra contra Federer, ele havia ganhado as suas 16

O retorno de Sansão

últimas partidas e não havia cedido nem um set sequer na sua campanha até a final.

Federer levou apenas 17 minutos para fazer Hewitt perder o primeiro set do campeonato, não conquistando apenas 5 pontos em uma apresentação quase perfeita. Quando o australiano ganhou o seu primeiro game na partida, depois de Federer estar na liderança por 6-0 e 2-0, o público no Arthur Ashe Stadium o aplaudiu de pé. Federer continuou dominando a partida, até que um lapso de concentração, uma sequência de erros e serviços perdidos permitiram a Hewitt ganhar 4 games seguidos, após estar em uma desvantagem de 2-5 no segundo set.

"Se ele tivesse ganhado o segundo set, a partida teria sido muito diferente", Federer comentou. "Eu me esforcei para manter o otimismo e disse para mim mesmo que somente havia tido o meu serviço quebrado porque estava jogando contra o vento e sacando com bolas velhas. Quando trocamos de lado, tudo ficou mais tranquilo."

Federer confirmou o seu saque quando estava 5-6, para forçar a partida ao tie break, que venceu por 7-3. A diferença de 2 sets a 0 enfraqueceu a resistência de Hewitt, e Federer passeou pelo terceiro set para fechá-lo em 6-0 e se consagrar campeão pela primeira vez do US Open.

"Em um primeiro momento, fiquei surpreso por Lleyton não correr mais nas bolas", disse Federer, em seu momento de glória. "Então, de repente, eu estava deitado de costas, olhando para o céu e para as luzes do estádio. Pensei: isso é inacreditável. Mais uma vez, eu estava prestes a chorar."

24

New York, New York

A vitória de Roger Federer no US Open de 2004 forneceu um novo conteúdo para o livro de recordes do tênis. Estatísticos e historiadores do esporte rapidamente descobriram que ele era o segundo jogador na Era Aberta do tênis profissional a vencer uma final de torneio de Grand Slam em 2 sets com o placar de 6-0; o primeiro foi o argentino Guillermo Vilas, que dominou o americano Brian Gottfried por 6-0, 6-3 e 6-0 em Roland--Garros, em 1977. A última vez que um jogador venceu a final do US Championships* com sets de 6-0 data de 1884, a 4ª edição do evento, no tempo em que o tênis estava engatinhando.

Nos Estados Unidos, os sets terminados em 6-0 receberam o nome de "bagels" (roscas), e quando a partida é perdida por 2 sets de 6-0, o nome dado é "double bagel". Nos países de língua alemã, essas derrotas são chamadas de "bicicleta". Embora Lleyton Hewitt tenha conseguido levar o segundo set para o tie break, ele não foi poupado dos apelidos "double bagel" ou "bicicleta". A Australian Associated Press (AAP) exagerou ao dizer que a derrota de Hewitt "foi a maior humilhação na história das finais dos torneios de Grand Slam". Um repórter, na coletiva de imprensa, após a

---

* O antigo nome do US Open, até 1968. (N.T.)

New York, New York

partida, teve a audácia de perguntar ao australiano se era difícil ter de engolir um "double bagel".

Mais importante no sentido histórico foi que Federer, com as suas vitórias no Australian Open, Wimbledon e US Open, se tornou o quarto jogador na "Open Era" do tênis a ganhar 3 dos 4 torneios de Grand Slam no mesmo ano. Mats Wilander, da Suécia, foi o último homem a conseguir tal feito, em 1988; também estão nessa lista Rod Laver, que ganhou todos os 4 torneios de Grand Slam em 1969, e Jimmy Connors, que conquistou o Australian Open, Wimbledon e o US Open em 1974, além de Don Budge, que foi o primeiro jogador a vencer os 4 torneios mais importantes no tênis no mesmo ano — fazendo um Grand Slam — em 1938. O termo "Grand Slam" foi disseminado quando o comentarista de tênis Allison Danzig sugeriu, em 1938, que Budge havia feito um Grand Slam — como um jogador vencedor no bridge* — ao conquistar os 4 campeonatos mais prestigiosos do tênis.

Laver, um canhoto apelidado de "Rockhampton Rocket", conseguiu a façanha de fazer um Grand Slam duas vezes — a primeira em 1962, como amador, e novamente em 1969, como profissional. No entanto, na época de Laver, esse feito tinha um valor diferente e um significado menor do que nos dias de hoje, tendo em vista que 3 dos 4 torneios de Grand Slam eram jogados em quadras de grama, em oposição aos 4 tipos diferentes de pisos no tênis atual.

No tênis feminino, 3 jogadoras fizeram o Grand Slam — a americana Maureen Connolly (1953), a australiana Margaret Smith Court (1970) e Steffi Graf (1988). A alemã, que casou com Andre Agassi depois de encerrar sua carreira, também conquistou a medalha de ouro nas Olímpiadas de Seul no mesmo ano de 1988; tal feito recebeu o nome de "Golden Slam". Martina Higis, como Federer, conquistou o Australian Open, Wimbledon e o US Open em 1997, quase fazendo um Grand Slam, se não fosse sua derrota surpreendente para Iva Majoli, em Roland-Garros, que a impediu de juntar-se a esse clube de elite.

Em Nova York, Federer mais uma vez provou a habilidade de intensificar o seu desempenho nos estágios finais de um torneio. Ele era o primeiro jogador profissional a ganhar todas as 4 primeiras finais que disputou em torneios de Grand Slam. Era quase igualmente impressionante que, nesse feito, ele tivesse perdido apenas um set em 8 partidas de semifinal e final. No

---

* Um jogo de cartas.

meio disso tudo, a conquista de Federer no US Open marcou a sua 11ª vitória consecutiva em uma final de campeonato. Para Federer, uma final de campeonato provou ser a sua maior motivação. A atitude dele era simples — qual a utilidade de todo o esforço e vitórias se, no momento derradeiro, você perde a partida do título? Os vencedores ficam, os perdedores se vão.

O êxito em Flushing Meadows o transformou em uma estrela do esporte, como na Broadway. A imprensa americana o celebrou grandiosamente, e alguns jornalistas até mesmo lhe perguntaram prematuramente se ele seria o atleta que quebraria o recorde de Pete Sampras de 14 títulos em torneios de Grand Slam.

Federer permaneceu tranquilo e com os pés no chão no momento de seu grande triunfo nos Estados Unidos. "Eu sinceramente não esperava vencer o US Open", explicou. "Até um ano atrás, eu sempre tive problemas nos Estados Unidos. Os americanos sempre jogam com muito mais confiança em torneios em sua casa que em qualquer outro lugar. A condições são difíceis com a temperatura alta e a umidade."

Entretanto, Federer confessou algo a mais: "Eu estava com uma sensação estranha antes da final, porque todo mundo falava de quanto tempo fazia desde que alguém havia ganhado as suas primeiras 4 finais em torneios de Grand Slam. Eu sabia que tinha apenas essa chance para fazer isso." Alguns já diziam que Federer era capaz de fazer um Grand Slam, mas ele não deixou delírios de grandeza o tirarem do seu caminho. No dia seguinte à sua conquista no US Open, durante uma longa sessão de entrevistas com um seleto grupo de jornalistas, ele disse: "Eu já ficaria muito feliz se ganhasse um dos 4 torneios de Grand Slam no ano que vem. Eu tenho consciência de que devo trabalhar duro para vencer cada partida e cada título. É uma loucura o que está acontecendo comigo. Não é desse mundo."

O título no US Open aumentou generosamente a vantagem de Federer como o número 1 do mundo em relação ao número 2 do ranking. A diferença entre ele e Roddick, o seu concorrente direto, foi estendida de 1390 para 2990 pontos — o equivalente a 3 títulos de torneios de Grand Slam. Seria completamente impossível para qualquer jogador lhe tirar a primeira posição antes do fim da temporada, mesmo se Federer perdesse todas as partidas pelo resto do ano. Nos 4 anos anteriores, o último torneio da temporada, o Tennis Masters Cup, havia determinado quem estaria na primeira posição do ranking. Contudo, 2004 não era um ano normal, e o número 1 da temporada já estava garantido, graças ao US Open.

New York, New York

A segunda-feira após o US Open fez Federer descobrir que a mídia americana tem outro ritmo. Ele foi levado em uma limusine de uma estação de televisão para outra, às 7h45min, para o programa da ESPN, *Cold Pizza*, então, às 8h30mim, para o *CBS Early Show* e, logo depois, às 9h30min, para o *Live with Regis and Kelly*, seguido de uma sessão de fotos na Times Square e de uma reunião com um seleto grupo de jornalistas da mídia impressa no *Hard Rock Cafe*. Às 14h30min, Federer era o convidado para o *talk show* de John McEnroe e, finalmente, apareceu no *Charlie Rose Show*. Ele teve de mostrar as suas habilidades no pingue-pongue por duas vezes em suas participações na TV. Muitas coisas são possíveis nos Estados Unidos, porém armar uma quadra de tênis em um estúdio de televisão não é uma delas.

25

Estabelecendo recordes pelo mundo

Após o seu trinfo no US Open, Roger Federer e sua namorada, Mirka Vavrinec, tiveram 4 semanas agitadas e fora do comum. Arthur Cohn, o produtor cinematográfico ganhador do Oscar e, como Federer, um nativo da Basileia, convidou o seu amigo para comemorar a conquista do US Open com ele, em Los Angeles. Roger e Mirka tiveram ali o seu primeiro contato com o mundo glamoroso de Hollywood. Eles se hospedaram em uma suíte luxuosa em Beverly Hills, fizeram compras na Rodeo Drive, visitaram alguns pontos turísticos, como a Calçada da Fama, e conheceram grandes figuras do cinema, como Kirk Douglas e Danny DeVito. Entre um compromisso e outro, Federer tratou de seu corpo com horas de relaxamento em um spa. Outro fato relevante dessa viagem foi a sua ida de jato particular até Las Vegas para assistir ao show de David Copperfield no Hotel Bellagio. Depois do show, o suíço foi conhecer o ilusionista — o encontro de dois magos, poderia se dizer.

A vida na alta sociedade prosseguiu tranquilamente. Federer cruzou o Oceano Pacífico e o Meridiano de Greenwich e fez uma parada em Hong Kong, onde participou de coletivas de imprensa para a mídia asiática. A parada seguinte seria em Bangkok, no Aberto da Tailândia. Indo em uma minivan das instalações do torneio para o hotel por dentro da metrópole úmida e chuvosa, Federer explicou que apreciava estar no mundo dos belos, ricos e famosos. "Eu não faria isso se não quisesse", disse. "Acho empolgante fazer parte do *show business*. Eu costumava ter problemas com os tapetes vermelhos e os jantares formais, mas agora eu me divirto. Também não acho mais complicado conversar com as pessoas. Sempre tenho algo a dizer."

Federer gostava particularmente da hospitalidade asiática e do entusiasmo de seu povo, além de se dar bem com a comida asiática. Ao contrário dos outros jogadores no torneio, ele ficou no Oriental Hotel, no Rio Chao Phraya, um lugar tradicional e de arquitetura colonial — e o melhor hotel da cidade. Federer, nesse ínterim, optou conscientemente em evitar hotéis oficiais do torneio. Ele notou que poderia se acomodar melhor e mais rapidamente longe da multidão do evento. Os quartos de hotel eram refúgios nos quais poderia se recuperar e se isolar — e ele estava disposto a pagar a mais por esse luxo extra; porém, como o rei do tênis, sempre lhe eram oferecidos descontos especiais para as melhores suítes nos melhores hotéis. Poderia ter sido o nobre Hotel du Crillon, em Paris, o hotel 7 estrelas Burj al Arab, em Dubai, ou o Peninsula, em Nova York.

A viagem de Federer para Bangkok foi um sucesso — ele conquistou o Aberto da Tailândia com uma vitória por 6-4 e 6-0 contra Andy Roddick, em um estádio lotado, com mais de 10 mil espectadores. Era a sua 12ª vitória consecutiva em finais de campeonatos, igualando o recorde de todos os tempos de Björn Borg e John McEnroe. Ele recebeu o "Troféu do Rei" na cerimônia de premiação das mãos da princesa Ubolratana Rajakanya e expressou a sua gratidão, como ditava o costume do país, fazendo uma pequena reverência com as mãos unidas em frente ao peito. "Eu fiquei surpreso com o quanto a princesa era atraente. Ela parecia ter uns 35 anos", falou, depois da longa caminhada através de vários corredores, acompanhado de cinco seguranças, enquanto se retirava para o seu vestiário sem janelas, para uma pessoa. "E ela tinha quase 55!"

A sua turnê luxuosa estava agora completando 6 meses, mas ele não voltou diretamente para casa depois de Bangkok. Pela terceira vez durante o ano de 2004, Federer foi para Dubai. O que ninguém sabia era que o treinador Tony Roche também estava por lá, com o compromisso de passar alguns dias treinando junto com Federer. Os estágios iniciais do que viria a ser uma relação fascinante entre treinador e jogador.

No começo de outubro, Federer já havia ganhado 10 títulos na temporada de 2004. Os seus números em partidas eram de 69 vitórias e 6 derrotas, e ainda restavam 4 torneios na sua agenda. Dois recordes importantes da

138   A biografia de Roger Federer

ATP estavam ao seu alcance — o maior número de vitórias em uma temporada (86) e o maior número de títulos em uma temporada (12), ambos pertencentes ao austríaco canhoto especialista em quadras de saibro, Thomas Muster, alcançados na temporada de 1995. Mas, então, o inesperado aconteceu. Federer não participou do campeonato em Madri, pois achava que não estava suficientemente descansado da sua turnê pelo mundo. Preferiu concentrar as suas energias para vencer o evento que estava tão alto em sua lista de objetivos quanto Roland-Garros — o Swiss Indoors. Na segunda-feira, dia da apresentação de abertura do torneio na prefeitura de Basileia, Federer estava de bom humor, otimista, e falou para a mídia sobre o quão bem preparado estava para aquela semana. No entanto, apenas algumas horas depois, ele foi pego de surpresa, durante um treinamento, pelo que só poderia ser chamada de "a maldição de Basileia" — de repente, sentiu uma dor em sua coxa esquerda, que persistiu durante as sessões de treinamento na terça-feira. Federer rapidamente fez uma ressonância magnética, que revelou uma ruptura muscular — uma lesão normal para um jogador de tênis.

Em vez do triunfo em sua terra natal, há tanto tempo esperado, o Swiss Indoors lhe trouxe algumas das horas mais amargas de sua carreira. Ele apareceu no St. Jakobshalle, na terça-feira, no fim da tarde — horário em que estava marcado o seu primeiro jogo no torneio — vestindo roupas de passeio. Roger se retirou do torneio e explicou para a mídia e para o público o que havia acontecido. "Eu nunca esperei que as coisas fossem terminar assim", lamentou. "Eu estava perfeitamente preparado e tinha uma boa chance de conquistar o campeonato."

Federer se recuperou a tempo de viajar para Houston e tentar defender o seu título no Tennis Masters Cup. Dessa vez, o segundo ano do torneio no Westside Tennis Club estava completamente diferente do ano anterior. Jim McIngvale — o "Mattress Mack" — levou as críticas de Federer e dos outros jogadores muito a sério e melhorou significantemente as condições do torneio. Cada um dos 8 participantes tinha o seu vestiário individual. As diferenças entre Federer e McIngvale foram resolvidas, e o promotor do campeonato e sua mulher receberam o número 1 do mundo calorosamente, parabenizando-o por sua temporada impressionante em 2004. Federer finalmente sentia-se bem-vindo e respeitado no Texas. McIngvale até mesmo arranjou para Federer um almoço com o ex-presidente americano George Bush, um apreciador confesso do tênis, e sua esposa Barbara, ambos habitantes de Houston. Contudo, havia algo que o McIngvale não poderia arranjar

Estabelecendo recordes pelo mundo 139

com a sua influência ou seu dinheiro — condições climáticas favoráveis. A maior parte da semana foi chuvosa e com muito vento, espalhando o desânimo entre os torcedores, jogadores e diretores e causando atrasos longos e persistentes nas partidas.

Ao menos Federer estava completamente recuperado de sua lesão na coxa. Seis semanas haviam se passado desde o último torneio disputado em Bangkok, mas, surpreendentemente, ele teve poucos problemas para achar o seu ritmo. Federer conseguiu vitórias na fase de pontos corridos, o *round robin*, contra Gaston Gaudio, Lleyton Hewitt e Carlos Moya, para alcançar as semifinais, na qual encararia Marat Safin, que agora era treinado pelo antigo técnico de Federer, Peter Lundgren.

A semifinal entre Federer e Safin teve como destaque o tie break do segundo set, que durou 27 minutos e terminou em 20-18, a favor de Federer. Os 38 pontos igualaram-se ao recorde dos tie breaks mais longos na história do tênis — tendo o mesmo número de pontos que a partida entre Björn Borg e Premjit Lall em Wimbledon, no ano de 1973, e a de Goran Ivanisevic e Daniel Nestor, em 1993, no US Open. "Uma pena não termos quebrado o recorde", Federer brincou. "A gente deveria ter combinado antes." Federer estava de bom humor, porque, mesmo tendo desperdiçado 7 match points, conseguiu defender 6 set points e venceu a partida por 6-3 e 7-6 (18). De maneira interessante, os replays da televisão mostraram que Federer, na verdade, deveria ter ganhado o jogo em seu terceiro match point, quando estava liderando por 10-9, mas, por causa de uma bola erroneamente interpretada como na linha, a partida prosseguiu. "Eu até vi a marca da bola que Safin jogou e estava fora", declarou. A maioria dos jogadores teria protestado veementemente contra tal injustiça, especialmente em um ponto tão crítico na partida. No entanto, Federer reagiu como se nada tivesse acontecido, mesmo o erro de Safin significando a sua vitória. Manteve-se concentrado no jogo e, intencionalmente, convenceu a si mesmo que a bola de Safin havia sido boa. "Eu teria pirado se não fosse assim", disse.

Na outra partida de semifinal, o jogo de Roddick travou contra Hewitt, e o americano perdeu os últimos 20 pontos da partida, sendo derrotado por 6-3 e 6-2. Alguns céticos deram a entender que Roddick havia aceitado perder para evitar a quarta derrota em finais para Federer no ano. Em vez disso, Federer jogou contra Hewitt pela sexta vez na temporada e, pela sexta vez, Federer se consagrou vencedor. A vitória por 6-3 e 6-2 deu a ele o 13º êxito consecutivo em finais de campeonato, quebrando o recorde, que dividia com McEnroe e Borg, de mais vitórias consecutivas em partidas de final.

Enquanto Federer brindava a sua conquista com champagne na sala dos jogadores, depois de sua coletiva de imprensa pós-jogo, ele se parecia com qualquer cidadão que acabara de finalizar uma semana de trabalho. Porém, nesse dia, um ano de sonhos terminava. Federer havia conquistado 11 títulos, três torneios de Grand Slam e o Tennis Masters Cup. Os seus números no ano ficaram em 74 vitórias e 6 derrotas, marcando o melhor resultado desde John McEnroe, com 82 vitórias e 3 derrotas, em 1984. A sua recompensa foi enorme. Só nesse torneio — como no ano anterior, em Houston — ele estabeleceu um novo recorde pessoal em prêmios em dinheiro, ao ganhar 1,52 milhão de dólares e aumentar seus ganhos na temporada para 6.357.547 dólares.

Desde sua derrota frustrante para Berdych nas Olimpíadas, Federer ficou invicto pelo resto do ano. Ele era, agora, detentor de 4 títulos de torneios de Grand Slam e terminou o ano como o número 1 do mundo. Federer ainda tinha mais um desejo para realizar antes de ele e Mirka irem para as Ilhas Malvinas relaxar e descansar: "Eu gostaria de poder parar o tempo e aproveitar esse momento."

26

O outro australiano

Em decorrência de seu sucesso na temporada de 2004, Roger Federer se viu em meio a um dilema interessante com relação à sua necessidade de um novo treinador. Ele havia ficado sem técnico o ano todo, sendo a única exceção entre os atletas no tour profissional, no entanto, completou uma das mais bem-sucedidas temporadas na história do tênis individual. Apesar de seu sucesso, ainda procurava por novas motivações. Sentia que possuía um grande potencial para ser trabalhado e queria continuar melhorando — especialmente o seu saque, seu backhand e o seu jogo na rede. Sabia que se acomodar em suas conquistas traria a estagnação e, por fim, faria o seu jogo regredir.

Contudo, Roger também sabia dos perigos de contratar um novo treinador, não só para ele mas também para o próprio técnico. "Se um jogador perder algumas vezes, então as pessoas dirão que o técnico é o culpado", disse, em Bangkok. "Enquanto estiver jogando bem, não há motivos para contratar um técnico, não tenho muito com que me preocupar, também não precisarei mudar nada. Esse é o caso agora, mas eu tenho consciência de que haverá momentos nos quais as coisas não estarão indo tão bem. Aí, sim, haverá a necessidade de um treinador."

Desde o começo da temporada de 2004, espalhavam-se rumores de que Federer estava de olho em Darren Cahill para ser o seu novo treinador. Cahill, que, na verdade, era um amigo de escola e de infância do falecido

142 A biografia de Roger Federer

técnico de Roger, Peter Carter, era um jogador de destaque australiano, que alcançou as semifinais, em 1988, do US Open e o antigo treinador de Lleyton Hewitt. Na época, ele estava trabalhando com Andre Agassi. Federer não titubeava em negar tais rumores toda vez que tinha uma oportunidade. Que a verdade seja dita: Federer estava interessado em outro notório australiano, de uma geração mais velha — Tony Roche. O homem de feição inabalável, com a pele queimada de sol, nascido em 1945, em Wagga Wagga — uma cidade localizada entre Melbourne e Sydney, cujo significado é "a cidade dos muitos corvos". Tony foi um dos maiores jogadores na história do tênis, mas ganhou apenas um torneio de Grand Slam em simples, em virtude do fato de que a competição, em sua época, era composta por lendas tais como Rod Laver, Roy Emerson, Ken Rosewall e John Newcombe.

Em seu ápice, o canhoto era uma figura imponente, com um serviço traiçoeiro e um jogo de rede brilhante que o ajudaram a garantir 13 títulos de torneios de Grand Slam em duplas e lhe renderam 4 títulos da Copa Davis representando a Austrália. Nas simples, teve participação em 6 finais de torneios de Grand Slam, incluindo a decisão de 1968 em Wimbledon e as finais de 1969 e 1970 no US Open. O seu grande triunfo nos Grand Slams, na categoria individual, veio em 1966, das lentas quadras de saibro de Roland-Garros, onde jogadores agressivos como Roche normalmente ficam em desvantagem. Roche é um cavalheiro — e quando perguntado sobre a sua vitória em Paris, ele imediatamente enfatiza que foi unicamente capaz de conquistar o campeonato graças à integridade de seu oponente na final, um húngaro chamado Istvan Gulyas. "Eu machuquei o meu tornozelo e, sem dúvida alguma, não seria capaz de jogar a final se ele não tivesse me oferecido um dia a mais para descansar", disse Roche. "Foi um gesto inacreditável de espírito esportivo."

Roche é considerado um dos ícones mundiais do tênis tático. Ele é educado, quieto, extremamente modesto e muito discreto. Até mesmo os jornalistas australianos que cobrem o esporte meticulosamente admitem existir certo mistério em Roche. "Ele prefere ficar longe das atenções quando está trabalhando com os jogadores", falou o repórter de rádio australiano Craig Gabriel. Mesmo durante os seus anos de glamour como jogador, Roche preferia deixar os holofotes iluminarem Newcombe, o seu parceiro de longa data nas duplas. Roche venceu 12 dos seus 13 títulos de torneios de Grand Slam em duplas com "Newk" — 5 em Wimbledon, 4 em Melbourne, 2 em Paris e 1 em Nova York. Newk e Rochey — como era chamado na Austrália — lideraram o time australiano na Copa Davis como capitão e treinador, respectivamente, de 1994 a 2000.

O outro australiano

No entanto, Roche nem sempre conseguiu ficar longe das manchetes. Aos 29 anos, após uma série de tratamentos malsucedidos para problemas sérios no ombro e cotovelo, ele se consultou com um curandeiro nas Filipinas, que tratou suas lesões com acupuntura e lhe permitiu alcançar novos êxitos nas quadras de tênis. Três anos mais tarde, em 1977, Roche foi a estrela na final da Copa Davis, quando venceu surpreendentemente Adriano Panatta, da Itália, e ajudou a Austrália a conquistar a título. A vitória sobre Panatta, assim como o seu triunfo em Roland-Garros 11 anos antes, foi o feito individual mais celebrado de sua carreira.

Como um mentor, "o treinador Roche" levou o neozelandês Chris Lewis à sua inesperada campanha até a final de Wimbledon, em 1983. Em 1985, trabalhou com Ivan Lendl e guiou o tcheco em 7 de seus 8 títulos de simples em torneios de Grand Slam, mas, infelizmente, não ao título elusivo de Wimbledon, que Lendl desesperadamente desejava. Depois de Lendl se aposentar das quadras, Roche trabalhou com o seu compatriota, o australiano Patrick Rafter, que conquistou o US Open por 2 vezes e se tornou o jogador número 1 por um curto período de tempo, em 1999. Após a morte de seu treinador, Tim Gullikson, em 1996, Pete Sampras ofereceu a Roche um emprego como o seu treinador particular, mas Roche preferiu permanecer com Rafter. Depois de Rafter se aposentar, ele ficou principalmente na Austrália, trabalhando no tênis feminino com o time da Australian Fed Cup e também promovendo novos talentos na categoria juvenil.

Tanto Lendl como Rafter ainda o cobriam de elogios quando eram perguntados sobre Roche e a influência que ele teve em suas carreiras e vidas. Uma vez indagado sobre quem era a pessoa mais importante em sua carreira, Rafter respondeu, sem hesitar: "Rochey é meu herói acima de qualquer ser humano, e não apenas como meu treinador."

No mês de outubro de 2004, Roche treinou Federer pela primeira vez em Dubai como um teste, mas a lenda australiana não achou que estava na hora de assumir o posto de treinador do número 1 do mundo. Ele estava prestes a completar 60 anos e não estava disposto a enfrentar as viagens excessivas pelo mundo, que são exigências de uma carreira no tênis. Entretanto, Roche ofereceu ajudar Federer a se preparar para a nova temporada. Pouco antes do Natal, em 2004, Federer viajou para a Austrália para treinar com Roche no lugar onde ele morava, em Turramurra, um subúrbio de Sydney. Ele presumiu que aquele seria o último treinamento juntos e ficou triste com a ideia de não ter a oportunidade de trabalhar sempre com o homem que ele sentia ser o mais apropriado para ajudá-lo. "Roche seria a pessoa que poderia melhorar o meu jogo", declarou naquela época.

Entretanto, a química entre Federer e Roche deu certo nos 10 dias de treinamento. Apesar dos 36 anos de diferença, eles se deram muito bem. Federer fez uma última tentativa — ele disse a Roche que ficaria feliz, não importasse o preço ou o tempo que Roche poderia dedicar a ele como treinador; ele aproveitaria ao máximo cada oportunidade. O australiano ficou impressionado com a determinação de Federer e se sentiu lisonjeado por ele ter viajado para Austrália — sacrificando a oportunidade de comemorar o Natal em casa — apenas para treinar como ele. Roche acabou cedendo. Eles apertaram as mãos para fechar o negócio, sem nenhum tipo de contrato formal. A intenção era que trabalhassem juntos por 10 semanas durante a temporada de 2005.

Depois do Natal, Federer viajou de Sydney para Doha, no Qatar, Oriente Médio, onde participou de seu primeiro torneio no ano de 2005 — o Aberto do Qatar. Federer escolheu o evento para anunciar publicamente o seu acordo com Roche. "Estou muito contente que Tony tenha mudado de ideia", declarou. "Agora eu tenho alguém a quem recorrer quando necessário. Roche era um grande sacador e voleador e tinha uma ótima devolução de saque. Ele não mudará o meu jogo, mas vai me ajudar em certas áreas. Nós temos um grande apreço e respeito um pelo outro, o que é maravilhoso."

"Se eu fosse 10 anos mais novo, teria me agarrado a essa oportunidade", Roche explicou mais tarde, na véspera do Australian Open. "O fato de Roger ter feito o sacrifício de vir até a Austrália antes do Natal demonstrou o enorme respeito que ele tem por mim. Isso bastou para me convencer." Para Roche, respeito e confiança eram as coisas mais importantes em uma parceria. Da mesma maneira que aconteceu com Federer, o contrato entre ele e seus antigos pupilos, Lendl e Rafter, foi firmado apenas com um aperto de mãos.

Roche tinha uma visão de como Federer poderia ficar mais forte e se tornar mais eficiente — melhorando o seu voleio e o seu jogo de rede. Indo mais à rede, Federer poderia finalizar os pontos mais rapidamente e economizar energia. "Ele é um ótimo atleta, tem a capacidade de volear bem, além de ter um ótimo reflexo", disse Roche. "Ele poderia ficar ainda melhor. Deveria tirar mais proveito disso. Ele já tem um jogo dominante de fundo de quadra. Não vejo nenhum empecilho para que tenha a mesma atitude dominante na rede."

O outro australiano

O fato de Federer ter se aproximado de Roche demonstrou o grande respeito que o suíço tem pela história do tênis. Federer sabia que havia muito pouco do ponto de vista tático e técnico que Roche desconhecesse dentro de seus mais de 40 anos de experiência mundial no esporte. Como John McEnroe, Federer ficou fascinado pela rica história de seu esporte e tinha uma grande estima pelos antigos campeões. Quem seria a melhor pessoa para lhe dizer dos pontos fortes de Laver, Emerson, Borg, Lendl e Rafter do que Roche, que tinha conhecimento íntimo das mentes e dos talentos dos maiores jogadores de todos os tempos?

Roche constantemente indicava as similaridades entre Federer e Laver, como jogador e como pessoa. Federer, da mesma forma que Laver, é uma pessoa tranquila e relaxada, que gosta de dar risadas e não parece irritar-se facilmente. Essa atitude, segundo ele, é uma importante base para o sucesso. Eles decidiram viajar juntos em maio durante as 8 semanas entre Hamburgo e Wimbledon, mas, no decorrer do ano, havia períodos em que mal conseguiam se comunicar por várias semanas. Era uma relação estranha entre técnico e jogador, porém agradável para ambos.

Assim que a temporada de 2005 começou, o relacionamento se mostrou benéfico. Federer abriu a temporada em Doha perdendo apenas 23 games em 5 partidas, para vencer o seu 4º torneio consecutivo. Aumentando ainda mais a dominação de Federer em quadra estava o fato de ele ter, pela primeira vez em sua carreira, conquistado o campeonato sem sofrer nenhuma quebra em seu serviço. "Eu pensei muito sobre isso e me concentrei para não ter o meu serviço quebrado", disse, após ter dominado o croata Ivan Ljubicic na partida final, que terminou em 6-3 e 6-1.

Federer imediatamente voltou para a Austrália, onde também ganhou o Kooyong Classic, um torneio de exibição que apresenta alguns dos maiores nomes no tênis, realizado no Kooyong Lawn Tennis Club, antiga sede do Australian Open. Não havia dúvidas de que o favorito para o Australian Open era Roger Federer, que entrou no evento com uma sequência de 21 vitórias consecutivas em um período de 5 meses. Uma agência de apostas australiana reduziu as premiações se Federer ganhasse de 1 para 8. Nem mesmo Pete Sampras havia chegado a tais números em um torneio de Grand Slam durante os seus melhores dias no circuito. Aproximadamente dois terços dos apostadores colocaram as suas fichas no suíço no Australian Open de 2005.

146 A biografia de Roger Federer

No seu caminho até as semifinais, Federer não perdeu um set sequer e aplicou uma vitória categórica de 6-3, 6-4 e 6-4 sobre o tetracampeão do Autralian Open, Andre Agassi, pelas quartas de final. Marat Safin — e seu técnico, Peter Lundgren — esperavam Federer na semifinal. Da mesma maneira que no tie break do segundo set em Houston, a partida entre eles se tornou épica, sendo considerada a partida do ano. Federer liderava por 2 sets a 1 e por 5-2 no tie break do quarto set — e Safin parecia praticamente dominado. Federer teve um match point a seu favor quando estava 6-5 e correu para a rede, apenas para assistir Safin contra-atacar com um lob soberbo, que lhe passou por cima da cabeça. Do seu jeito confiante, Federer tentou devolver o lob do russo em um ataque arriscado e agressivo por entre as suas pernas, porém, a devolução incomum acabou detida pela rede. Dois pontos depois, Safin venceu o quarto set, para empatar a partida por 2-2. Antes de começar o quinto set, o pé de Federer teve de ganhar um tratamento da equipe médica, porém o desfecho da partida estava longe de acontecer.

Diferentemente do US Open, em que um tie break é jogado para decidir o quinto set, no Australian Open, assim como os outros 2 torneios de Grand Slam, joga-se o set decisivo até que um dos jogadores ganhe por uma diferença de 2 games. Federer e Safin se arrastaram no quinto set por mais de 80 minutos — quase tão longo quanto um jogo de futebol — antes de ser determinado um vencedor. Depois de 4 horas e 28 minutos, o resultado foi amargo para Federer, pois Safin, finalmente, conseguiu confirmar o seu sétimo match point, para registrar a vitória chocante e inesperada por 5-7, 6-4, 5-7, 7-6 (6) e 9-7.

Nas primeiras horas da manhã, depois de os torcedores australianos terem cantado "Parabéns para você" para Safin, que tinha acabado de fazer 25 anos, Federer encarou o fato de sua invencibilidade ter acabado. A sua sequência de 26 vitórias em partidas — seu melhor recorde pessoal — acabou da mesma maneira que a sua sequência de 24 partidas invicto contra os 10 melhores do ranking mundial. Pela primeira vez desde Madri, em 2003, ele perdeu um torneio após ter chegado às semifinais. A sua tentativa de se tornar o primeiro jogador, desde Pete Sampras, em 1993/1994, a ganhar 3 torneios de Grand Slam consecutivos também não deu certo.

No entanto, Federer parecia sereno quando apareceu à 1h30min da manhã para a sua coletiva da imprensa pós-jogo. "Eu só posso culpar a mim mesmo", lamentou. "Eu fiz o meu melhor. Foi uma luta e tanto entre 2 homens, e, no final, venceu o melhor." Ele não mencionou que havia entrado em quadra com uma dor no pé direito e que, com o decorrer da partida, a

O outro australiano

dor foi só aumentando. Para aliviar o pé, ele acabou forçando as costas. No quarto set, no qual poderia ter finalizado a partida, uma fisgada de um nervo irradiou para a ponta dos seus dedos, o que prejudicou o seu forehand.

A derrota amassou a armadura de Federer. A sua pontuação no ranking caiu vertiginosamente em 550 pontos, e a sua vantagem sobre o número 2, Lleyton Hewitt, caiu em 1 000 pontos. A sua liderança ainda era equivalente a 2 títulos de torneios grandes — entretanto, o ano havia acabado de começar, e muita coisa poderia acontecer. Embora Federer tivesse alcançado seu segundo melhor resultado no Australian Open e perdido por pouco a disputa para a final, perguntas começaram a aparecer. Tony Roche era o homem certo para o cargo de treinador? Marat Safin, que conquistou o título, poderia ameaçar Federer e assumir a primeira posição do ranking? Roger havia perdido a sua aura de invencibilidade?

27

Um verdadeiro campeão

Defender a sua posição de número 1 do mundo era uma das prioridades de Roger Federer para a temporada de 2005. E no intuito de descansar o seu corpo para tal objetivo, Federer se retirou, embora relutante, da partida da primeira rodada da Copa Davis contra o time da Holanda, em fevereiro. Nem todos os seus fãs gostaram da decisão. Afinal de contas, era uma partida em casa para o time suíço, e Federer era considerado um defensor confesso da Copa Davis. Ele frequentemente dizia que levar o que alguns se referiam como "a saladeira mais feia do mundo" para a Suíça pela primeira vez estava entre os seus maiores objetivos. Porém, o futuro jogador número 2 da Suíça estava crescendo em Stanislas Wawrinka, um jovem talento nascido em 1985, dando ao o time suíço uma nova perspectiva. Wawrinka, que havia ganhado o Roland-Garros juvenil em 2003, saíra da posição de número 162 para chegar até a de número 55 durante a temporada de 2005 e era considerado um dos jogadores mais promissores na Europa. Embora Wawrinka e o amigo de infância de Federer, Marco Chiudinelli, terem dado o melhor dentro das quadras, o time suíço, sem o número 1 do mundo, perdeu para os holandeses por 3-2.

Federer respondeu a essa derrota amarga em Melbourne como um verdadeiro campeão. Ele começou outra sequência de vitórias nos torneios de Roterdã, Dubai, Indian Wells e Key Biscayne, para garantir os seus 24º, 25º, 26º e 27º títulos na carreira em 7 semanas. Ainda mais impressionante foi

Um verdadeiro campeão 149

o fato de que os 2 primeiros títulos — na Holanda e nos Emirados Árabes — aconteceram em semanas subsequentes e em condições completamente diferentes. O campeonato em Roterdã foi conquistado em uma arena fechada no meio do inverno europeu; já o título em Dubai foi conquistado ao ar livre, no clima quente do Golfo Pérsico.

Enquanto estava em Dubai, Federer encontrou-se com Andre Agassi em duas ocasiões diferentes. Em um evento publicitário para promover Dubai e o torneio, as duas lendas do tênis concordaram em fazer uma apresentação especial — trocando bolas em uma quadra especialmente montada no heliponto localizado a 211 metros acima do mar, no famoso hotel 7 estrelas Burj al-Arab. A quadra improvisada não possuía as dimensões de uma quadra profissional de tênis, mas proporcionou imagens da região de tirar o fôlego. O vídeo espetacular e as fotos de Federer e Agassi foram mostrados pelo mundo inteiro. Federer brincou: "Esse sempre será um ponto alto em minha carreira."

Agassi e Federer se encontraram novamente, na mesma semana, em uma quadra de tênis tradicional, para uma das partidas de semifinais do torneio. Federer havia dominado a tática de Agassi e derrotou a americano pela 6ª vez consecutiva, cedendo apenas 4 games no processo. Agassi não perdeu o seu senso de humor na derrota. "Talvez nós devamos jogar a nossa próxima partida no topo do Burj al-Arab", comentou.

Ao derrotar Ivan Ljubicic na final, Federer ganhou o seu 3º título consecutivo em Dubai — foi a primeira vez que venceu o mesmo torneio por 3 vezes seguidas. Dubai, com a sua extravagância, o seu clima amigável para o esporte e a sua acessibilidade para viajantes assíduos, tornou-se uma espécie de segunda casa para Federer. Ele admitiu para jornalistas que estava pensando em comprar uma casa de férias nos Emirados. "Eu me sinto muito bem aqui."

Após vencer o número 2 do mundo, Lleyton Hewitt, na final do Indian Wells, Federer conquistou o título em Key Biscayne, na Flórida, pela primeira vez, ao derrotar o espanhol de 18 anos, Rafael Nadal, que havia vencido Federer, categoricamente, no mesmo evento no ano anterior.

Ao entrar em Key Biscayne, Nadal alcançou o número 6 na Corrida dos Campeões do ano, com as conquistas dos torneios na Costa do Sauípe, no Brasil, e em Acapulco, no México. A sua sequência de vitórias era de 15 partidas antes de entrar em quadra contra Federer para a final de Key Biscayne. O jovem forte e canhoto jogou sem medo em sua primeira aparição no grande palco do tênis profissional e, para o assombro de todos, liderava a partida por 6-2, 7-6 e 4-1, depois de 2 horas de jogo. "Eu olhei para o placar e minha única esperança era que não aparecesse o resultado de 6-1 depois de 10 minutos", Federer confessou. "Eu desperdiçava oportunidades atrás de oportunidades, e pensava comigo: isso não pode estar acontecendo." Em outra época, em uma situação como essa, Federer já teria jogado a toalha, mas esses dias já estavam enterrados no passado. De alguma maneira, ele voltou para a partida e, virando o jogo, depois de estar perdendo por 2 sets a 0, venceu a final por 2-6, 6-7 (4), 7-6(5), 6-3 e 6-1.

A dobradinha em Indian Wells e Key Biscayne, a qual jogadores como Jim Courier, Michael Chang, Pete Sampras, Marcelo Rios e Andre Agassi tiveram o privilégio de fazer, garantia a Federer 1.000 pontos no ranking mundial, o equivalente a um título de torneio de Grand Slam. Ele estava agora a 2.245 pontos na frente de Hewitt, o número 2. Os boatos de que Federer poderia estar em crise acabaram. Após a sua vitória contra Nadal, o suíço declarou: "Este é um ótimo momento em minha carreira; conseguir virar um jogo contra um tenista do calibre dele, depois de estar perdendo por 2-0, não é tarefa fácil — nem mesmo para mim."

Depois de sua vitória sobre Nadal, Federer apareceu pela primeira vez em 3 anos no Aberto de Monte Carlo, em Mônaco. A sua visita, contudo, acabou depois de sua derrota inesperada para outro jovem de 18 anos, Richard Gasquet, da França. Como na sua primeira derrota na temporada para Safin, no Australian Open, Federer estava a um ponto da vitória — teve 3 match points a seu favou contra Gasquet — porém, a sua sequência de 25 partidas sem perder acabou por um placar apertado de 6-7 (1), 6-2 e 7-6 (10). Nadal prosseguiu até conquistar o torneio e passar para o número 2 na Corrida dos Campeões da ATP e, mais adiante, provar que era agora um competidor de primeira qualidade.

Após Monte Carlo, Federer tirou 3 semanas para descansar e se recuperar de uma tendinite nos dois pés que o estava incomodando desde o Australian Open. Segundo o seu preparador físico, Pierre Paganini, foi puramente um procedimento de precaução. "Roger é tão profissional que não espera o problema se agravar para não ter de ficar parado por um período maior", explicou Paganini.

Durante essa pausa de Federer, Nadal conquistou os torneios de Barcelona e Roma, o que incluiu uma vitória incrível contra Guillermo Coria, da

Um verdadeiro campeão   151

Argentina, na final que durou 5 horas e 14 minutos. De repente, Nadal estava a apenas 10 pontos de Federer na Corrida dos Campeões da ATP. Federer finalmente tinha um rival à sua altura. No começo do ano, a maioria dos especialistas colocava Hewitt, Safin e Roddick como as grandes ameaças à primeira posição do ranking de Federer. No entanto, esportes profissionais são muito volúveis. O que era verdade ontem, hoje já não é mais. Subitamente, toda conversa e alvoroço eram sobre Nadal, que dominara a temporada de saibro como nenhum outro nos últimos 10 anos.

Federer retornou no torneio de Hamburgo, do qual Nadal não participou por causa de um machucado em sua mão, sofrido durante a partida de mais de 5 horas contra Coria. Tony Roche estava com Federer em Hamburgo como parte de sua preparação para Roland-Garros. Mais uma vez, Federer tratou o Rothenbaum Stadium de Hamburgo como o seu espetáculo particular, conquistando o título pela terceira vez em 4 anos. Federer não perdeu um set no seu caminho até a vitória e foi capaz de acertar contas com 2 jogadores. Na segunda rodada, ele teve a sua revanche contra o tcheco Tomas Berdych, por sua derrota nos Jogos Olímpicos de 2004, ao vencer a partida por 6-2 e 6-1. E, na final, Federer devolveu a derrota em Monte Carlo para Gasquet, vencendo o francês por 6-3, 7-5 e 7-6 (4), para completar a sua 19ª vitória consecutiva em uma final de campeonato. O título em Hamburgo deu a Federer o status de ter vencido 6 dos últimos 10 torneios de Master Series, feito que ninguém havia alcançado antes.

De Hamburgo, ele viajou diretamente para Estoril, um resort e spa português próximo a Lisboa e ao local onde era disputado Laureus World Sports Award. A Fundação Laureus — que deriva da palavra latina *laurus* (louros) — foi fundada em 1999, com o intuito de homenagear os melhores atletas e alcançar melhoramentos sociais por meio do esporte. A fundação apoia por volta de 36 instituições para crianças no mundo todo. Apesar de sua curta existência, o Laureus Award tem a reputação de ser uma espécie de Oscar para o mundo dos esportes.

A ótima reputação e a credibilidade do prêmio advêm de seus jurados — um comitê de 40 membros, que inclui Seve Ballesteros, Franz Beckenbauer, Sebastian Coe, Emerson Fittipaldi, Michael Johnson, Michael Jordan, Jack Nicklaus e Pelé, presidido pelo ex-atleta olímpico Edwin Moses. O tênis também está bem representado por Boris Becker, como vice-presidente, John McEnroe, Ilie Nastase e Martina Navratilova.

O prêmio de "Esportista do Ano" do Laureus Award é considerado o feito derradeiro de um atleta. Antes da cerimônia de premiação, em Portugal, apenas 3 jogadores tinham a honra de ter ganhado a pequena estatueta, criada por Cartier, de "Esportista do Ano" — o heptacampeão mundial da Fórmula 1 Michael Schumacher, o golfista Tiger Woods e o ciclista campeão do Tour de France Lance Armstrong. Nesse ano, Schumacher e Armstrong, bem como o piloto de motociclismo Valentino Rossi, o hexacampeão das Olímpiadas de Atenas Michael Phelps, o bicampeão olímpico e corredor de médias distâncias Hicham El Guerrouj, além de Federer, eram os atletas nomeados por um comitê de jornalistas de diversas partes do mundo.

Federer era o único entre os 6 nomeados que estava presente em Portugal, porém não estava definido se ele seria o ganhador ou não. A cena lembrava a cerimônia do Oscar. Incontáveis limusines chegavam e convidados desfilavam de smoking no imenso tapete vermelho em direção à entrada, passando pelo amontoado de fotógrafos e profissionais da mídia. O tapete vermelho foi palco para VIPs de todo o mundo, incluindo astros como David Beckham e a sua esposa popstar Victoria Adams, estrelas do cinema, como Jackie Chan, e até mesmo o rei Juan Carlos da Espanha. Roger Federer estava no meio desse glamour como um convidado de honra. Ele ainda dizia não saber o resultado da votação. "Vocês poderiam mostrar um vídeo pré-gravado, caso outra pessoa ganhe o prêmio", ele disse na barreira de flashes no tapete vermelho.

Talvez sem surpresa nenhuma, a noite terminou com o prêmio de "Esportista do Ano" indo para Federer. Cuba Gooding Jr., o ator americano, e Martina Navratilova entregaram o troféu Cartier para Federer. "Eu estou muito honrado", disse diante do auditório glamoroso e para aproximadamente 500 milhões de telespectadores no mundo. "Eu já recebi vários prêmios, mas este — este é o prêmio." Federer foi especialmente ovacionado depois de seu discurso — e, como a Fundação Laureus, ele continuará retribuir o que o esporte lhe deu.

"Ganhar em Wimbledon, o título e o dinheiro, é ótimo, mas tais prêmios são diferentes", expressou em meio ao tumulto da mídia no Centro de Convenções. "E este é o tipo de prêmio que eu sempre desejei. Ele me permite olhar para trás e perceber o ano extraordinário que tive."

28

Pegadas frescas no saibro

Federer perdeu a sua primeira oportunidade de vencer um torneio de Grand Slam na temporada de 2005, quando foi vencido por Marat Safin nas semifinais do Australian Open. No entanto, Roland-Garros lhe oferecia a oportunidade de atingir um marco em sua carreira — um feito alcançado por poucos — o "Grand Slam de Carreira" ou *carreer Grand Slam*. Isso quer dizer ganhar, pelo menos uma vez, todos os títulos dos 4 torneios de Grand Slam na carreira — êxito alcançado por apenas 5 jogadores na história do esporte. Rod Laver e Don Budge são os únicos tenistas a conseguir o Grand Slam em uma única temporada — ganhando todos os 4 títulos no mesmo ano. Budge conseguiu o feito em 1938, e Laver fez um Grand Slam como amador, em 1962, e depois, em 1969, repetiu o feito, mas dessa vez, na categoria profissional. Fred Perry, da Grã-Bretanha, conseguiu o seu Grand Slam de carreira no Roland-Garros de 1935; Roy Emerson, da Austrália, completou o quarteto de sua carreira em Wimbledon, em 1964, aos 27 anos de idade. Andre Agassi, ao conquistar Roland-Garros, em 1999, juntou-se a Laver, para ser um dos 2 únicos jogadores profissionais a fazer um Grand Slam de carreira.

Para Agassi, assim como para grandes jogadores na história do esporte, Roland-Garros provou ser o torneio mais difícil. Ele teve 11 tentativas e 3 finais antes de conquistar o título em Paris. Até mesmo em sua terceira aparição, por sorte, na final de simples, em 1999, estava perdendo categoricamente

154 A biografia de Roger Federer

os primeiros 2 sets para o ucraniano Andrei Medvedev, antes de virar o jogo e vencer no quinto set. Estava com 29 anos — 7 anos depois de seu primeiro título em torneios de Grand Slam.

As quadras de saibro são, de alguma maneira, uma forma diferente de tênis, por requererem um trabalho de pernas diferente — deslizar para golpear a bola. A superfície de saibro diminui a velocidade da bola o suficiente para dar aos jogadores que estão defendendo tempo para salvar uma jogada que, em outro piso, seria um golpe vencedor. Variações na temperatura, bem como nos níveis de umidade, proporcionam constantes mudanças nas condições de jogo. O tempo quente seca o saibro, fazendo com que a bola ganhe maior velocidade, o que favorece os jogadores mais agressivos; porém, quando o clima está frio e úmido, as quadras ficam mais lentas, proporcionando uma vantagem a favor dos jogadores mais defensivos.

Essas condições extraordinárias e imprevisíveis explicam o porquê, aparentemente, Roland-Garros tem como campeões os jogadores mais improváveis dos quatro torneios de Grand Slam. As quadras de saibro e as condições criam um ambiente onde um maior número de jogadores se tornam campeões em potencial, em oposição ao que acontecia em Wimbledon ou no US Open. Alguns dos maiores jogadores de saque e voleio e de estilo agressivo frequentemente deixavam Paris derrotados. A habilidade de Yannick Noah de jogar agressivamente e o fato de ter derrotado o defensivo Mats Wilander, em 1983, na final de Roland-Garros ainda parecia um pequeno milagre.

Mais da metade dos 23 jogadores que obtiveram a posição de número 1 do ranking mundial, entrando em 2007, não tinham o título de Roland-Garros em seus currículos. Isso inclui jogadores como Boris Becker, que alcançou as semifinais por 3 vezes, Pete Sampras, que apenas chegou às semifinais em uma ocasião em 13 participações, John McEnroe, que perdeu dolorosamente a final para Ivan Lendl, em 1984, após ter liderado a partida por 2 sets a 0, e Stefan Edberg, que estava na frente por 2 sets a 1, antes de perder a final, em 1989. Jimmy Connors, que foi ou recusado ou simplesmente não quis participar do torneio por muitos anos, é também um dos grandes da história que não tem um título em Roland-Garros. Outros notáveis na lista incluíam John Newcombe, Arthur Ashe, Patrick Rafter, Marat Safin e Lleyton Hewitt.

Apesar da carreira de Federer ter começado com 11 derrotas consecutivas em quadras de saibro, ele nunca se permitiu perder a coragem. Na França, onde havia experimentado o menor sucesso em relação aos torneios de Grand Slam, Federer constantemente se referia ao fato de ter crescido em

Pegadas frescas no saibro

155

quadras de saibro e que este era o "seu piso". Ele contava, afinal de contas, com 3 três títulos nas quadras de saibro do Aberto da Alemanha, em Hamburgo, e provou repetidas vezes na Copa Davis que poderia competir com qualquer um no saibro. No entanto, até então, ele não fora capaz de passar para as semifinais em Roland-Garros.

Federer pode ter chegado a Paris com um recorde na temporada de 41-2, porém ele era cauteloso diante do seu sétimo Roland-Garros. "As primeiras rodadas aqui são sempre traiçoeiras", falou com modéstia, o que, às vezes, faltara nos anos anteriores. "Eu não estou pensando em ganhar este torneio". Ele chegou a Paris direto de Portugal e tinha o privilégio de poder praticar todos os dias na Quadra Central do evento — a Quadra Philippe Chatrier —, onde sofrera as derrotas mais devastadoras de sua carreira. A preparação excelente de Federer e os ensinamentos de Tony Roche, nessa época com 60 anos, valeram a pena. Ele ganhou as primeiras 5 partidas do torneio sem perder um set e alcançou as semifinais pela primeira vez em sua carreira. "Está sendo um pouco rápido demais para mim", comentou sobre a sua chegada, relativamente fácil, às semifinais.

Entretanto, esperando por Federer, na semifinal, estava ninguém menos que Rafael Nadal — contra quem o primeiro jogo havia sido em uma quadra de saibro. O jovem espanhol estava cheio de confiança e entraria em quadra com uma sequência de 22 partidas invicto. Em virtude do atraso, pela chuva e pela partida de 5 sets entre o argentino Mariano Puerta e o russo Nikolay Davydenko, pela outra semifinal, Federer e Nadal não entram em quadra antes das 18h20min, horário local de Paris.

Federer teve de começar a lutar desde o início da partida, pois estava com problemas com o topspin — particularmente do forehand — brutal que Nadal colocava em seus golpes. Depois de perder 4 dos primeiros 5 games, Federer entregou o primeiro set por 6-3 — o primeiro set que perdia no torneio —, tendo o seu serviço quebrado inacreditavelmente por 4 vezes. Ele conseguiu levar o segundo set por 6-4, mas manteve-se nervoso, de maneira incomum, e cometeu quase o dobro de erros que Nadal no terceiro set. Nadal estava na frente por 4-2, antes de Federer devolver a quebra e depois empatar o set. Após Nadal assegurar o 9º game do terceiro set, ele fechou o set — para manter a liderança por 2 sets a 1 — com um bola cruzada de forehand na corrida. A escuridão já começa a se fazer presente em Paris, e Federer começou a ficar irritado. Ele parecia estar apressado e pediu que a partida fosse suspensa, pois já estava ficando escuro. O juiz não aceitou a reivindicação. Federer estava agitadíssimo, e Nadal tomou o controle da partida, quando quebrou o serviço do suíço no 8º game e assumiu a liderança por 5-3 e, um game mais tarde, fechou a partida em 6-3, 4-6, 6-4 e 6-3. "Eu comecei a partida mal e terminei mal", Federer resumiu. "Até que joguei bem algumas vezes, mas não foi o suficiente."

Como no Australian Open, no qual Federer foi vencido por Safin nas primeiras horas da manhã do aniversário de seu oponente russo, Federer foi novamente vitimado por um aniversário em um torneio de Grand Slam. Na sexta-feira do jogo, dia 3 de junho, Nadal completou 19 anos de idade e — como Safin — prosseguiu para conquistar o título do torneio. Em uma final empolgante entre 2 jogadores canhotos, Nadal ganhou de Puerta, que, alguns meses depois, foi barrado no exame antidoping e suspenso do tênis profissional.

Quanto mais Federer pensava na derrota que sofrera contra Nadal, mais pontos positivos tirava da frustração. Ele provou, para si mesmo e para as pessoas, que tinha plenas condições de conquistar Roland-Garros, mesmo considerando aquele como o pior desempenho que teve em partidas em estágios posteriores em um torneio de Grand Slam. Ele estava convencido de que essa derrota para Nadal seria um aprendizado. Agora, acreditava que era capaz de vencer em Roland-Garros e alcançar o raro Grand Slam de carreira. Outro ponto positivo para lhe acalantar o humor foi o fato de o público francês ter gostado dele e ter torcido por ele em suas partidas, mais notavelmente na partida contra Nadal. "Foi fantástica a maneira como eles me deram apoio", disse. "Senti quase a mesma sensação de uma vitória, porque não é fácil conquistar a torcida em Paris."

Como o resultado de Federer havia sido muito melhor que no ano anterior, quando foi eliminado na terceira rodada, a sua pontuação como o número 1 do mundo aumentou para um recorde de 6.980 pontos — dando a ele quase o dobro de pontos em relação ao segundo no ranking, Lleyton Hewitt. Ainda assim, Federer se manteve em situação de alerta. Ele havia perdido apenas 3 partidas durante o ano, porém não conquistara nenhum título de Grand Slam. Se perdesse em Wimbledon, o único torneio remanescente seria o sempre imprevisível US Open. A sua declaração no outono anterior, de que se ganhasse apenas um torneio de Grand Slam em 2005 já estaria satisfeito, começou a ganhar uma nova importância.

29

Três homens no Jantar dos Campeões

"Adivinhe quem vem para o jantar" era o título acima de um retrato de Roger Federer na capa do programa oficial de Wimbledon, na temporada de 2005. Era uma maneira velada de admitir quem era o grande favorito para o torneio. Ninguém menos que Federer e, com isso, quem ele convidaria para lhe acompanhar no jantar — o Jantar dos Campeões — seria uma surpresa. Após ter vencido 5 torneios e estar invicto 29 partidas em quadras de grama — incluindo, mais uma vez, o seu êxito no campeonato anterior em Halle —, Federer novamente pisava terras inglesas como o principal favorito. Como o bicampeão defensor do título, havia uma grande pressão para que ele vencesse, porém, dessa vez, Roger estava determinado a aproveitar a competição. Quando não estava nos locais comuns, ele se isolava em seu apartamento próximo à Quadra Central, onde se reunia com os membros mais íntimos de sua equipe. Enquanto Wimbledon ainda não estava no "Itinerário Federer", Tony Roche viajou por sua conta para a Inglaterra, pela primeira vez acompanhado de sua esposa. Os dois homens continuaram a criar laços, e Roche começou a ensinar Federer não apenas táticas do tênis como também as regras e protocolos do esporte nacional da Austrália, o críquete.

Federer, ao lado da campeã defensora do título Maria Sharapova, foram presenteados pela Nike com tênis dourados especiais, no intuito de competirem e como uma jogada de marketing. Os calçados complementaram o seu estilo de jogo nas primeiras 2 partidas do torneio, no entanto,

158

A biografia de Roger Federer

na terceira rodada, ele teve muitos problemas contra o alemão Nicolas Kiefer. Federer perdera o segundo set no tie break e estava atrás por 3-5 no quarto set, porém evitou o quinto set, vencendo os últimos 4 games da partida.

Depois de derrotar Juan Carlos Ferrero e Fernando Gonzalez, ele chegou à semifinal, na qual, mais uma vez, enfrentaria Lleyton Hewitt. O australiano estava encontrando o seu ritmo de jogo depois de vários meses longe das quadras — em primeiro lugar, em virtude de uma cirurgia no pé, e, então, por causa de uma fratura nas costelas, que sofreu ao cair das escadas em sua casa. Hewitt ainda estava ranqueado como o número 2 do mundo, mas ficou de maneira controversa como o cabeça de chave número 3, atrás de Roddick, de quem o All England Club julgou os resultados em quadra de grama mais expressivos que aqueles conquistados pelo campeão de Wimbledon na temporada de 2002. Hewitt tinha poucas chances de vencer Federer e acabou perdendo por 6-3, 6-4 e 7-6 (4). Federer estava na final pelo terceiro ano consecutivo, e, pelo segundo ano seguido, Roddick era o seu adversário.

Roche tinha uma história longa — e um pouco desastrosa — com tudo que se relacionava à final de Wimbledon. Nas 6 finais em que esteve lá, ou como jogador ou como técnico, os seus números eram de 0-6. Roche perdeu, em 1968, a partida do título de Wimbledon para Rod Laver, por 6-3, 6-4 e 6-2, em sua única aparição na final da chave de simples. Em 1983, o seu pupilo Chris Lewis perdeu para John McEnroe. Ivan Lendl, que sacava e voleava na grama de Wimbledon como um boneco de madeira, contratou Roche para ajudá-lo a alcançar o seu sonho em Wimbledon. Mas o tcheco não foi capaz de vencer um set contra Boris Becker, na final de 1986, nem contra Pat Cash, em 1987. Roche, então, guiou o seu compatriota Patrick Rafter para duas finais em Wimbledon, em 2000, quando perdeu por um placar apertado a partida de 4 sets contra Pete Sampras, e em 2001, quando foi vencido em uma partida épica de 5 sets por Goran Ivanisevic. Roche esperava que Federer lhe trouxesse, finalmente, boa sorte em uma final de Wimbledon.

Federer lançou uma tempestade contra Roddick no começo da partida, fechando o primeiro set em 22 minutos — uma diferença enorme com relação ao ano anterior, em que o americano o dominou no começo. No segundo set, após os dois jogadores trocarem quebras de serviço no início, Federer dominou o tie break, vencendo por 7-2 para confirmar uma liderança de 2 sets a 0.

Três homens no Jantar dos Campeões

Embora estivesse apenas garoando, os oficiais de Wimbledon suspenderam a disputa depois do segundo set. A maioria dos espectadores permaneceu em seus lugares, inclusive Robert Federer, que estava assistindo ao seu filho jogar, ao vivo, pela primeira vez em uma final de torneio de Grand Slam, enquanto a sua esposa Lynette sentara no espaço reservado aos jogadores, com Roche e Mirka Vavrinec. Robert estava do lado oposto da Quadra Central.

Robert Federer não tinha boas lembranças de Wimbledon e precisava ter muita coragem para se aventurar ir à Quadra Central com a finalidade de assistir ao seu filho. As memórias de sua última visita ao All England Club, em 2002, ainda estavam vivas em sua mente — quando ele, sentado no espaço reservado aos jogadores, esperava ver o seu filho passar com facilidade da primeira rodada, ao jogar contra o croata Mario Ancic. Em vez disso, ele testemunhou "Rotschi" sofrer uma das mais amargas derrotas de sua carreira. Robert se considerava um pé frio desde então. O seu filho o convenceu a ir ao jogo. "Deixa isso para lá! Se eu perder, com certeza, não será por sua causa", Roger o encorajou.

Robert Federer acompanhou as duas primeiras conquistas de seu filho em Wimbledon, de casa, na Suíça. Quando alguns repórteres lhe perguntaram sobre a sua ausência, ele explicou que alguém teria de ficar em casa para cuidar do gato da família. Em 2005, Robert decidiu ir até Wimbledon para o começo do campeonato para fazer um teste. A maioria dos repórteres sentados a alguns metros dele não o reconheceu por causa dos óculos escuros. O *The Sun* até publicou um artigo sobre ele, mas o homem da foto que acompanhava o texto no tabloide não era Robert, e sim o fisioterapeuta de Federer, Pavel Kovac.

Robert Federer ainda estava apreensivo durante a pausa, por causa da chuva, apesar da vantagem de seu filho, por 2 sets a 0, o acalmar. "Até mesmo nos pontos que Roger perdeu ele jogou bem", Robert comentou durante a suspensão temporária da partida. "Eu sempre disse a ele para jogar agressivamente e insistir com as suas jogadas — qualquer coisa fora disso não vai funcionar."

Nem a pequena parada nem o suposto azar que a presença de seu pai lhe trazia foram suficientes para impedir que Federer levasse o título de Wimbledon pela terceira vez. Depois de 101 minutos de jogo, um ace selou a sua vitória por 6-2, 7-6 (2) e 6-4. Ele caiu no chão e, como antes, começou a chorar. Federer era o oitavo tenista na história — e apenas o terceiro jogador desde o final da Segunda Guerra Mundial — a conseguir conquistar 3 títulos individuais seguidos em Wimbledon. Os outros 2 a conseguirem tal feito nos últimos 50 anos eram Björn Borg e Pete Sampras, mas Federer resistiu às comparações. Afinal, o sueco venceu o campeonato por 5 vezes seguidas, e Sampras venceu 7 vezes em 8 anos. O que Federer não citou, e talvez nem mesmo tivesse conhecimento a respeito, foi o fato de que as campanhas dos seus 3 títulos em Wimbledon foram mais dominantes que as 3 primeiras campanhas de Borg e Sampras. Borg perdeu 9 sets no processo, e Sampras, 11. Federer não conseguiu vencer apenas 4 sets.

Faltavam palavras a Federer ao explicar o seu desempenho quase perfeito na final. "Eu joguei uma partida fantástica — uma das melhores da minha vida", disse. "Eu estava jogando de maneira perfeita. Tudo estava dando certo."

Das 35 partidas em quadras de grama que Roddick disputara nos últimos 3 anos, ele apenas havia perdido em 3 ocasiões, todas para Roger Federer. Depois de sua terceira derrota consecutiva, em Wimbledon, para Federer, Roddick analisou: "O seu desempenho este ano estava claramente melhor que no ano passado; se, no ano passado, eu tivesse jogado tão bem quanto joguei hoje, provavelmente teria ganhado."

Pela terceira vez seguida, Federer era realmente a reposta para a pergunta "Adivinhe quem vem para o jantar?". Os seus convidados para o Jantar dos Campeões de Wimbledon eram Tony Roche e Robert Federer. Ambos radiavam de orgulho. A vitória em Wimbledon era igualmente importante para eles.

"Para mim, Wimbledon é o melhor torneio do mundo", disse Roche, feliz por ter ficado na Europa com Federer para a temporada de grama. "Jogar contra um grande adversário como Roddick em uma final, em Wimbledon, e no nível que ele jogou — não há nada melhor que isso. De zero a dez, eu dou nota 10."

O tricampeão de Wimbledon estava contente por seu pai estar junto a ele nesse momento especial. "Ele ainda se aborrece quando eu erro um forehand ou backhand", Roger disse a jornalistas na manhã seguinte a sua vitória. "Mas eu aprendi a lidar com isso porque sei que ele não conhece tanto o tênis como eu achava que conhecia."

30

Uma noite em Flushing Meadows

Pela primeira vez, Roger Federer retornou diretamente para a sua cidade natal, Basileia, após ter conquistado um título de torneio de Grand Slam. Uma cerimônia de recepção foi organizada pela cidade na Market Square de Basileia para dar as boas-vindas ao novo tricampeão de Wimbledon. Federer ficou espantado com o número de fãs e compatriotas que esperavam por ele. Milhares de pessoas encheram a praça pitoresca — uma cena normalmente reservada para as celebrações do time de futebol da Basileia. Federer ficou em uma pequena varanda do prédio da prefeitura acima da praça, acenando para a multidão. "Isso é para vocês!", gritava, apontando para a 3ª réplica do troféu de Wimbledon que agora possuía.

Antes de passar mais uma vez as férias em Dubai, Federer foi até o médico examinar os seus pés. Apesar de seu desempenho brilhante em Wimbledon, eles o estavam incomodando. Foi feita, então, uma ressonância magnética. O médico aconselhou Federer a não participar do torneio do Masters Series no Canadá — no qual ele defenderia o título. Embora sua viagem para Dubai tivesse como finalidade principal o descanso e o lazer, logo se juntaram a ele o seu preparador físico Pierre Paganini e Tony Roche.

Depois de quase um mês e meio, Federer retornou às quadras para o Masters de Cincinnati. A sua liderança no ranking mundial decresceu mais de 1.000 pontos. O seu novo desafiante não era mais Lleyton Hewitt, e sim Rafael Nadal. Durante a parada de Federer, o espanhol conquistou os torneios em quadra de saibro em Bastad, na Suécia, e em Stuttgart, na Alemanha, e também o seu primeiro título em piso duro, em Montreal, derrotando Andre Agassi na final. Nadal era, agora, o líder em vitórias no ATP Tour, com 65 resultados favoráveis, seguido por Federer, com 58.

Federer não possuía uma história de sucesso no Masters Series em Cincinnati. Em suas participações anteriores, o suíço havia ganhado apenas uma partida. Porém, o campeonato da temporada de 2005 seria outra história. Ele chegou à final e tinha como adversário, mais uma vez, Roddick. E, como de praxe, Federer venceu o seu rival americano por 7-5 e 6-3, garantindo o título. A vitória concretizou outro marco — Federer se tornou o único tenista a conquistar 4 torneios de Masters Series em uma só temporada —, com os títulos em Indian Wells, Key Biscayne e Hamburgo. Federer retornou ao seu caminho de vitórias enquanto o US Open, em Nova York, aproximava-se.

Nas primeiras rodadas do US Open, grandes surpresas afunilaram a lista de rivais para disputar o título com Federer. Gilles Muller, um jogador relativamente desconhecido, proveniente da pequena nação de Luxemburgo, derrotou Roddick na primeira rodada. Duas rodadas mais adiante, outro grande rival de Federer, Rafael Nadal, foi eliminado por James Blake, dos Estados Unidos. Federer, nesse ínterim, passeava pelo torneio. A derrota categórica que aplicou em David Nalbandian, sem perder nenhum set, não apenas lhe concedeu a revanche pela derrota para o argentino no US Open de 2003 como também lhe ofereceu o passaporte para a quarta disputa nas semifinais de um torneio de Grand Slam no ano — um feito apenas alcançado, na "Open Era" do tênis profissional, por Rod Laver, Ivan Lendl e, ironicamente, Roche.

Nas semifinais, Federer enfrentou Hewitt, repetindo a final de 12 meses antes, enquanto Agassi teve como oponente o seu compatriota Robby Ginepri. A maioria dos especialistas esperava que a batalha entre os americanos fosse agendada como a segunda partida no "Super Saturday", com a finalidade de aproveitar a maior audiência televisiva do povo americano, no fim da tarde. No entanto, Andre Agassi, que já havia completado 35 anos, pediu que a sua partida fosse a primeira, tendo em vista a final no domingo e um maior tempo para sua recuperação. O seu pedido foi aceito. Agassi e Ginepri batalharam durante 5 sets, antes de o americano, mais experiente, avançar para a sua sexta final de simples no US Open. Federer lutou com um corajoso Hewitt, antes de sobrepujá-lo em 4 sets. Federer se concentrou no confronto da rodada final contra Agassi. "Isso será um ponto alto em minha carreira", disse.

Uma noite em Flushing Meadows

163

Havia, definitivamente, algo de estranho no ar ao final da tarde daquele domingo, dia 11 de setembro de 2005, em Flushing Meadows. Os espectadores caminharam entusiasmadamente para dentro do Arthur Ashe Stadium e para as suas arquibancadas de 58 metros de altura, a maior arena de tênis do mundo. Com uma capacidade para um público de 23.352 pessoas — e com a sua lotação máxima para aquela final épica no torneio de simples masculino —, parecia mais imponente que o normal. As câmeras de televisão capturaram muitos rostos famosos na multidão — Robin Williams, Dustin Hoffman, Lance Armstrong, Donald Trump —; nenhum deles queria perder aquele duelo entre titãs. Bandeiras dos Estados Unidos flutuavam ao vento, e uma bandeira gigante foi esticada sobre a quadra. Era o 4º aniversário do ataque de 11 de setembro às Torres Gêmeas, em Manhattan, aumentando ainda mais o fervor patriótico. Era o cenário perfeito para Agassi conseguir uma vitória improvável.

"Não tem como ser melhor para mim", disse Agassi para a CBS-TV depois de se despedir de seus filhos e caminhar, confiante na vitória, para o palco da grande final. Eram quase 5 horas da tarde, o sol começava a afundar no horizonte, sombras se debruçavam sobre a quadra. Os holofotes logo iluminaram a cena.

Federer deve ter se sentido como um escravo no Coliseu em Roma, prestes a ser servido como refeição aos leões. O homem de Basileia, contudo, não aceitou esse papel. Tomou o controle da partida logo no início, abrindo uma vantagem de 5-2 e abafando a atmosfera frenética. Após Agassi defender 7 set points, Federer conseguiu fechar o primeiro set por 6-3. Porém, a luta de Agassi ao final do set mostrou o seu vigor, sua vontade e determinação. A partida mudou de mãos quando Agassi começou na frente por 3-0 e seguiu concentrado até empatar o jogo, vencendo o segundo set por 6-2. Era o set mais categórico que Federer havia perdido durante todo o verão. Acima da quadra, nas cabines de imprensa, John McEnroe disse: "Agassi não poderia estar jogando melhor." Agassi, então, disparou para assumir a liderança do terceiro set em 4-2, 30-0 e parecia tirar todo o proveito que precisava daquele momento para alcançar o seu primeiro título de Grand Slam depois de quase 3 anos.

A vitória de Agassi parecia estar cada vez mais próxima, mas Federer freou o entusiasmo do americano ao devolver a quebra de serviço para deixar a partida em 4-3. Depois de Agassi lutar contra 4 break points no 11º game do set, as duas lendas entraram no tie break fundamental da partida para decidir qual dos dois conseguiria a importante vantagem de 2 sets a 1. Após

164   A biografia de Roger Federer

os jogadores terem dividido os primeiros 2 pontos, a situação complicou para Agassi. Federer conseguiu 6 pontos seguidos e fechou o tie break em 7-1. A energia de Agassi se esvaiu e, em questão de minutos, o placar da arena mostrava os números finais da partida, 6-3, 2-6, 7-6 (1) e 6-1, a favor de Federer.

Terminada a partida, Agassi elogiou Federer efusivamente, afirmando que era o melhor jogador que já havia enfrentado. "Pete (Sampras) era sensacional", disse. "Mas havia pontos onde se podia jogar contra ele. Você conseguia dominar de certa forma. Esse tipo de coisa não acontece com Roger. Eu acho que ele é o melhor jogador contra quem já joguei." Sobre os comentários de Agassi, Federer declarou: "É maravilhoso ser comparado com todos os jogadores que ele enfrentou durante a sua carreira. Nós estamos falando dos melhores — alguns são considerados os melhores de todos os tempos. E eu ainda tenho chances de melhorar."

Federer, lutando contra uma torcida facciosa e contra Agassi altamente determinado e inspirado, disse que sentiu a partida perdida no terceiro set. "Eu estou impressionado com o que conquistei", comentou logo depois da partida. "Agassi era como um peixe que havia se distanciado de mim." Juntamente com Martina Navratilova, Agassi era o único jogador lendário que ainda fazia parte do tour. "Jogar contra ele enquanto estou no ápice de minha carreira e ele, por sua vez, terminando a sua, dentre todos os lugares, em Nova York e na final do US Open — foi provavelmente a partida mais importante da minha vida."

Federer não se sentiu ofendido — ou surpreso — pela multidão que torceu impudente e fervorosamente para Agassi. "Eu estava me preparando para o pior, mas foi bem mais pesado do que eu esperava", comentou sobre a torcida. "Eu esperava por mais aplausos quando conseguia fazer boas jogadas, mas compreendo a torcida. As estrelas estavam alinhadas a favor de Agassi para que ele terminasse sua carreira como Sampras ou Ivanisevic, ganhando um título de Grand Slam."

Agora com 6 títulos de torneios de Grand Slam, Federer se igualou à maior soma de títulos de seus ídolos de infância, Boris Becker e Stefan Edberg. Ele foi apenas o terceiro jogador a ganhar em Wimbledon e no US Open por 2 anos consecutivos, seguindo os americanos Bill Tilden, nos anos de 1920 e 1921, e Don Budge, nos anos de 1937 e 1938. Foi também o primeiro jogador em 72 anos a ganhar todas as suas primeiras 6 participações em finais de torneios de Grand Slam — tornando-se apenas o quinto jogador a ter um recorde de 6-0 em finais de torneios de Grand Slam. O americano Richard Sears e o britânico William Renshaw alcançaram tal

Uma noite em Flushing Meadows

165

feito no fim do século XIX, quando o defensor do título apenas jogava a partida final como o "detentor" do torneio. O celebrado neozelandês, Tony Wilding, também faz parte desse grupo seleto, porém teve de derrotar apenas 3 oponentes para conquistar os seus 3 títulos em Wimbledon, entre os anos de 1911 e 1913. John Herbert "Jack" Crawford, da Austrália, que ficou a um set de fazer o Grand Slam, fechava esse grupo de elite com 5 jogadores, contando agora com o tenista suíço.

Federer comemorou sua conquista com uma boa refeição e uma taça de vinho no Peninsula Hotel, em Manhattan. Terminado o jantar, Federer relembrou a sua trajetória em Flushing e continuou elétrico e cheio de adrenalina, como se ainda estivesse em quadra contra Agassi. Como na maioria das vezes em que venceu, Federer não conseguiu dormir na noite após a sua vitória. Ele leu os jornais às 5 da manhã e assistiu aos melhores momentos da partida final. Não tinha a mínima pressa em sair de Nova York. Como no ano anterior, Federer manteve o itinerário com a mídia americana no dia seguinte à sua conquista. Por sorte, os programas matutinos foram cancelados e ele pôde dormir um pouco. Federer já não precisava aceitar todos os convites das emissoras de televisão norte-americanas. Até mesmo o famoso David Letterman teve de esperar a sua vez.

31

O saluador de Xangai

Com a temporada dos torneios de Grand Slam já terminada em 2005, Roger Federer focou-se em seus novos objetivos para o restante do ano. Ele pretendia jogar na Copa Davis e ajudar o time da Suíça a permanecer no Grupo Mundial de elite, constituído de 16 países, bem como proteger o seu status de número 1 do ranking mundial. Também intencionava defender o seu título em Bangkok, conquistar, de uma vez por todas, o título do campeonato em sua terra natal, na Basileia, e, pela terceira vez seguida, vencer o Tennis Masters Cup no final do ano. Enquanto se concentrava nisso, por que não ganhar títulos em Madri ou em Paris no torneio de Bercy pela primeira vez?

Os planos de Federer tiveram um bom início, a começar pela Copa Davis. Ele se juntou ao time suíço para enfrentar o time da Grã-Bretanha pela rodada de play-off, em Genebra. Federer passou facilmente por Alan Mackin na partida de simples de abertura, e depois que ele e Yves Allegro derrotaram Andy Murray e Greg Rusedski, em uma partida de 4 sets pelas duplas, a Suíça garantiu a vitória que permitiria à nação continuar, pelo 12º ano consecutivo, no Grupo Mundial da Copa Davis.

Federer reencontrou Murray, um talentoso adolescente escocês, uma semana depois, na final do torneio em Bangkok, e venceu a sua 24ª partida seguida em uma final de simples. A conquista do título em Bangkok garantiu a Federer o primeiro lugar no ranking até o término do ano, dando-lhe a condição de permanecer ranqueado como o número 1 do mundo em todas

O salvador de Xangai

as semanas da temporada de 2005 — algo alcançado por apenas outros quatro jogadores (Jimmy Connors, Ivan Lendl, Pete Sampras e Lleyton Hewitt). Como recompensa, ele e sua namorada, Mirka Vavrinec, deram a si próprios alguns dias de férias em Bangkok, passeando por templos, conhecendo as estátuas de Buda e apreciando a cozinha tailandesa.

Se não fosse por Federer, Rafael Nadal seria, sem sombra de dúvidas, o jogador número 1 na temporada de 2005. O espanhol venceu, por incrível que pareça, 11 torneios, incluindo Roland-Garros e os Masters Series, em Monte Carlo, Roma, Montreal e Madri. A somatória de pontos de Nadal na temporada era maior que a pontuação total de fim de ano dos últimos 3 jogadores ranqueados como o número 1 em 4 temporadas — Gustavo Kuerten (2000), Lleyton Hewitt (2001 e 2002) e Andy Roddick (2003). Na era de Federer, isso era o suficiente para garantir apenas o segundo lugar do ranking.

No dia 11 de outubro, Federer estava em Allschwil, na Suíça, treinando com o seu compatriota Michael Lammer, quando foi atacado mais uma vez pela "Maldição da Basileia". No mesmo lugar em que havia estirado o músculo no ano anterior, Federer machucou o seu tornozelo direito. Sentiu uma dor ardida, caiu na quadra e não conseguiu mais se levantar. "De início, achei que tinha quebrado alguma coisa", explicou. O diagnóstico não era tão ruim assim, porém era ruim o suficiente. Federer lesionou os ligamentos do tornozelo e, apesar de não requerer cirurgia, teve de cancelar a sua participação nos torneios em Madri, Basileia e Paris. Era discutível o fato de ter tempo suficiente para se recuperar e jogar o torneio de fim de ano, o Tennis Masters Cup, que aconteceria em Xangai dentro de um mês.

O pé de Federer foi engessado e ele ficou de muletas durante 2 semanas. Fez tudo que estava em seu alcance para acelerar o processo de reabilitação e, assim, poder participar do torneio em Xangai. Passou por tratamento com ultrassom, drenagem linfática, massagens, manteve as pernas elevadas, fez exercícios especiais — em resumo, tudo. Para o seu consolo, ele não era o único jogador no topo do ranking a estar lesionado: a lista dos 10 melhores jogadores no ranking parecia mais uma lista de hospital. Três campeões de torneios de Grand Slam se retiraram da competição em Xangai — Marat Safin estava com uma lesão no joelho esquerdo, e Andy Roddick, com problemas em suas costas. Lleyton Hewitt preferiu não competir em Xangai para poder passar mais tempo com a sua esposa, Bec Cartwright, que estava esperando o primeiro filho do casal.

Um 4º campeão de torneios de Grand Slam, Andre Agassi, chegou à China ainda mancando, depois de ter lesionado os ligamentos do joelho esquerdo, mais ou menos no mesmo período em que Federer se machucou. Após perder a sua primeira partida para Nikolay Davydenko, por 6-4 e 6-2, no *round robin*, Agassi também deixou o campeonato. Desde que havia ganhado o torneio em Madri, em outubro, Nadal se sentia incomodado por uma lesão em seu pé esquerdo e teve de ficar de fora dos eventos em Basileia e Paris. Embora estivesse na China com a expectativa de poder participar do torneio, ele também teve de desistir, antes mesmo de sua primeira partida. Em poucas horas, o torneio perdera dois dos seus mais populares jogadores — Agassi e Nadal —, e a participação de Federer ainda não estava confirmada. O defensor do título chegou a Xangai cedo, com a finalidade de se preparar, mas, até 2 dias antes do começo do evento, ainda não sabia se jogaria ou não.

Os ingressos para o estádio à prova de tufão estavam quase esgotados, mas para os ambiciosos organizadores chineses a situação estava bem pior que uma ameaça de tufão. Após sediar, com muito sucesso, o Tennis Masters Cup de 2002, os diretores chineses conseguiram levar o evento novamente para Xangai, firmando um contrato de 3 anos, a começar pelo ano de 2005. Durante o intervalo de 2 anos em que o evento aconteceu em Houston, os chineses construíram o magnífico Qi Zhong Stadium, com capacidade para acomodar 15 mil espectadores, no distrito de Minhang, na região sudoeste de Xangai. A construção apresenta um teto retrátil, que tem a forma de uma magnólia ao desabrochar — o símbolo da cidade. É uma estrutura de 8 toneladas com 8 partes retráteis que abrem e fecham. Como 8 é o número favorito de Federer — pois faz aniversário no dia 8 do mês 8 —, tal fato promoveu uma conexão entre ele e o torneio. Xangai também era especial para Federer, pois havia sido lá a sua estreia no Tennis Masters Cup, em 2002 — e essas lembranças ainda eram recentes. Ele até mesmo fizera uma viagem extra para poder participar da abertura oficial do estádio, no início de outubro.

A lesão de Federer era a mais séria de sua carreira até então. Mesmo estando saudável para jogar o campeonato, suas expectativas eram pequenas. Ele não havia tido a preparação adequada para a competição e não descartava a possibilidade de perder todas as 3 partidas na primeira fase por pontos corridos, o *round robin*, do torneio.

Em sua partida de estreia, Federer ficou surpreso ao derrotar David Nalbandian por 6-3, 2-6 e 6-4. Ele descreveu a vitória como um das melhores em sua carreira, e isso dava algumas indicações de quão mal preparado se sentia para a competição.

O salvador de Xangai

A sua partida seguinte, contra Ivan Ljubicic, se tornou um ponto alto do torneio. Ljubicic era considerado favorito para o título, depois de ter obtido os melhores resultados na temporada indoor no ano. Após Federer ter dado um susto nos torcedores — e nos organizadores — ao pedir, antes do terceiro set, os cuidados de um fisioterapeuta na quadra, ele defendeu 3 match points antes de sobrepujar o seu adversário por 7-4 no tie break do último set. A vitória colocou Federer nas semifinais como o líder de seu grupo.

Na partida da semifinal, Federer registrou um placar incrível de 6-0 e 6-0 contra o argentino Gaston Gaudio, que não apenas o garantiu na terceira final consecutiva do Tennis Masters Cup como também completou os seus números em 81 vitórias e 3 derrotas no ano. Estava a apenas uma vitória de igualar o recorde de melhor diferença entre vitórias e derrotas da história do tênis masculino. Em 1984, John McEnroe venceu Wimbledon e o US Open e estabeleceu o recorde de 82-3. Nalbandian, de quem Federer ganhou na primeira fase do torneio, era a única barreira que estava em seu caminho de igualar esse recorde importante. No entanto, a partida final, de maneira diferente da fase de pontos corridos, se tratava de uma partida melhor de 5 sets, tornando muito mais difícil a vitória para um jogador fora de ritmo, como era a condição de Federer. Os primeiros 2 sets foram decididos no tie break, com Federer vencendo o tie break do primeiro set por 7-4 e, também, o do segundo por 13-11. Com as 2 horas árduas necessárias para Federer abrir uma vantagem de 2 sets a 0, o seu cansaço começou a se fazer presente no início do terceiro set. Nalbandian não perdeu a oportunidade e entrou na partida novamente. Durante um lapso no quarto e quinto sets, Federer perdeu 10 games consecutivos, para ficar na desvantagem de 0-4, no quinto set. Quando estava 0-30 no quinto game do set final, Federer, talvez motivado pelo canto da torcida, "Roger! Roger!", por sua força de vontade e orgulho, começou a lutar pelo seu caminho de volta para a partida. Quarenta e cinco minutos depois, ele estava sacando para fechar a partida com o placar de 6-5, 30-0. Nalbandian, por sua vez, mudou o rumo da partida mais uma vez. Federer diria mais tarde: "Eu não estava jogando mais para vencer, e sim para deixar as coisas mais difíceis para ele."

Depois de devolver a quebra de serviço em Federer para forçar o tie break no último set, Nalbandian se consagrou vitorioso com um placar de 6-7 (4), 6-7 (11), 6-2, 6-1 e 7-6 (3). Federer assistiu a Nalbandian cair de joelhos e se tornar o primeiro argentino campeão de Masters dos últimos 31 anos. "Eu cheguei mais perto de vencer a competição do que esperava", disse. "Sob essas circunstâncias, essa foi uma das melhores partidas de

170 · A biografia de Roger Federer

minha carreira. Esse torneio foi provavelmente o mais emocionante deste ano para mim."

Satisfeito ou não com o seu desempenho, a derrota representou, afinal de contas, o fim de várias sequências de Federer. Era a sua primeira derrota desde as semifinais em Roland-Garros, no começo de junho — uma sequência de 35 partidas e a quinta maior sequência de vitórias na história da ATP. O compatriota de Nalbandian, Guillermo Vilas, é o detentor do recorde, com 46 vitórias seguidas. A derrota também marcou a sua primeira em uma partida final de torneio desde julho de 2003 — uma sequência de 24 finais. Embora tenha perdido apenas 4 jogos, a sua pontuação no ranking na temporada de 2005 foi pior do que em 2004, pois 2 das 4 derrotas aconteceram em torneios de Grand Slam. "Mas essa temporada foi extremamente boa", falou. "Por algumas vezes eu até me senti invencível."

Graças ao sucesso de Federer, o Tennis Masters Cup não foi um desastre completo para os promotores chineses. O movimento embrionário do tênis na Ásia teve prosseguimento. Alguns meses depois, a ATP renovou o contrato com Xangai para que lá acontecesse o Masters até 2008. Depois da final épica entre Nalbandian e Federer, o *Shanghai Daily* escreveu: "Se o torneio foi prejudicado por muitas privações, ele também foi recompensado com uma das partidas mais empolgantes da temporada." John McEnroe também estava satisfeito: "Foi muito bom ver Federer lutar para tentar igualar meu recorde", disse. "Talvez as pessoas agora vejam que não é fácil alcançar um recorde de 82-3."

32

Caçando fantasmas

Rod Laver é uma pessoa tão modesta que, às vezes, passa despercebido. Nem mesmo os organizadores do Australian Open tiveram a ideia de renomear a Quadra Central do evento para Rod Laver Arena, até o ano de 2000 — 12 anos depois da abertura das instalações.

Laver foi o único tenista a completar o Grand Slam duas vezes — em 1962, como amador e, depois, em 1969, já na "Open Era", com a participação de amadores e profissionais. O canhoto baixo e de cabelos ruivos é considerado pelos tenistas a real personificação de uma lenda do tênis. No entanto, quando lhe perguntaram se havia comparação entre ele e Roger Federer, Laver respondeu, modestamente, como sempre: "É uma honra para mim ser comparado com ele. Roger pode se tornar o maior tenista de todos os tempos."

O "Rockhampton Rocket" foi ainda mais além, em uma entrevista antes do Australian Open de 2006, ao afirmar: "Eu realmente acredito que Roger será capaz de fazer o Grand Slam essa temporada. Ele é um jogador maravilhoso, abençoado com um talento inestimável... De todos os tenistas que vi jogar, desde que fiz o Grand Slam, ele, provavelmente, é o único que tem a habilidade para alcançar tal feito."

Para Laver e muitos seguidores do esporte, completar o Grand Slam nos dias de hoje tem muito mais valor que na época de Laver. "As exigências agora são muito maiores que na minha época como jogador", opinou Laver.

172 A biografia de Roger Federer

"Os oponentes são mais rápidos e mais fortes, e as raquetes permitem golpear as bolas com um poder inacreditável. Nós só tínhamos raquetes de madeira. Há também, nos dias de hoje, muito mais jovens jogadores talentosos no tour, que não têm medo de encarar os melhores tenistas do ranking." Apesar de os comentários de Laver terem as melhores intenções possíveis, tiveram também um efeito negativo para Federer: aumentaram a já forte pressão sobre ele na temporada de 2006.

Da mesma maneira que no Tennis Masters Cup, na China, lesões afetaram o primeiro torneio de Grand Slam na temporada em Melbourne. O defensor do título, Marat Safin, não iria participar. Rafael Nadal e Andre Agassi também não estavam completamente recuperados de suas lesões para viajar até a Austrália. Federer, porém, havia se recuperado de sua lesão no tornozelo, ainda que seu pé direito estivesse um pouco enrijecido e precisasse ser protegido por uma bandagem por precaução. Com Safin, Nadal e Agassi fora do caminho, Federer foi o jogador mais favorecido, segundo as agências de apostas. Quem apostasse em Federer, ganharia apenas o equivalente a 1 para 5.

O suíço passou pelas primeiras 3 partidas jogando como um grande favorito jogaria — perdendo apenas 22 games nas 3 vitórias por 3 sets a 0. Mas ele teve dificuldades com a partida nas oitavas de final, ao enfrentar um oponente à altura — Tommy Haas —, que o havia derrotado na mesma fase do torneio, em 2002, e também havia lhe tirado o sonho olímpico nas semifinais dos Jogos na Austrália. Após vencer facilmente os 2 primeiros sets, Federer perdeu o terceiro e, sem muita demora, se viu disputando o quinto set. Porém, ele recuperou o domínio da partida e a fechou em 6-4, 6-0, 3-6, 4-6 e 6-2 — a sua primeira vitória em 5 sets no Australian Open. Nas quartas de final, Federer novamente encontrou mais dificuldades que o esperado, contra o russo Nikolay Davydenko. Ele salvou 5 set points no terceiro set — o que lhe daria a desvantagem de 2 sets a 1 — antes de se dar o desfecho do jogo por 6-4, 3-6, 7-6 (7) e 7-6 (5). Nicolas Kiefer mostrou alguma resistência no início da partida da semifinal, mas depois de certo sufoco nos 2 primeiros sets, Federer avançou para o final do Australian Open, pela segunda vez, com um placar de 5-7, 7-5, 6-0 e 6-2.

Em suas 6 partidas até a final, Federer perdeu 4 sets — um número maior que os anteriores em que ele chegou à final de torneios de Grand Slam. O suíço, no entanto, era o grande favorito ao título, ao enfrentar o novato, que nem cabeça de chave era, Marcos Baghdatis — que corria nas casas de apostas a 200:1. O jovem barbado de 20 anos da ilha de Chipre era o

Caçando fantasmas

173

assunto mais falado no torneio — ao derrotar, subsequentemente, Andy Roddick, Ivan Ljubicic e David Nalbandian para ser o finalista improvável de um torneio de Grand Slam. Chipre, uma pequena nação perto da costa da Grécia e da Turquia, no Mediterrâneo, e que não tem nenhuma tradição no tênis, foi repentinamente arrebatada por uma febre do esporte na medida em que o comércio fechava as suas portas e crianças faltavam à escola para poder assistir às suas partidas. Baghdatis não era um cabeça de chave, estava ranqueado como o número 54 do mundo e, em sua carreira, nunca havia conquistado um torneio pela ATP. Para piorar sua situação, Federer ganhara todas as 3 partidas que disputaram, nunca perdera em uma final de torneio de Grand Slam — sem mencionar que também nunca perdera para um jogador que não fosse cabeça de chave.

O *Melbourne Age* publicou, antes da final, a manchete "O Mago e O Aprendiz", mas assim que a partida teve início, a pergunta era: quem era o mago e quem era o aprendiz? Baghdatis, apoiado nas 2 semanas pelos muitos gregos em Melbourne, que criavam uma atmosfera de jogo de futebol — com cantos, gritos e bandeiras —, continuou a jogar de maneira ousada, agressiva e sempre na ofensiva — do mesmo jeito que vinha jogando a competição inteira. Por sua vez, Federer tinha muitas dificuldades, particularmente no lado do forehand. O suíço perdeu o primeiro set por 7-5 e salvou dois break points, evitando uma segunda quebra em seu serviço e a desvantagem de 0-3 no segundo set.

Depois de sacar, Federer quebrou o serviço do cipriota no game seguinte para empatar o set por 2-2. Após os 2 jogadores trocarem a vez de sacar, um golpe de sorte beneficiou Federer no seu set point, quando o juiz de cadeira deu a bola de Baghdatis fora; mesmo sem o pronunciamento do juiz de linha, o desafio eletrônico do cipriota mostrou que o juiz de cadeira estava certo: o segundo set era de Federer, 7-5. O momento era seu, e o desafio à sua supremacia teve fim. A vitória de Federer por 5-7, 7-5, 6-0 e 6-2 assegurou o seu 7º título de torneio de Grand Slam, igualando-o a lendas como Richard Sears e William Renshaw — heróis da década de 1880 — bem como John McEnroe, John Newcombe, Mats Wilander e 2 dos 4 Mosqueteiros Franceses, Rene Lacoste e Henri Cochet.

Federer não demonstrou nenhum entusiasmo assim que a cerimônia de premiação começou, porém, quando Rod Laver entregou o Norman Brooks Trophy em suas mãos, ele foi tomado pela emoção. "Eu não sei o que dizer", iniciou o seu discurso, antes de ficar em silêncio. Ele mal conseguiu parabenizar Baghdatis e agradecer a sua equipe e patrocinadores.

Quando mencionou Laver e o quanto o título significava para ele, sua voz travou, da mesma maneira como em sua primeira vitória em Wimbledon, e não foi capaz de segurar por mais tempo as suas lágrimas.

"Eu estava muito nervoso", Federer disse ao comentarista de televisão Heinz Günthardt, depois de deixar a quadra. "Era um peso enorme ser tão claramente o favorito por jogar contra um novato." Com 7 títulos de torneios de Grand Slam, Federer agora não competia apenas contra os seus contemporâneos mas também contra os grandes da história do tênis, incluindo Pete Sampras e Rod Laver, que estava ao seu lado naquele dia.

33

Nasce uma rivalidade

Depois de sua vitória em Melbourne, no mês de janeiro de 2006, estava claro para Roger Federer que agora ele tinha de fazer o possível para estar em forma em Paris. Uma vitória em Roland-Garros lhe daria o privilégio de ser o primeiro jogador a conquistar seguidamente todos os 4 títulos de torneios de Grand Slam, desde Rod Laver, em 1969. Seria um "Roger Slam" — uma expressão emprestada de "Serena Slam", cunhada quando Serena Williams venceu todos os 4 torneios de Grand Slam durante uma campanha impressionante em 2002 e 2003. "Para mim, isso tem o mesmo valor do Grand Slam na temporada", disse Tony Roche, um aficionado pela história do tênis. "Eu não quero denegrir os feitos de Rod Laver e Don Budge, que foram os únicos homens a fazerem o Grand Slam, mas não se pode esquecer que 3 desses 4 torneios eram jogados em quadra de grama naquela época." Apenas um jogador havia ganhado os maiores 4 torneios do tênis quando jogados em pisos diferentes — Andre Agassi.

Federer fez uma pausa em fevereiro e, como no ano anterior, não participou da primeira rodada da Copa Davis para se concentrar somente em seu em condicionamento físico e planejar cuidadosamente suas competições, bem como períodos de descansos e recuperação. Os títulos continuaram a aumentar. Após perder nas quadras de piso duro em Dubai para o número 2 do ranking, Rafael Nadal, Federer conquistou os Masters Series em Indian Wells, pela terceira vez seguida, e em Key Biscayne, pelo segundo ano consecutivo.

176 A biografia de Roger Federer

A temporada de saibro também começou promissora, ao alcançar, pela primeira vez em sua carreira, a final no Aberto de Monte Carlo, em que perdeu uma partida apertada para Nadal por 6-2, 6-7 (2), 6-3 e 7-6 (5). Algumas semanas depois, os dois se encontraram novamente na final, em Roma, onde o número 1 e o número 2 fizeram uma das melhores partidas da temporada de 2006. Federer liderava por 4-1 no quinto set e desperdiçou 2 match points quando estava 6-5, antes de perder a partida de 5 horas e 6 minutos por 6-7 (0), 7-6 (5), 6-4, 2-6 e 7-6 (5). O jogo não apenas provou que Federer estava se igualando à proeza de Nadal nas quadras de saibro mas também cimentou firmemente a rivalidade entre eles, como uma das melhores de todos os esportes.

Durante a final dramática em Roma, jornalistas sentados na área reservada à imprensa nas arquibancadas escutaram Federer gritar algo bastante incomum da direção do espaço reservado aos jogadores: "Está tudo bem aí, Tony?" O técnico Tony Roche, de quase 61 anos, havia se sentido mal durante o jogo? Não. Federer explicou mais tarde que não estava falando com Tony Roche, e sim com o tio e técnico de Nadal, Toni. Ele disse que estava bravo, pois o "Tio Toni" estaria supostamente dando instruções ilegais para o seu sobrinho — um incidente que Federer disse ter notado nas finais dos torneios em Dubai e Monte Carlo. Federer também compartilhou o seu descontentamento sobre as supostas instruções com os diretores da ATP. Federer disse que os oficiais da ATP não deveriam apenas sentar e apreciar o tênis, mas tinham de fazer valer as regras. "Se for assim, podemos jogar fora o livro de regras", falou.

A intervenção de Federer durante a partida não passou desapercebida por Nadal. Eles se cumprimentaram friamente com um aperto de mãos ao final da partida. A relação entre eles começou de maneira tensa. De volta a Mallorca, Nadal acusou Federer de ser um mau perdedor durante uma entrevista para a imprensa espanhola. "Ele tem de aprender a ser um cavalheiro, até mesmo quando perde", afirmou Nadal. Embora os dois atletas tenham deixado de participar da competição em Hamburgo, por causa da longa partida em Roma, os seus caminhos se cruzaram alguns dias depois na cerimônia do Laureus Award, em Barcelona, onde Federer foi escolhido, mais uma vez, o "Esportista do Ano", e Nadal foi honrado como a "Revelação do Ano". "Nós nos sentamos à mesma mesa com a Princesa da Espanha entre a gente, e percebemos que o que havia acontecido nas partidas não era lá grande coisa", Federer disse. "Tudo se dissipara quando chegamos a Paris."

Nasce uma rivalidade

Em Roland-Garros, Federer chegou às semifinais sem quase fazer esforço, perdendo apenas um set para o chileno Nicolas Massu na terceira rodada. David Nalbandian, o antigo desmancha-prazeres de Federer, estava esperando nas semifinais e, depois de apenas 39 minutos de jogo, o argentino surpreendentemente abriu uma vantagem de 6-4 e 3-0. No entanto, Nalbandian estava sofrendo de dores abdominais que, no decorrer da partida, ficaram muito difíceis de suportar. Com o placar empatado por 1 a 1 e Federer com a vantagem de 5-2 no terceiro set, Nalbandian foi forçado a desistir da partida.

Parecia que 2006 era o ano de Federer. Ele estava a uma vitória de conseguir o "Roger Slam", mas, novamente, Nadal o esperava na final. O espanhol entrava em quadra tendo vencido os seus últimos 59 jogos no saibro — a sua vitória na primeira rodada contra o sueco Robin Soderling quebrou o recorde de todos os tempos de 53 vitórias consecutivas em quadra de saibro estabelecido por Guillermo Villas, em 1977.

Federer, contudo, estava convencido de que poderia vencê-lo. Ele e Tony Roche analisaram o jogo do canhoto e criaram uma tática. Ao contrário dos jogadores destros, Nadal tinha uma variação de distribuição completamente diferente. Ele cobria o seu lado esquerdo da quadra muito mais eficazmente que a maioria dos jogadores e era capaz de trabalhar, com o seu forehand, de maneira mais consistente o lado mais fraco de Federer, o backhand.

A final era uma das partidas mais aguardadas de que se podia lembrar. Os preços dos ingressos no mercado negro atingiram os 4 dígitos em euros. A mídia se superava com análises e manchetes — "O Príncipe contra o Pirata" era a manchete do jornal britânico *Independent on Sunday*. O ex-campeão francês peso-pesado de boxe Jean-Claude Bouttier comparou a final com uma das maiores lutas da história do boxe. "Um lutador técnico se encontrará com um nocauteador nessa partida", disse. "Nadal é Marvin Hagler. Federer é Sugar Ray Leonard."

O jogo começou surpreendentemente a favor de Federer. Carregado por uma onda de simpatia dos espectadores em harmonia com o cabeça de chave número 1 e considerado o azarão, ele venceu o primeiro set por 6-1 naquela tarde quente, com a temperatura por volta de 33ºC. O ponto de virada da partida, porém, veio rápido e brutal. Quando estava 0-1 no segundo set e após liderar por 40-0 em seu serviço, Federer errou um voleio fácil na rede e perdeu o seu serviço, sendo quebrado logo no começo do segundo set, perdendo completamente o importante embalo que conseguira no primeiro set. Meses mais tarde, Federer diria que esse momento "quebrou suas pernas". Enquanto Federer desmoronava, Nadal pegou o seu segundo fôlego e fez valer o seu jogo com um placar de 1-6, 6-1, 6-4 e 7-6 (4). Era a primeira vez que Federer perdia em uma final de torneio de Grand Slam.

Mesmo meses mais tarde, Federer não saberia dizer o que exatamente havia acontecido durante as 3 horas na partida final. "Eu não estava nervoso", explicou. "Ao contrário disso, estava até impressionado, pois estava tranquilo até demais. O fato de não ter conseguido vencer tem a ver com Nadal. Foi impressionante a maneira como ele se recuperou do primeiro set e voltou para o jogo." Haveria alguma coisa que Roger faria diferente se tivesse a oportunidade de jogar essa final novamente? "Sim. Teria mudado o meu jeito de jogar depois do primeiro set, embora estivesse ganhando", disse. "Eu deveria ter imprimido o meu jogo, ter sido mais agressivo e tentado colocar o máximo de pressão para cima dele."

Embora houvesse alcançado a final de todas as competições que jogara até aquela data, em 2006, havia agora um fato muito distinto em seus números. Todas as 4 derrotas em 2006 foram para Nadal e todas em finais de campeonatos. Sua primeira derrota ocorreu nas quadras duras de Dubai, e, então, as outras 3, todas em quadras de saibro, foram nos campeonatos em Monte Carlo, Roma e Paris. Nesse ínterim, os seus números contra Nadal eram de 1-6, com a única vitória acontecendo depois de estar em uma desvantagem de 2 sets a 0 em Key Biscayne, no ano de 2005. Nadal, entretanto, era cauteloso quando o assunto era se tornar o número 1 do mundo. "Eu não posso dizer que sou melhor que Roger, pois isso não seria verdade", disse, em Paris.

Os confortos das quadras de grama em Wimbledon — ainda consideradas o reino de Federer — surgiram logo depois da decepção em Paris. Federer pensou em algo especial para aquele ano no All England Club e se apresentou para a sua partida de estreia contra Richard Gasquet, na Quadra Central, um pouco mais elegante. Vestia um jaqueta feita sob medida, de muita classe, com um emblema bordado no bolso esquerdo do peito, ostentando a inicial de seu sobrenome, um "F" estilizado, 3 raquetes simbolizando os seus 3 títulos em Wimbledon, uma Cruz Suíça representando o seu país, um leão para o seu signo do zodíaco, um tufo de grama, em homenagem à temporada de grama, e seu nome.

A vitória de Federer por 6-3, 6-2 e 6-2 sobre o talentoso francês foi surpreendente com relação à sua facilidade e falta de drama, mas não quanto

Nasce uma rivalidade

179

ao resultado final. O seu êxito sobre o francês lhe deu a 42ª vitória consecutiva em quadras de grama, batendo, assim, o recorde de todos os tempos de Björn Borg, que tinha 41 vitórias seguidas em quadras de grama, no período de 1976 a 1981. Humildemente, Federer deu mais crédito ao feito de Borg, uma vez que todas as partidas foram vencidas apenas no torneio de Wimbledon. "Chegar a 6 finais consecutivas em Wimbledon e ganhar as 5 primeiras seguidamente é algo fora do alcance de qualquer jogador", falou Federer, que quase perdera a sua sequência em quadras de grama 2 semanas mais cedo em Halle, salvando 4 match points contra Olivier Rochus, da Bélgica.

Federer não teve problemas em alcançar a sua quarta final consecutiva em Wimbledon e a quinta seguida de um torneio de Grand Slam. Pela primeira vez em sua carreira, ele chegou até a final de um torneio de Grand Slam sem perder um set. E, pela primeira vez, em 54 anos, a final de Wimbledon teve, na mesma temporada, os mesmos finalistas de Roland-Garros, uma vez que Nadal conseguiu trilhar o seu caminho até a última partida do torneio. O espanhol havia conseguido apenas 3 vitórias em suas 3 participações anteriores em Wimbledon, mas dessa vez jogou com mais vigor, de maneira aguerrida e mais confiante que nas edições anteriores. Na segunda rodada, virou a partida depois de estar perdendo por 2 sets a 0 contra o americano, que havia passado pelo *qualifying* do torneio, Robert Kendrick, vencendo por 6-7 (4), 3-6, 7-6 (2), 7-5 e 6-4, e então finalizou a carreira de Andre Agassi em Wimbledon na terceira rodada. Uma vitória por 3 sets a 0 contra o novato cipriota Marcos Baghdatis deu a Nadal o privilégio de ser o segundo espanhol a chegar a uma final de Wimbledon — juntando-se ao campeão de Wimbledon de 1966, Manolo Santana.

Porém, todas as estatísticas ficariam em segundo plano no dia 9 de julho de 2006. Embora a primeira posição no ranking de Federer não corresse perigo, outra derrota para Nadal o impediria de se proclamar o verdadeiro número 1 do mundo. Ele havia lutado para obter o "Roger Slam" em Paris e agora estava a apenas uma derrota de perder a sua aura de melhor jogador do mundo.

O quinto encontro entre Nadal e Federer na temporada de 2006 começou da mesma maneira que em Paris. Federer dominou o primeiro set — não dando nenhuma chance para Nadal, ao vencer por 6-0 —, mas então teve o seu primeiro serviço quebrado no segundo set. Wimbledon, contudo, não era Roland-Garros, e o suíço brigou para voltar ao set, devolvendo a quebra de serviço e deixando o set empatado por 5-5 antes de ambos entrarem no tie break do segundo set. Após estar perdendo por 1-3 no tie break, Federer conseguiu uma confortável vantagem de 2 sets a 0, ao vencer o tie break do segundo set por 7-5. Nadal não desistiu, persistindo até vencer o terceiro set no tie break. Ele já podia sentir o cheiro de sua oportunidade.

Após uma pausa por causa da chuva, Federer retornou para a Quadra Central e teve um desempenho fenomenal, abrindo uma vantagem de 5-1 no quarto set, antes de dar o desfecho ao set — e à partida — em 6-3. Garantindo o seu 4º título seguido em Wimbledon, Federer não caiu de joelhos e parecia mais sereno que nos anos anteriores. A sua satisfação e alívio, contudo, eram imensos. "Esse foi, no geral, o meu melhor torneio de Grand Slam", disse. O terceiro set que perdeu para Nadal foi o único nas 2 semanas. Roger perdeu apenas 4 games de serviço em 7 jogos. Ninguém, desde Björn Borg, que ganhou em Wimbledon sem perder um set sequer em 1976, se sobressaiu de maneira tão suprema no campeonato.

Federer, mais uma vez, provou o seu controle mental, além de seu caráter competitivo. "Eu reconhecia a importância da partida", afirmou. "Se Nadal ganhasse, seria o primeiro jogador desde Borg a vencer em Paris e Wimbledon no mesmo ano. Eu me senti muito à vontade durante a partida, pois estava jogando muito bem. Disse a mim mesmo: ele já me derrotou algumas vezes, mas foi no seu piso; isso não pode afetar as nossas partidas na grama e em piso duro. Ninguém pode se sentir desencorajado por derrotas."

Federer recebeu o troféu de Wimbledon vestido com a sua jaqueta, que orgulhosamente mostrava, e com a sua taça de ouro predileta, durante a sua volta olímpica pela Quadra Central. A jaqueta cumpriu o seu propósito e, então, foi aposentada no Museu de Wimbledon. O homem de Basileia foi o terceiro tenista desde a Primeira Guerra Mundial a vencer 4 títulos consecutivos em Wimbledon — juntando-se a Björn Borg e Pete Sampras.

Duas semanas de férias seguiram a apresentação virtuosa no All England Club, porém as preparações para a temporada de quadras duras começaram logo depois de sua viagem para o Golfo Pérsico. O seu retorno para o ATP Tour não foi tão suave quanto os seus esforços em Wimbledon; Roger ainda conseguiu levar o título do torneio do Masters Series em Toronto, no entanto, perdeu 4 sets no seu caminho para a 9ª conquista de campeonato em um evento norte-americano.

Nasce uma rivalidade

Na semana seguinte, em Cincinnati, para o delírio dos jornalistas britânicos, Federer sofreu a sua 5ª derrota na temporada, ao perder surpreendentemente na segunda rodada para o novato britânico Andy Murray. Os repórteres britânicos — desesperados por terem um jogador britânico com potencial para ser um campeão de um torneio do Grand Slam — seguiram cada passo do jovem escocês e estavam convencidos de que a sua vitória sobre Federer era um grande incentivo para o potencial destino de seu atleta de se tornar o primeiro britânico a conquistar um torneio de Grand Slam desde Fred Perry, na década de 1930.

A derrota para Murray acabou com duas sequências importantes. Era a primeira derrota de Federer na América do Norte depois de 55 êxitos em 2 anos e, pela primeira vez em 14 meses e 17 torneios, Federer não chegou à final de simples. A derrota prematura e surpreendente, contudo, não abalou a sua confiança para o US Open de 2006, que se aproximava.

34

Dois novos amigos
WOODS E SAMPRAS

Quando Tiger Woods alcançou o "Tiger Slam", em 2000 e 2001 — ao vencer consecutivamente os 4 torneios mais importantes do golfe —, Roger Federer ainda não tinha 20 anos. A maneira como Woods dominou o golfe e reacendeu o interesse pelo esporte certamente chamou a atenção do jovem Federer. No entanto, ele nunca pensou que seria comparado a um atleta tão dominante quanto Woods. "A história dele é completamente diferente da minha", disse, na primavera de 2006. "Desde muito novo, o seu objetivo era quebrar o recorde de títulos dos Majors*. Eu só sonhava em conhecer Boris Becker ou poder jogar, pelo menos uma vez, em Wimbledon."

Apesar dos desenvolvimentos diferentes e das diferenças entre os esportes, o que havia em comum entre Woods e Federer ficou evidente com o passar dos anos. Como o tetracampeão dos Masters de golfe, Federer estava em uma busca constante pela história do esporte. Assim como Woods estava perseguindo Jack Nicklaus e seus 18 títulos de Majors, Federer estava atrás de Sampras e de seu recorde de 14 títulos de simples em torneios de Grand Slam. Tanto Woods quanto Federer têm um controle mental impressionante, o que fica evidente ao fazerem jogadas excepcionais sob as circunstâncias mais adversas.

---

* Os 4 maiores torneios de golfe do mundo, formados pelo Masters de Augusta, o US Open, o The British Open e o PGA Championships. (N.T.)

Dois novos amigos

183

Diferentemente de seus pais, Federer não é um apaixonado por golfe, mas acompanha a carreira de Woods com grande interesse. "Seria interessante conhecê-lo e descobrir como ele é pessoalmente", disse Federer em Key Biscayne, no ano de 2006.

Federer e Woods são clientes da International Management Group (IMG), e o agente de Federer, Tony Godsick, é amigo de Mark Steinberg, agente de Woods. No verão de 2006, Federer pediu a Godsick para arranjar um encontro com Woods. "A última coisa que fiquei sabendo é que Woods adoraria assistir à final do US Open", recordou. "Naquela época, o torneio ainda nem havia começado. Eu teria preferido encontrá-lo em uma atmosfera mais relaxante que no dia da final do US Open — e um detalhe: eu ainda teria de chegar lá."

O público não tinha ideia de que um encontro espetacular estava prestes a acontecer nos bastidores do US Open. Depois de Federer ter derrotado o russo Nikolay Davydenko nas semifinais, foi informado que Woods cumpriria com sua promessa. Ele viajou da Flórida para Nova York em seu jato privado com sua esposa, Elin, para assistir a final do US Open ao vivo. Para a surpresa de todos, Woods se sentou no espaço reservado a Federer — o que foi muito notado, dado o fato de que Federer enfrentaria o americano Andy Roddick na final. "O fato de Woods estar sentado lá me colocou sob mais pressão", Federer admitiu depois. "Fez eu me lembrar de quando era mais novo e meus pais e Marc Rosset assistiam às minhas partidas das arquibancadas. Você quer jogar especialmente bem."

O tempo de Woods foi preciso. Ele assistiu e comemorou quando Federer conquistou o seu 3º título seguido do US Open, ao derrotar o ressurgente Roddick por 6-2, 4-6, 7-5 e 6-1. Pelo 3º ano consecutivo, Federer venceu em Wimbledon e no US Open — um recorde que não precisava dividir com mais ninguém.

Na medida em que Federer apenas se encontrou com Woods rapidamente antes da final, os dois passaram bem mais de uma hora juntos no vestiário depois da partida, bebendo champagne e admirando o troféu do US Open que Federer ganhara havia pouco. Woods até mesmo falou com os pais de Federer, que já estavam na cama, pois já eram quase 3 horas da manhã na Suíça.

"Eu fiquei impressionado pelo quanto nós tínhamos em comum", Federer explicou quando Woods estava em seu caminho de volta para a Flórida. "Ele sabia exatamente pelo que eu estava passando, e eu entendi pelo que ele teve de passar. Eu nunca havia conversado com alguém que estivesse tão familiarizado com a sensação de ser invencível."

"Foi ótimo vê-lo no espaço reservado para mim na arquibancada, torcendo e se divertindo", Federer recordou, algumas semanas mais tarde. "Ele era o mais barulhento por lá. Eu fiquei surpreso com o quão à vontade ele estava. Parecia uma criança feliz por poder assistir à final. Acho que faremos mais coisas juntos."

A presença de Woods na final do US Open de 2006 alimentou ainda mais as comparações — e os debates — entre os dois "atletas do século", no sentido de qual deles era o mais espetacular. Com todo o respeito a Woods, James Blake favorecia Federer. "No tênis, se você está em um dia ruim e perde, você está fora", disse Blake. "Isso é pelo que passamos toda semana. Roger vem ganhando todos os torneios de Grand Slam, com exceção de Roland-Garros, e todos os torneios de Masters Series. Isso significa que ele não pode ter nenhum dia ruim — isso é inacreditável. Sem mencionar que ele tem de estar nas quadras correndo por, pelo menos, 4 horas, em vez de andar carregando um taco — não é minha intenção menosprezar o golfe. Tiger tem provado que é capaz todas as vezes que um domingo termina e ele está na liderança. Mas olhe para os números de Federer em finais de torneios de Grand Slam. Ele ganhou 8 e perdeu apenas 1 vez. Não é algo nem um pouco comum."

A equipe de Woods e os torcedores chamaram a atenção para o fato de o americano, ao contrário de Federer, já haver ganhado os 4 torneios principais de seu esporte e, em vez de derrotar apenas 7 oponentes nos maiores torneios, Woods teve de lutar contra 150 adversários. Os aficionados por tênis, por sua vez enfatizaram que os torneios de Grand Slam duravam 2 semanas, e não apenas 4 dias e que, no tênis, dar uma leve titubeada é suficiente para ser eliminado, enquanto, no golfe, os jogadores sempre têm mais oportunidades de salvar o dia diante de tal circunstância.

Ainda assim, outros apontavam as coisas em comum entre os dois. O jornal britânico *The Daily Telegraph* publicou: "Apesar da dominância exercida pelos dois em seus respectivos esportes, Tiger Woods e Roger Federer mostram uma modéstia e uma autodisplina impressionantes até mesmo para o cavalheiro medieval mais galante." O *Calgary Sun* afirmou, com veemência, qual dos dois superatletas era o favorecido: "[Federer] é infinitamente mais

Dois novos amigos

humano que Tiger Woods, mais preciso, mais carismático, mais honesto, menos robótico, aparentemente aprecia a sua condição como o jogador de tênis." O *The Daily News*, de Los Angeles, por sua vez, questionou todas essas comparações. "Vocês dizem que o cara da Suíça é definitivamente o melhor jogador de tênis de todos os tempos? Comparar Roger Federer a Tiger Woods não é um elogio, e sim um grande insulto. Um atleta do refinamento de Federer merece coisa melhor do que ser definido à sombra de outro atleta."

Posteriormente ao seu triunfo no US Open, Federer retornou para a sua casa na Suíça, onde recebeu um telefonema inesperado. Era Pete Sampras, cujos recordes e legado faziam dele agora uns dos maiores rivais de Federer, parabenizando-o. "Ele já havia me enviado uma mensagem de texto 3 dias antes e agora estava me ligando para me parabenizar pessoalmente", contou Federer logo depois do US Open. "Ele me perguntou se eu havia recebido a mensagem. Eu disse que estava prestes a responder. Fiquei um pouco sem graça. Talvez eu devesse ter respondido antes." Sampras disse a Federer que havia gostado muito de tê-lo assistido jogar e enfatizou o fato de o suíço ser mais dominante que ele próprio no seu auge. "Ouvir algo assim dele foi inacreditável", disse Federer. "Nunca me passou pela cabeça receber uma ligação de um dos meus ídolos me elogiando."

Sampras e Federer continuaram a se relacionar por mensagens de texto, com Sampras desejando boa sorte durante os meses seguintes. Antes do torneio em Indian Wells, em março de 2007, Federer tomou a iniciativa e ligou para Sampras, que, nesse ínterim, anunciou que voltaria ao tênis competitivo, no circuito dos Campões, administrado pelo seu contemporâneo Jim Courier. Federer perguntou para Sampras se estava a fim de bater uma bola e treinarem juntos. "Eu queria ver como ele estava jogando, afinal de contas, ele era um dos meus jogadores favoritos", explicou Federer. Com os olhos entreabertos e um sorriso maroto, continuou: "Ganhar dele em seu quintal em Wimbledon foi muito especial para mim, então eu quero tentar vencê-lo em sua casa."

Federer e Sampras jogaram apenas uma vez em suas carreiras — a memorável partida de oitavas de final em Wimbledon, em 2001. Mais tarde, na carreira de Pete, eles praticaram juntos em Hamburgo. "Começou a chover", recordou Federer. "Eu fiquei tão frustrado, mas ele ficou feliz por ter conseguido escapar."

Após o treinamento entre eles na primavera de 2007, em Los Angeles, Federer expressou a sua surpresa quanto ao fato de Sampras estar em tão boa forma e acompanhá-lo normalmente durante as sessões de treinamento.

"Nós jogamos uns ótimos sets e tie breaks. Fiquei contente por vê-lo ainda se divertindo ao jogar tênis." Quanto aos placares dessas partidas? "É segredo", brincou. "Surpreendentemente, ele jogou muito bem, mas não o suficiente para me vencer!"

Federer achou que ele e Sampras tinham muitas coisas em comum e poderiam falar abertamente sobre as suas vidas e as pressões durante o tour, bem como sobre experiências em certos torneios e, até mesmo, sobre jogadores contra quais ambos jogaram. Comparando a sua relação entre Woods e Pete, Federer disse: "Pete e eu jogamos os mesmo torneios e até contra os mesmo jogadores. Eu tenho muito mais em comum com Pete que com Tiger fora das quadras."

"Quando eu era novo no tour, mal falava com Pete", prosseguiu. "Em primeiro lugar, ele nunca estava por perto nas quadras e quando aparecia no vestiário, todos ficavam quietos, pois era muito respeitado pelos jogadores." Muitos anos mais tarde, Federer finalmente teve a chance de descobrir o que fazia Sampras ser tão único e o que o havia levado a tão perto da perfeição.

Antes do fim de 2006, Federer teve outra oportunidade de visitar pessoalmente Woods. Dois meses depois do US Open, Federer, Tony Roche e Mirka Vavrinec acompanharam Woods por 6 buracos na primeira rodada do HSBC Golf Championship, no Sheshan Golf Club, em Xangai, antes do Tennis Masters Cup. Woods teve uma atuação apagada: "Infelizmente, minhas tacadas não estavam muito precisas", explicou.

Woods terminou em 2º lugar em Xangai naquela semana; já Federer deu um passo à sua frente e venceu o seu terceiro Tennis Master Cup. Diferentemente dos anos anteriores, ele chegou ao Tennis Master Cup depois de uma temporada de outono muito bem-sucedida e sem grandes problemas de lesão.

Depois do US Open, Federer voltou à Copa Davis e liderou a Suíça na vitória contra a Sérvia — mais uma vez, garantindo o time no Grupo Mundial —, ao derrotar Janko Tipsarevic e Novak Djokovic nas simples. Então, pela primeira vez em sua vida, viajou para o Japão e derrotou Tim Henma, para vencer o título em Tóquio. Duas semanas depois, venceu o seu primeiro título em solo espanhol, ao derrotar Fernando Gonzalez, do Chile, e levar o torneio do Masters Series em Madri. Uma semana depois, Federer

Dois novos amigos

alcançou um de seus objetivos mais importantes na carreira, ao conquistar o título do torneio realizado em sua terra natal — o Aberto da Suíça, na Basileia. Federer novamente enfrentou Gonzalez na final e, depois de sua vitória por 6-3, 6-2 e 7-6 (3), comemorou comendo pizza com os meninos pegadores de bolas na St. Jakobshalle. Ele não esquecera que, anos antes, quando criança, também fora um pegador de bolas.

Em Xangai, o único desafio de Federer acabou sendo Roddick, que teve 3 match points na primeira fase da competição, o *round robin*, antes de sair derrotado. Depois de uma vitória impressionante nas semifinais contra o seu maior rival, Rafael Nadal, Federer garantiu uma vitória fenomenal contra Blake, o finalista inesperado, por 6-0, 6-3 e 6-4, e conquistou o título do campeonato. "Eu nunca vi ninguém jogar tênis melhor", Roche disse, orgulhoso. O título era o primeiro de Federer na China, e o jogo contra Blake aumentou a sua sequência de vitórias para 29 partidas.

Após o ano dos sonhos de Federer, os livros da história do tênis tiveram de ser revisados novamente. Embora tivesse apenas competido em 17 torneios, durante o ano de 2006 ele ganhou mais de 8.343.885 dólares em prêmios, passando o recorde de Sampras por quase 2 milhões de dólares. "O título de Masters em Xangai é o desfecho perfeito de uma temporada sensacional", falou Federer, que chegou à final de 16 dos 17 eventos em que participou e ganhou 12 títulos, um recorde em sua carreira. Com um marco de vitórias e derrotas em 92-5, ele se tornou o primeiro jogador desde 1982 a vencer mais de 90 partidas de simples em uma única temporada. Federer também foi o primeiro jogador profissional com, pelo menos, 10 títulos em cada temporada, por 3 anos seguidos.

Fazendo uma retrospectiva, ele ficou a 2 sets de ser o terceiro homem a fazer o Grand Slam. Se não tivesse perdido o quarto e último set para Nadal em Roland-Garros, ele o teria sido alcançado, embora a pressão que encarara em Wimbledon e no US Open tivesse sido, obviamente, muito maior.

35

Nota 10

Depois de seu triunfo em Xangai, encerrando a sua temporada mais bem-sucedida até aquela época, Roger Federer tirou férias prolongadas. Ele e Mirka Vavrinec viajaram para as Malvinas, onde relaxaram nas praias e assistiram a filmes, deixando o mundo do tênis para trás.

Após 2 semanas de treinamento no mês de dezembro, em Dubai, com Tony Roche e Pierre Paganini, Federer, em seu novo papel como o Embaixador da Unicef, viajou para a Índia pouco antes do Natal e lá visitou escolas, orfanatos e programas de educação contra o HIV em Tamil Nadu, o Estado indiano mais afetado pelo tsunami de 2004.

"A temporada de 2006 foi a minha melhor, sem dúvidas", disse. "Eu não acho que poderia ter jogado melhor. Agora, é uma questão de manter esse nível." No intuito de conseguir isso, ele pretendia usar a sua energia da maneira mais eficiente. "Eu aprendi que é mais importante fazer pausas entre as competições e estar bem preparado para os torneios seguintes do que tentar jogar todas as competições", admitiu. Essa filosofia, infelizmente, custou a sua participação na Copa Davis novamente. Pelo terceiro ano consecutivo, Federer deixou de lado as suas obrigações com a Copa Davis, mesmo com a Suíça sendo a anfitriã de uma rodada contra a Espanha. Apesar da oposição inicial de Roche, Federer também decidiu não participar do primeiro torneio do ano em Doha, onde ele havia começado a sua temporada

Nota 10

189

de conquistas dos campeonatos nos últimos 2 anos. O novo mote de Federer era "menos é mais".

Depois de mais alguns dias de folga entre o Natal e o Ano Novo, Federer chegou à Melbourne e ao Australian Open sem ter jogado nenhum campeonato oficial da ATP como aquecimento. Ele chegou a fazer algumas partidas no Kooyong Classic, o evento anterior que acontece no Kooyong Tennis Club, em Melbourne. Surpreendentemente, Federer perdeu na final para Andy Roddick, mas como não se tratava de uma partida oficial, ele não ficou nem um pouco chateado com a derrota.

Atiçada pelo novo técnico Jimmy Connors, a carreira de Roddick estava de volta nos trilhos. Além de ter sido o vice-campeão no US Open, Roddick havia vencido o Masters Series em Cincinnati e, depois de seu desempenho contra Federer no US Open e em Xangai sua vitória sobre o suíço no Kooyong Classic, muitos especulavam que Roddick estava alcançando Federer. O alvoroço aumentou quando eles se encontraram nas semifinais do Australian Open. Roddick havia perdido 12 dos 13 encontros com Federer, mas, quanto mais longa era a sequência de derrotas, maior a plausibilidade de que Federer acabaria tropeçando e sendo vencido por Roddick.

O que muitos haviam previsto como uma vitória surpreendente para Roddick acabou virando um dos dias mais amargos na carreira do americano. Federer fez daquela partida uma obra-prima — um dos melhores jogos de sua carreira. Ele estava em uma desvantagem de 3-4 no primeiro set quando, então, venceu 15 dos 17 games seguintes e faturou a semifinal por 6-4, 6-0 e 6-2, em 83 minutos. "Foi quase surreal", Federer tentou explicar. "Eu estou chocado comigo mesmo pelo fato de ter jogado tão bem." As estatísticas ficaram incrivelmente favoráveis quando Federer teve tantos golpes vencedores quanto Roddick teve de pontos. Federer conseguiu encaixar 45 golpes vencedores contra 11 de Roddick; enquanto o suíço ganhou 83 pontos, o americano levou 45.

Federer também superou Roddick por 10 a 4 em números de aces, não teve o seu serviço quebrado e converteu todas as 7 oportunidades de quebrar o de Roddick. Em determinado ponto, Federer venceu 12 games consecutivos, para abrir uma vantagem de 3-0 no terceiro set. A melhor jogada da partida veio no ponto de abertura do quarto game do segundo set. Roddick soltou um poderoso forehand de uma distância curta, que caiu próximo à linha de fundo. Em vez de sair da frente da pancada de forehand, Federer se inclinou para esquerda em direção da bola e rebateu no reflexo um meio voleio de backhand – e a bola viajou, cruzando a quadra, para confirmar mais um golpe vencedor.

"Querido, você tem sérios problemas", Mirka brincou com Federer após o seu retorno de um dia de trabalho ao vestiário. O homem que fez 2 Grand Slams, Rod Laver, testemunha da apresentação tenística perfeita do suíço, também apareceu no vestiário para parabenizar o vencedor. "Roger jogou impecavelmente", disse Laver. "Ele utilizou todos os golpes existentes, e Andy ficou um pouco frustrado. A única coisa possível de se fazer é ir até a rede, dar um aperto de mãos de dizer: meus parabéns!"

A coletiva de imprensa de Roddick após a partida foi uma das mais difíceis de sua carreira, porém o americano encarou a derrota amarga como homem e foi capaz de, pelo menos, tratá-la com um pouco de humor. "Foi horrível. Sabe, digno de pena. Uma porcaria. Terrível... Fora isso, até que foi bom", brincou. Federer, ele disse, merece todos os elogios que lhe foram confiados.

Federer alcançou a 7ª final de torneio de Grand Slam consecutiva — igualando o recorde de 73 anos do australiano Jack Crawford. Ao alcançar as semifinais, Federer quebrou o recorde de Ivan Lendl de 10 semifinais consecutivas em torneios de Grand Slam. Porém, ele estava cauteloso para não comemorar antes da hora. Um ano antes, na final do Australian Open, ele quase perdera para o novato Marcos Baghdatis. O seu oponente na final era o embaladíssimo Fernando Gonzalez, e Federer não queria deixar os seus nervos — ou qualquer outra coisa — o impedirem de ganhar mais um título em torneios de Grand Slam. Gonzalez derrotou Lleyton Hewitt, James Blake, Rafael Nadal e Tommy Haas no caminho de sua primeira final em um dos 4 maiores torneios do tênis. Ele era o terceiro chileno a chegar a uma final de torneio de Grand Slam, depois de Luis Ayala, o finalista do Roland-Garros de 1958 e 1960, e Marcelo Rios, o finalista do Australian Open de 1998. Gonzalez queria desesperadamente se tornar o primeiro jogador de seu país a vencer um torneio de Grand Slam.

Pela segunda vez, Federer chegava a uma final de torneio de Grand Slam sem perder sequer um set. Em 2006, em Wimbledon, ele também vencera 18 sets seguidos no seu caminho para a final, antes de Nadal conseguir arrancar um set no tie break e manchar uma campanha perfeita para o título do torneio. Apesar da busca de Federer pela campanha perfeita, Gonzalez começou destemidamente a sua primeira final de torneio de Grand Slam, em uma noite fria de janeiro. Sacando no primeiro set quando estava 5-4, Gonzalez teve 2 set points ao placar de 40-15, porém Federer fez um voleio elegante para salvar o primeiro e foi beneficiado por uma bola na rede do chileno para defender o outro set point. Como ficou claro mais tarde, essas seriam as únicas chances de Gonzalez na partida.

Nada poderia parar Federer depois de ele ganhar o tie break do primeiro set por 7-2. O suíço não teve receio em enfrentar o potente forehand do chileno, enquanto convertia golpes vencedores com seu backhand em direção à rede.

Às 22h08min, horário local de Melbourne, Federer caiu na quadra após converter o seu primeiro match point na partida para fechar com o placar de 7-6 (2), 6-4 e 6-4. Gritou de felicidade e deitou-se na quadra devido ao cansaço. Os pais de Federer, Lynette e Robert, viajaram até a Austrália pela primeira vez para assistir Federer com os pais de seu técnico já falecido, Peter Carter.

A partida foi impecável em todos os sentidos. A sua vitória era a décima em 10 partidas contra Gonzalez — sendo o chileno o primeiro jogador a perder 10 vezes seguidas para Federer. Era o 10º título em torneios de Grand Slam de sua carreira e a primeira vez que ganhava um torneio desses sem perder 1 set. Federer foi o primeiro jogador a ganhar, sem perder nenhum set, em um dos 4 maiores torneios do tênis, desde Björn Borg, no Roland-Garros de 1980. Os dois outros jogadores a alcançarem tal feito na "Open Era" foram Ilie Nastase, no Roland-Garros de 1973, e Ken Rosewall, no Australian Open, em 1971. Em sua busca para encontrar a perfeição, Federer estava mais perto de seu objetivo do que nunca. O jornal *Age* trazia a seguinte manchete no dia seguinte: "O 10 Perfeito."

Com o seu 10º torneio de Grand Slam, Federer passou para o 5º lugar no ranking de todos os tempos — igualando-se ao americano Bill Tilden, que, na década de 1920 e no começo da década de 1930, era o grande nome do tênis mundial. "Sair de um 9 para um 10 é um grande passo", Federer disse depois de sua 36ª vitória consecutiva. Agora ele precisava apenas de mais 4 títulos de torneios de Grand Slam para empatar com o recorde de Pete Sampras, com 14 títulos. Além do americano, apenas Roy Emerson (com 12), Rod Laver e Björn Borg (cada um com 11) estavam à frente do suíço. Federer venceu 9 dos últimos 13 e 6 dos 7 últimos torneios de Grand Slam e também foi um dos finalistas em Paris — marcando uma campanha sem precedentes.

Federer conhecia bem os fantasmas da história do tênis e os seus novos rivais — os livros de recordes. No dia 26 de fevereiro de 2007, o seu nome apareceu no topo do ranking da ATP pela 161ª semana consecutiva — quebrando o recorde de Jimmy Connors, que sentou no trono do número 1 do ranking por 160 semanas consecutivas na década de 1970. Federer então depositou os seus esforços em alcançar outro recorde no ranking — 286 semanas como o número 1 do mundo —, estabelecido por Sampras. "O meu objetivo é permanecer como o número 1 do mundo o máximo de tempo que puder, ganhar o máximo de torneios possível, de preferência os de Grand Slam", disse. "Mas eu não vou ficar maluco como Tiger Woods, que apenas deseja quebrar o recorde de Jack Nicklaus de 18 títulos dos torneios mais importantes no golfe."

36

De volta para a terra

Agora, depois de ter vencido 2 vezes seguidas 3 títulos de torneios do Grand Slam — o primeiro jogador a fazer isso na "Open Era" —, Roger Federer estava também convencido que era capaz de fazer o Grand Slam e se juntar a Don Budge e Rod Laver como os únicos jogadores a conseguirem esse feito improvável. "Isso pode não ser o objetivo de minha temporada, mas eu vou fazer o meu melhor para aumentar as minhas chances", disse, no começo de 2007.

Porém, na primavera daquele mesmo ano, Roger Federer finalmente teve de colocar os seus pés no chão — e duramente. Após uma longa campanha quebrando recordes, ele começou a mostrar o seu lado de mortal. Em março, a sua sequência de partidas sem perder foi quebrada de maneira chocante na primeira rodada em Indian Wells, Califórnia, a sua primeira derrota em 7 meses. Guillermo Cañas, um *lucky loser*, perdeu na última rodada do torneio de qualificação, o *qualifying*, e conseguiu vaga na chave principal graças a desistência de um outro jogador) no torneio — e no meio de seu regresso de uma suspensão por doping, derrotou Federer por 7-5 e 6-2.

Federer teve a sua chance de revanche em Key Biscayne, Flórida, mas Cañas, incrivelmente, ganhou de Federer mais uma vez, com o placar de 7-6 (2), 2-6 e 7-6 (5), nas oitavas de final. Enquanto Federer estava invicto, nos anos de 2005 e 2006, em Key Biscayne e Indian Wells, ele foi capaz de vencer apenas 2 partidas nos dois campeonatos juntos em 2007.

194   A biografia de Roger Federer

A temporada de saibro começou com outra derrota, quando ele foi vencido por Nadal na final do torneio de Monte Carlo. Então, em Roma, Federer foi uma cópia apagada de si mesmo no Foro Italico, contra o italiano Filippo Volandri. Uma derrota por 6-2 e 6-4 marcou a sua pior partida dos 3 anos anteriores. A última vez que Federer havia perdido 3 torneios consecutivos havia sido em 2003.

O mundo do tênis estava perplexo com o desempenho de Federer, porém, 3 dias mais tarde, ficou claro o porquê de Federer não estar jogando em seu nível normal. No seu site, o suíço anunciou que ele e seu técnico haviam se separado. Foi uma grande surpresa. Com Roland-Garros a apenas 2 semanas de começar, nada indicava a separação. Para Federer, era a consequência lógica do desenvolvimento do que havia começado há alguns meses. Como aconteceu com Peter Lundgren, ele havia superado Tony Roche. A comunicação entre eles parou quase que completamente. Eles não se falavam pelo telefone havia meses e Federer esperava um compromisso maior do homem mais importante ao seu lado. O fato de que Roche, com 62 anos de idade, passava a maior parte do tempo em seu país, a Austrália, e não gostava muito de viajar colocou um peso adicional na relação.

Enquanto Roche voltava para Sydney, Federer, em Hamburgo, explicava a separação de maneira sóbria, sem direcionar a culpa. "Nós não estamos nos comunicando muito", disse. "Acho uma pena ter a possibilidade de juntar a experiência entre Tony Roche e Roger Federer e não transformar isso em algo especial. Teoricamente se está junto, mas na prática não é bem assim."

Roche poderia reclamar o seu direito de ter sido o técnico de Federer durante 6 títulos de torneios de Grand Slam. Na verdade, o relacionamento entre eles em torneios de Grand Slam começou bem ruim, com Federer perdendo nas semifinais do Australian Open e de Roland-Garros, em 2005. Roche estava na Austrália quando o suíço conquistou o US Open de 2005 e 2006. Ele apenas assistiu ao vivo as vitórias de Federer em Wimbledon nos anos de 2005 e 2006 e em Melbourne nos anos 2006 e 2007.

Em seu primeiro torneio depois da separação oficialmente anunciada, o Aberto da Alemanha, em Hamburgo, Federer mostrou que havia tomado a decisão correta. Ele venceu o torneio pela quarta vez, com uma partida impressionante — e histórica — contra Rafael Nadal. O placar de 2-6, 6-2 e 6-0 marcou a primeira vez em que ele foi capaz de vencer o espanhol em quadras de saibro e também quebrou um sequência de Nadal de 81 partidas

De volta para a terra

vitoriosas naquele piso, o recorde de todos os tempos no tênis masculino. Depois da partida, como um jogador de futebol, Nadal pediu a Federer a camiseta com a qual ele jogou a partida. E, obviamente, a recebeu.

Em Roland-Garros, Federer aumentou as esperanças de muitos de seus fãs quando chegou à final pelo segundo ano consecutivo. E, mais uma vez, Nadal o estava esperando na última partida do torneio. Paris não é como Hamburgo ou Wimbledon. As quadras de saibro no Bois de Boulogne eram como uma fortaleza para o espanhol — e ele não estava disposto a perdê-la. Federer começou imprimindo um ritmo forte, porém não conseguiu converter nenhuma de suas 10 oportunidades de break points e perdeu o primeiro set por 6-3. O suíço, então, empatou a partida, ao vencer o segundo set, mas Nadal provou estar muito preparado e começou a se distanciar no placar. Com muita confiança, Nadal venceu por 6-3, 4-6, 6-3 e 6-4 e garantiu outro título em quadras de saibro para somar às suas conquistas anteriores no ano, em Monte Carlo, Barcelona e Roma.

"Entenda do jeito que quiserem — estou decepcionado por ter perdido. Não ligo para como eu joguei nos últimos 10 meses ou nos últimos 10 anos. No fim de tudo, eu queria ter vencido essa partida", disse Federer na coletiva de imprensa que ocorreu em seguida. "Eu não consegui. Foi uma pena. Mas a vida continua..."

37

O convidado de honra no camarote real

Quando Björn Borg virou um astro pop do tênis, na década de 1970, Roger Federer nem mesmo havia nascido. O sueco, que John McEnroe dizia lembrar um deus viking, nunca foi um dos ídolos de Federer. No entanto, Federer conhecia a sua carreira e as suas proezas antes de ele se aposentar no tênis profissional, quando estava apenas com 26 anos de idade. Muitas pessoas comparavam Federer a Borg, que venceu Wimbledon 5 vezes seguidas e conquistou Roland-Garros por 6 vezes, porém sempre saiu do US Open de mãos vazias.

Federer só veio a conhecer o sueco pessoalmente em 2006, quando Borg lhe entregou o troféu do campeonato em Dubai. Eles se reencontraram em novembro do mesmo ano, novamente nos Emirados Árabes e, dessa vez, por iniciativa de Federer. "Eu estava em Dubai havia alguns dias quando ouvi falar que Borg estaria na cidade para fazer uma partida de exibição", recordou. "Eu tive a excelente ideia de convidá-lo para uma sessão de treinamento." Na manhã seguinte, às 10h da manhã, eles se enfrentaram em uma quadra de tênis. "Era como um sonho", disse Federer. "No fundo, eu tive de rir, porque pensava: olha, esse backhand é ainda o mesmo, igualzinho aos vídeos dos velhos tempos."

Desde que Borg agitou o mundo do tênis, em 1981, ele raramente era visto nos torneios de Grand Slam. Porém, começou a achar que já era hora de voltar para os palcos que conhecia tão bem. No dia antes da final de Wimbledon,

O convidado de honra no camarote real

em 2007, entre Federer e Nadal, ele se encontrou com um grupo de jornalistas no jardim da Murray Road 42, na Wimbledon Village. O homem rejuvenescido de 51 anos recordou da primeira vez em que ligou para Federer, após o jovem suíço ter derrotado Pete Sampras em Wimbledon, na temporada de 2001, impedindo o americano de vencer o seu 5º título consecutivo no All England Club e, assim, igualar o seu recorde de pentacampeão consecutivo. Nesse dia, porém, ele admitiu que torcera para Federer igualar o seu feito. "Não há uma pessoa mais capaz do que Roger para alcançar isso", disse. "Seria muito bom se ele não apenas igualasse meu recorde, e sim o quebrasse." Borg disse acreditar que Federer poderia vencer Wimbledon umas 8 vezes.

Pela primeira vez, Federer não participou do torneio de grama que precede Wimbledon. Também incomum foi o fato de, entre o sábado da primeira semana até a quinta-feira da segunda semana do campeonato, Federer nem mesmo ter colocado os pés na quadra para uma partida. Isso se devia particularmente ao mau tempo britânico, que arruinou o itinerário do torneio. Federer, pelo menos, estava preparado para o tempo frio, pois a Nike o proveu de roupas para as duas semanas: uma jaqueta branca, um suéter e, pela primeira vez, calças brancas com vincos e zíperes nas laterais. Tommy Haas foi a primeira razão para a ausência de Federer nas quadras, pois o alemão teve de abandonar a competição na quarta rodada, em virtude de uma lesão em um músculo abdominal. Enquanto Federer, já nas quartas de final, descansava nas pausas, por causa da chuva, em segurança, Rafael Nadal estava travando uma batalha maratônica com potencial para estabelecer um novo recorde, na medida em que a sua partida pela terceira rodada contra Robin Soderling se estendeu do sábado até a quarta-feira. Demorou 5 dias e 5 sets para que o espanhol finalmente se declarasse vitorioso.

A questão para Federer era quanto a ser ou não capaz de retomar o seu ritmo a tempo para as rodadas finais do torneio. Ele havia perdido o primeiro set para Juan Carlos Ferrero, mas se manteve focado na partida e acabou vencendo em 4 sets. Depois, ganhou facilmente do francês Richard Gasquet e avançou para a final. Nesse meio-tempo, Nadal venceu nas oitavas, quartas e semifinal, em um período de 3 dias, para, assim, promover a partida de revanche pela final do ano anterior entre os dois melhores jogadores do mundo. A final, jogada na Quadra Central, desprovida de qualquer tipo de cobertura ou proteção, em virtude de sua construção, imediatamente se tornou um clássico.

Federer abriu uma vantagem de 3-0, mas não foi capaz de se manter na liderança. No tie break, ele parecia ganhar o primeiro set, quando, ao placar

198 A biografia de Roger Federer

de 6-3, Nadal rebateu uma bola aparentemente para além da linha de fundo, interpretada como fora. Entretanto, pela primeira vez na história de Wimbledon, o programa *Hawk-Eye*, que desenha a trajetória mais provável da bola por meio de computação gráfica, foi usado no campeonato. Nadal desafiou a jogada, que foi revertida quando as telas mostraram que a bola havia tocado a linha. Talvez irritado com esse fato, Federer então permitiu que Nadal empatasse o tie break, por 6-6. Um voleio de backhand, por fim, selou o primeiro set com a sua vitória depois de 4 pontos. Nadal, então, reagiu rapidamente e empatou a partida, ao vencer o segundo set por 6-4. Outro tie break decidiu o crucial terceiro set, quando Nadal começou a mostrar sinais de cansaço. Federer, tirou proveito da situação e abriu uma vantagem de 2 sets a 1, ao garantir o tie break do terceiro set por 7-3.

Enquanto Federer esperava que o quarto set lhe trouxesse a vitória, este acabou só lhe trazendo complicações. Ele teve o seu serviço quebrado logo no primeiro game, depois de estar ganhando por 30-0. Nadal, mais uma vez, se beneficiou do sistema eletrônico, assim que outro desafio bem-sucedido deu a ele a oportunidade do break point. Federer implorou para que o juiz de cadeira, Carlos Ramos, desligasse o sistema. "Esse negócio está acabando comigo hoje", disse para ele.

Liderando por 4-1 no quarto set, Nadal foi forçado a enfaixar o seu joelho direito, mas não mostrou sinais de estar gravemente machucado e continuou jogando em alto nível. Depois de 3 horas e 7 minutos, Nadal finalmente forçou Federer para o quinto set, a primeira vez desde 2003 que o tetracampeão teve de decidir uma partida no set derradeiro no All England Club. Jogar 5 sets não era o forte de Federer. Ao entrar na final, ele havia perdido 7 das suas 10 últimas partidas de 5 sets e 10 das suas últimas 19 partidas de 5 sets. O pensamento na sala de imprensa era de que Federer estava em apuros. Um jornalista italiano exclamou: "Federer não vai conseguir sair dessa hoje", o que ecoou no sentimento de muitos.

Federer demonstrou que não estava disposto a desistir do seu trono em Wimbledon tão facilmente. Ele defendeu 2 break points quando estava 15-40 e 1 game a 1 e, então, teve de fazer a mesma coisa quando o jogo estava empatado em 2 games a 2, tudo isso no quinto set, mostrando o seu lado mágico e um tênis espetacular para se manter na liderança. Com o placar, pela primeira vez, em 3-2, depois de quase 2 horas, Federer quebrou o serviço de Nadal para conseguir uma vantagem de 4-2. Demorou apenas 2 minutos para Federer confirmar o seu serviço e deixar o set em 5-2 a seu favor. A partir daí, a partida terminou rapidamente.

O convidado de honra no camarote real   199

Após 3 horas e 45 minutos, Federer quebrou o serviço de Nadal e terminou a partida no seu segundo match point. Depois de garantir a vitória por 7-6 (7), 4-6, 7-6 (3), 2-6 e 6-2 com um golpe vencedor, Federer soltou a raquete e o corpo ao chão. Björn Borg, que estava no camarote real, aplaudiu o esforço de Federer. Pouco depois da cerimônia de premiação, o sueco foi um dos primeiros a parabenizar o pentacampeão no vestiário.

Federer e Borg não poderiam ser mais diferentes como tenistas. O sueco era uma máquina de rebater bolas, que queria manter o tênis o mais simples possível. O suíço, em contraste, tentava rebater a bola de maneiras diferentes e trabalha combinações de golpes inusitadas. Depois de sua vitória, os dois ficaram juntos para a história do tênis como pentacampeões consecutivos em Wimbledon em simples masculina.

Após Wimbledon, Federer tirou férias em Dubai, mas voltou logo às quadras, assim que o seu preparador físico, Pierre Paganini, o capitão do time da Copa Davis, Severin Luthi, e o seu parceiro de duplas, Yves Allegro, viajaram para o Golfo Pérsico para as sessões de treinamento. Federer também incluiu na viagem os melhores jogadores do mundo na categoria juvenil: o canhoto Jesse Levine, da Flórida, e Ricardas Berankis, da Lituânia (que ganharia o US Open juvenil, mais adiante, no verão). As temperaturas eram tão altas nos Emirados Árabes que a maioria dos treinamentos tinha de ser feita no começo da noite. Federer não tinha problemas em se motivar, já que Rafael Nadal estava chegando, de maneira ameaçadora, mais próximo do seu ranking de número 1. Logo após Wimbledon, o espanhol vencera seu 6º torneio do ano em Stuttgart, na Alemanha. Pouco tempo antes, Federer havia passado o recorde de Jimmy Connors de mais semanas consecutivas como o número 1 do ranking da ATP (160 semanas) e, no verão, ele eclipsou as 186 semanas de Steffi Graf como a número 1 no tênis feminino. Porém, agora, Nadal estava muito perto.

A viagem seguinte levou Federer para os torneios de Montreal, Cincinnati e o US Open em Nova York. O corpo de Nadal cobrou o seu preço nas quadras duras dos Estados Unidos. Em Cincinnati, ele foi forçado a abandonar a competição por causa de tonturas. Durante o US Open, o seu joelho não suportou, e ele perdeu nas oitavas de final para o seu compatriota David Ferrer.

Neste ínterim, Federer chegou à final em Montreal e perdeu pela primeira vez para o sérvio de 20 anos, Novak Djokovic, uma nova ameaça no

200

A biografia de Roger Federer

tênis masculino, que escalou para o número 3 do ranking mundial. A derrota acabou por se tornar uma benção disfarçada, pois serviu como um incentivo para o suíço. Em Cincinnati, uma semana depois, ele jogou soberbamente para garantir o seu 50º título na carreira e, no US Open, alcançou a final, na qual novamente teve de enfrentar o sérvio — e ele estava realmente querendo a sua revanche. Djokovic jogou de maneira admirável a sua primeira final em um dos grandes torneios do tênis, porém mostrou-se um tanto nervoso nos momentos importantes. Djokovic se viu com a possibilidade de fechar o primeiro set quando o placar estava em 6-5, 40-0, no entanto, Federer lutou contra 5 set points e acabou quebrando o serviço do sérvio para vencer o tie break por 7-4. No segundo set, Djokovic não conseguiu converter os seus 2 set points, e Federer acabou vencendo o tie break por 7-2. Federer então garantiu o seu 4º US Open seguido ao vencer o terceiro set por 6-4, recebendo 2,4 milhões de dólares, que incluíam um bônus de 1 milhão de dólares por ter conquistado o que é chamado de US Open Series. Federer arrecadou, durante o verão, mais pontos do que qualquer outro jogador nas duras quadras norte-americanas e, por isso, ganhou um prêmio extra em dinheiro da US Tennis Association.

Federer se tornou o primeiro jogador a vencer o US Open 4 vezes seguidas desde o americano Big Bill Tilden, que conquistou o campeonato por 6 vezes consecutivas, de 1920 a 1925. Com a quarta dobradinha Wimbledon/US Open, Federer também alcançou algo que ninguém acreditava ser possível antes de sua era. Aos 26 anos de idade, estava a 2 títulos de igualar-se ao recorde de Pete Sampras de 14 títulos de torneios de Grand Slam.

Sobre o recorde de todos os tempos, Federer disse: "Penso muito sobre isso; chegar tão perto, com a minha idade, é fantástico, e eu espero quebrá-lo."

38

Decepções

No começo da temporada de 2008, Roger Federer estava em 2º lugar na lista dos maiores campeões em torneios de Grand Slam em simples masculina, empatado com Roy Emerson, com 12 títulos de simples. Pete Sampras era o primeiro, com 14 títulos. Os resultados do suíço de 26 anos nos 4 torneios mais importantes do tênis eram quase assustadores: ele havia chegado a 10 finais consecutivas e perdido apenas 2, ambas em Paris e para Rafael Nadal. Foi capaz de manter o alto rendimento do seu jogo nos 4 torneios em um período de 4 anos. Federer era único na história do tênis, pois teve a competência de vencer 3 dos 4 grandes campeonatos na mesma temporada por 3 anos (2004, 2006 e 2007). Sentiu-se tão forte a ponto de se achar capaz de alcançar o objetivo derradeiro no seu esporte — o Grand Slam —, conquistando todos os grandes torneios no mesmo ano, como Rod Laver o fez 2 vezes, em 1962 e 1969, e Don Budge, em 1938.

No início da temporada, Federer disse: "O Grand Slam não é um objetivo propriamente, mas vou fazer de tudo para melhorar as minhas chances."

O seu plano não saiu como desejado. Antes do Australian Open, em janeiro, problemas no estômago o impediram de se preparar apropriadamente para o evento. Soube-se mais tarde que o seu problema estomacal era mais sério, quando foi levado a um pronto-socorro em Melbourne, onde foi diagnosticada uma gastrite viral, aparentemente causada por carne de frango contaminada. Ele teve febre, foi tratado com antibióticos e perdeu

202 A biografia de Roger Federer

quase 3,5 quilos. Por quase 10 dias, a virose o impediu de prosseguir com suas atividades.

Quando o dia de abertura do torneio chegou, Federer estava pronto para começar. No entanto, seus movimentos pareciam estar mais lentos. Na terceira rodada, ele teve de lutar por 4 horas e meia contra Janko Tipsarevic, da Sérvia, antes de, finalmente, vencer no quinto set por 10-8. Ele conseguiu chegar às semifinais, mas não alcançou a sua 11ª final de torneios de Grand Slam, ao perder por 7-5, 6-3 e 7-6 (5) para Novak Djokovic. Era a primeira vez que perdia sem vencer nenhum set em um torneio de Grand Slam desde Roland-Garros, em 2004. O sonho de fazer o Grand Slam foi adiado por mais um ano.

Pior ainda: a saúde de Federer continuava a ser uma preocupação depois do torneio. Antes do Natal de 2007, ele ficou doente em Dubai e disse estar se sentindo "completamente exausto". Em fevereiro, ficou novamente doente, dessa vez, durante as férias, no Cantão de Graubuenden. No hospital, os médicos fizeram uma descoberta surpreendente: ele havia contraído mononucleose infecciosa. Em casos sérios, essa virose comumente pode causar um declínio na carreira de um atleta ou, no pior dos casos, encerrá-la. Os sintomas são febre alta, dores nos membros e articulações, dores abdominais, cansaço extremo e dor de garganta, sendo frequentemente confundida com uma gripe.

No dia 7 de março de 2008, Federer anunciou a sua condição por meio de uma entrevista para o jornal de Zurique *Tages-Anzeiger* e para o *New York Times*. "Os médicos descobriram que eu estava com mononucleose já fazia umas 6 semanas e que a doença já estava em seu estágio final", disse. Ele treinou levemente até o fim de fevereiro, quando os médicos em Dubai confirmaram que a doença já tinha sido curada. Federer confirmou: "Eles me disseram que estou produzindo anticorpos e completamente recuperado para voltar aos meus treinamentos."

Em Dubai, no seu segundo torneio do ano, Federer perdeu para Andy Murray na primeira rodada. Foi a primeira vez em um ano que ele foi derrotado na rodada de estreia de uma competição. A sua doença e os seus resultados colocaram tudo sob uma perspectiva diferente. Enquanto isso, Federer ponderava sobre o quão arriscado fora a sua participação em Melbourne. "Se soubesse o que realmente estava acontecendo, teria agido de maneira diferente", disse.

A sua rotina de treinamento estava completamente fora do eixo. Todo o trabalho e a preparação feitos em dezembro foram em vão. "Estou em defasagem de 20 dias de treino e agora estou tentando voltar ao ritmo", disse Federer. Para fazer isso, havia duas opções: uma longa pausa nos torneios ou treinamentos adicionais selecionados entre os torneios. Ele escolheu a segunda opção. Durante as semanas seguintes, marcou treinamentos de 2 a 3 dias com o seu preparador físico, Pierre Paganini. "O ritmo de torneios, o trabalho duro e a recuperação foram bem diferentes", Paganini explicou mais tarde. "Federer ficava cansado em fases em que não costumava cansar."

Depois de Dubai, foi agendada uma partida especial de exibição contra Sampras, na Madison Square Garden, em Nova York, esgotando os ingressos para quase 20 mil espectadores, incluindo celebridades como Tiger Woods e Donald Trump. A partida era uma celebração aos dois jogadores, que muitos consideravam os melhores de todos os tempos. Mas Federer estava sentindo dificuldades em apresentar o seu tênis de costume.

Em abril, um ano depois da separação de seu técnico Tony Roche, ele havia aumentado a sua equipe, ao contratar o especialista em quadras de saibro, o espanhol Jose Higueras, que havia trabalhado e vivido nos Estados Unidos e ajudado Michael Chang e Jim Courier em seus títulos em Roland--Garros. A colaboração durou apenas até o fim do ano. Exceto pelo pequeno torneio de quadra de saibro em Estoril, Portugal, onde o seu adversário da final, Nikolay Davydenko, teve de abandonar a partida em virtude de uma lesão, Federer foi eliminado em todas as competições que disputou. Perdeu para jogadores contra quais costumava vencer: Mardy Fish, em Indian Wells, Andy Roddick, em Miami, e Radek Stepanek, em Roma. Nos casos em que conseguiu chegar à final, havia sempre o mesmo jogador pela sua frente: Rafael Nadal. Federer perdeu para o espanhol em Monte Carlo, Hamburgo e, pela terceira vez seguida, na final de Roland-Garros.

A derrota em Roland-Garros foi uma das mais desconcertantes de sua carreira. Ele teve 8 de seus 11 games de serviço quebrados e foi derrotado em 1 hora e 48 minutos, por 6-1, 6-3 e 6-0. Essa derrota foi a mais categórica em uma final masculina em Roland-Garros desde 1977. As perguntas sobre se Federer iria estar totalmente recuperado de seu problema fisiológico para defender o título em Wimbledon começaram a circular.

Com a sua vitória em Paris, Rafael Nadal igualou-se a Björn Borg, ao conquistar, pela quarta vez seguida, o título de Roland-Garros. Ele estava jogando mais agressivamente e a todo vapor depois de ter vencido irrefutavelmente

204 A biografia de Roger Federer

Federer e conquistado a competição anterior a Wimbledon, nas quadras de grama do Queen's Club. Nadal alcançou a final pelo terceiro ano consecutivo, perdendo apenas um set no caminho. Federer também estava jogando de maneira consistente e habitual nas quadras de grama, como se nunca houvesse contraído mononucleose e como se a derrota esmagadora para Nadal em Paris nunca houvesse acontecido. Ele venceu pela décima vez consecutiva em um torneio de quadra de grama em Halle, sem grandes problemas, e chegou até a final em Wimbledon sem perder um set. Ao entrar em quadra para a final, o suíço estava invicto na grama em um período de 6 anos e 65 partidas e ambicionando juntar-se a Willie Renshaw como os únicos jogadores a ganharem 6 vezes seguidas o título masculino de simples em Wimbledon, sendo que Renshaw, que venceu os títulos de 1881 a 1886, conquistou 5 dos seus 6 títulos, indo direto para final sempre como o campeão da edição anterior.

O que aconteceu naquele chuvoso 6 de julho de 2008 na final de Wimbledon foi descrito pelo *Los Angeles Times* como a "tempestade perfeita", como um choque entre um tufão e um ciclone. Jon Wertheim, o americano cronista de esportes da *Sports Illustrated*, escreveu um livro sobre essa única partida (*Strokes of Genius*), no qual ele chama esse encontro de "a melhor partida de todos os tempos". Até mesmo John McEnroe e Björn Borg, cuja partida lendária em Wimbledon de 1980 reivindica o título de melhor de todas, concordaram que o jogo entre Federer e Nadal em 2008 foi a final mais dramática.

Ao longo da partida, houve grandes altos e baixos. Federer começou muito mal. Perdeu os primeiros dois sets por 6-4 e 6-4, embora tivesse obtido mais break points (6 a 4) e estivesse com uma vantagem de 4-1 no segundo set. Durante o terceiro set, começou a dominar com o seu forehand, mas, ainda assim, continuava a lutar para converter os break points. Em virtude da chuva, a partida foi suspensa quando Federer estava ganhando por 5-4. Assim que a partida foi reiniciada, após 80 minutos, os ventos haviam amenizado. Isso ajudou Federer, que começou, então, a jogar mais agressivamente e venceu o tie break do terceiro set, encaixando quatro aces, por 7-5.

No quarto set, o fim do reinado de 5 anos de Federer parecia inevitável. Para começar, ele ficou a apenas 2 pontos da derrota, ao servir com o placar de 4-5 e 0-30, mas, então, se soltou e forçou outro tie break. Ele começou perdendo por 5-2, deixando Nadal a 2 pontos da vitória. No entanto, o espanhol ficou nervoso. Com o match point em suas mãos, Nadal cometeu uma dupla falta, deixando o placar em 5-3. Federer, então, conquistou os 3 pontos seguintes para virar em 6-5 — set point. A tensão não podia ser

Decepções 205

maior. Federer perdeu o seu set point com um erro de forehand e teve de defender um match point com o placar em 6-7. E conseguiu, em virtude de um bom primeiro saque. Um golpe vencedor em cima da linha de forehand — longe do alcance de Federer — deu ao espanhol mais um match point, 8-7. Nadal deu o seu saque com a mão esquerda bem aberto e seguiu o retorno de Federer até a rede com um forehand atravessando a quadra, cheio de efeito e bem angulado. Com o seu reinado em perigo, Federer respondeu com uma passada de backhand espetacular em cima da linha. O suíço então alcançou outro set point com um potente golpe de forehand e fechou o tie break por 10-8, quando Nadal devolveu um segundo saque de Federer além da linha de fundo.

Pelo segundo ano consecutivo, Wimbledon seria decidido no quinto set.

Depois de cada jogador servir por duas vezes, o céu se fechou novamente, causando outra pausa por causa da chuva. Depois de 30 minutos, a partida teve prosseguimento, e Federer marcou 2 aces, para abrir uma vantagem de 3-2. Após outra troca de games de serviço, Federer teve um break point quando estava liderando por 4-3. Nadal contra-atacou e impediu que Federer sacasse para finalizar a partida, ao jogar mais agressivamente, convertendo o ponto ao rebater a bola sobre sua cabeça. Nadal, então, converteu os 2 pontos seguintes, para empatar o set em 4-4. Naquele momento da partida, cada jogador já havia feito 177 pontos.

Cada jogador fechou o seu game de serviço com facilidade para deixar o placar em 5-5. Enquanto a luz rapidamente se desvaia da Quadra Central, Federer, então, teve o seu game de serviço para deixar a partida em 6-5, salvando 2 break points. Nadal contra-atacou e empatou em 6-6, então, depois de mais um game de serviço de Federer, o espanhol empatou a partida mais uma vez, agora para deixá-la em 7-7.

A escuridão começou a se transformar em um sério problema — até mesmo os telespectadores não conseguiam ter certeza do que estava acontecendo. Muitos suspeitavam que, se a partida chegasse em 8-8, provavelmente teria de ser adiada para o dia seguinte. Infelizmente, para o suíço, a partida não chegou tão longe: os fortes retornos de Nadal deram a ele a vantagem de 15-40 no game de serviço de Federer. O suíço salvou os 2 break points com um ace e se beneficiou de um escorregão de Nadal na grama. Federer defendeu mais um break point, porém não teve a mesma sorte no quarto break point de Nadal no game, ao rebater a bola com um forehand de dentro para fora em cima da rede.

No game seguinte, em seu quarto match point do dia, Nadal garantiu a vitória, quando Federer rebateu a bola com um forehand novamente na rede. Assim que os flashes saídos da arquibancada começaram a iluminar a quadra, Nadal deitou-se de costas, em êxtase, ao vencer o quinto set por 9-7. Ele se tornou o primeiro espanhol campeão em Wimbledon desde Manolo Santana, em 1966, e foi o primeiro jogador desde Björn Borg, em 1980, a vencer em Roland-Garros e em Wimbledon no mesmo ano.

Era o ponto mais alto de sua carreira. O espanhol beijou o troféu de ouro de Wimbledon, por volta das 21h30min, em meio a uma rajada de flashes. A noite havia caído, e o clima era surreal. "Eu mal conseguia ver contra quem estava jogando", disse Federer. Não estava procurando por desculpas, "mas isso me incomoda demais e é difícil de aceitar que a partida de tênis mais importante do mundo aconteça com uma iluminação sob a qual é praticamente impossível jogar".

Apesar de tudo, Nadal não era um vencedor qualquer. Durante 4 horas e 48 minutos de jogo, ambos os jogadores tiveram 13 chances de quebra de serviço, das quais Federer converteu um, enquanto Nadal faturou 4. "Eu não consegui mostrar o meu melhor tênis quando tive a oportunidade, foi por isso que Rafa mereceu ganhar", disse o suíço. Mais tarde, em uma reunião particular com alguns jornalistas suíços, Federer admitiu como o seu fracasso em defender o título de Wimbledon o atingiu: "Essa é, com toda certeza, a minha pior derrota. Não poderia ser pior. É um desastre; a derrota em Paris não é nada comparada a essa. Eu estou decepcionado, frustrado e acabado."

39

Um duplo retorno para a glória

Depois de Wimbledon, em 2008, era óbvio que Roger Federer se manteria como o número 1 do mundo apenas no papel. Ele ainda liderava o ranking mundial, porém por uma vantagem mínima. Sendo assim, ele não poderia, legitimamente, afirmar ser o melhor jogador depois de Rafael Nadal ter ganhado em Roland-Garros e em Wimbledon. Quando Federer ganhou apenas uma partida nos campeonatos de Toronto e de Cincinnati no verão, ficou claro que o espanhol o ultrapassaria no ranking da ATP. Isso aconteceu no dia 18 de agosto. Para Federer, não era confortável não ver o seu nome no topo do ranking da ATP depois de 237 semanas — 4 anos e meio. O fim veio muito abruptamente.

Não demorou muito para Federer experimentar outra derrota amarga. Ela veio nos Jogos Olímpicos de Pequim, nos quais Federer esperava alcançar o maior objetivo de sua temporada — e de sua carreira — ao conquistar a medalha de ouro olímpica na disputa de simples masculina. Ele era uma das grandes estrelas dos Jogos; deu autógrafos e tirou fotos com vários atletas do evento. Nas quartas de final, porém, o seu sonho olímpico caiu por terra, quando perdeu por 6-4 e 7-6 (2) para o americano James Blake, um jogador do qual ele havia ganhado nas partidas anteriores em que se enfrentaram.

Enquanto os críticos debatiam sobre a derrota de Federer para Blake, algo inesperado aconteceu. Fazendo dupla com o seu jovem compatriota Stanislas Wawrinka, ele começou uma campanha na chave de duplas masculinas. Wawrinka, proveniente da parte oeste da Suíça, que havia lutado para chegar entre os 10 melhores jogadores do ranking em simples, havia vencido apenas 3 partidas de duplas com Federer até os Jogos Olímpicos. Eles derrotaram o forte time indiano formado por Leander Paes e Mahesh Bhupathi no caminho para as semifinais, nas quais surpreenderam os cabeças de chave número 1 e os favoritos à medalha de ouro, Bob e Mike Bryan, dos Estados Unidos. Daí em diante, ninguém mais conseguiu pará-los: eles derrotaram Simon Aspelin e Thomas Johansson, na partida pela medalha de ouro, por 6-3, 6-4, 6-7 (4) e 6-3. Depois da vitória, os 2 suíços se abraçaram como campeões olímpicos. Comemoraram fazendo a sua peculiar "dança do fogo", na qual Federer esquenta as suas mãos perto de seu parceiro, que fica deitado no chão fingindo ser uma fogueira, para simbolizar o quão em forma ele estava.

Comparado ao ouro em simples, que, ao final, Rafael Nadal acabou conquistando, muitas pessoas viam a medalha de Federer nas duplas como mero prêmio de consolação. Esse era particularmente o caso na Suíça, embora o ciclista Fabian Cancellara tenha garantido a única outra medalha de ouro para o país. "Como foi o Natal?", escreveu um comentarista de um dos maiores jornais na Suíça. "Nós estávamos tão empolgados como criancinhas esperando pelo novo brinquedo, mas acabamos ganhando duas meias de lã."

O que a vitória nas duplas significou para Federer foi logo visto no torneio seguinte, o US Open, que começou depois de apenas 8 dias das Olimpíadas de Pequim, do outro lado do mundo. Federer chegou à Nova York totalmente exausto. Por 4 dias, ele nem mesmo queria se mover. O seu corpo se negava a trabalhar, depois do verão brutal pelo qual passou, pela diferença de 12 horas no fuso horário e pela adaptação dos Jogos Olímpicos para o US Open.

"Assimilar o ouro olímpico, para mim, é tão complicado quanto um título de torneio de Grand Slam", disse. "Todas as vezes que me encontro com Stan, nós mal acreditamos no que aconteceu."

Embora tivesse ganhado apenas 2 campeonatos de menor importância, em Estoril e Halle — um ano decepcionante para os seus padrões —, Pequim lhe devolveu a sensação de ser um campeão novamente. "Eu me sinto motivado e inspirado de novo e também muito mais confiante", disse em Nova York. O seu humor também estava bem melhor quando participou da comemoração dos 40 anos da "Open Era" e foi aplaudido pela plateia mais do que qualquer outra lenda do tênis que estava no evento.

Um duplo retorno para a glória

209

Ele também percebeu que havia ganhado um lugar especial nos corações dos torcedores norte-americanos. Cada vez mais, as pessoas o reconheciam nas ruas, lhe demostravam o seu apoio e pediam autógrafos. Motoristas de táxi gritavam em sua direção, dizendo que ele era o melhor jogador de todos. Federer ficou comovido. "Eu joguei tantas partidas ótimas aqui e acho que as pessoas perceberam o quanto eu amo esse jogo", falou. Para uma propaganda da Nike, Federer e Rafael Nadal pousaram para fotografias como se fossem dois campeões pesos-pesados do boxe com o lendário promotor de boxe Don King. A foto foi colocada por toda a cidade de Nova York, em táxis, ônibus e muros.

Levado pelo apoio da torcida, Federer sobreviveu a uma duríssima partida de 5 sets contra o russo Igor Andreev na quarta rodada e prosseguiu no campeonato. Após ter derrotado Gilles Muller em 3 sets nas quartas de final, ele avançou, para enfrentar Novak Djokovic. Parecia estar de volta à velha forma, ao vencer o sérvio por 6-3, 5-7, 7-5 e 6-2 —, quando teve um *insight*: "Há momentos em que penso: é assim que eu normalmente jogo em quadras de piso duro. É assim que gostaria de jogar sempre." Agradeceu à torcida, dizendo: "Agora eu me sinto como um nova-iorquino."

Além da torcida em Nova York, o clima também estava a seu favor. Após a sua vitória contra Djokovic na primeira semifinal do US Open, no "Super Saturday", resíduos do Furacão Hanna alcançaram Nova York, e houve a necessidade da suspensão dos jogos. Nadal, que havia chegado pela primeira vez nas semifinais do US Open, de maneira surpreendente, estava perdendo para Andy Murray, por 2 sets a 0, quando as chuvas começaram. Quando o jogo continuou, no dia seguinte, ficou muito claro que, depois de ter vencido em Roland-Garros, em Wimbledon e nas Olimpíadas, Nadal não conquistaria o US Open. Murray decretou a sua primeira vitória sobre Nadal por 6-2, 7-6 (5), 4-6 e 6-4.

O escocês, que estava jogando a sua primeira final em um torneio de Grand Slam, pôde apenas ficar perto de Federer por um set. Às 19h04min da segunda-feira, de olhos fechados, boca aberta e as mãos sobre o peito, Federer caiu de costas depois de ter conquistado o título, por 6-2, 7-5 e 6-2, o seu 13º em torneios de Grand Slam. "Eu me senti invencível por um momento de novo", desabafou Federer. "Eu sempre soube que, se ganhasse mais um Slam, especialmente o último, as coisas não continuariam tão ruins como todo mundo tem falado. Eu não quis provar nada para ninguém ao vencer aqui, mas isso, definitivamente, tem um sabor muito doce." Disse, ainda: "Essa é, realmente, a melhor maneira possível de eu poder responder à perda do primeiro lugar no ranking. Eu nunca pensei que fosse possível vencer o US Open 5 vezes seguidas."

Apesar da vitória, Federer limitou o seu descontentamento aos seus críticos, que o deram como peso morto depois de seus fracassos durante o ano. "Eu estava decepcionado e um pouco irritado com muitos críticos, especialmente depois de Wimbledon", disse. "Na Suíça, era suportável, mas, fora do meu país, muitas pessoas não entenderam o que aconteceu. Eu tentei não ler nada negativo. Pessoas malucas escreveram para mim e queriam me dar conselhos, dizendo que eu precisava de ajuda psicológica ou física. Essa vitória agora vai acalmar a todos novamente."

O triunfo no US Open representou a grandeza que Federer havia mostrado com consistência, de 2004 a 2007. A sua temporada de 2008 começou com decepções, pela sua luta contra a mononucleose, a derrota em Wimbledon e a perda da primeira posição do ranking, porém terminou de uma maneira bastante imprevisível. Após a sua vitória em Nova York, Federer começou a sentir o fardo de uma temporada fisicamente exigente. Depois de vencer outro campeonato na Basileia, foi forçado a abandonar a sua partida com Blake, em Bercy. A sua falta de preparação, por causa de dores nas costas, o fez perder 2 partidas em seu grupo pelo torneio de fim de ano, em Xangai, e o impediu de chegar às semifinais pela primeira vez em sua 7ª participação no torneio.

O início da temporada de 2009 começou com outra derrota. Depois de 8 meses, ele perdeu mais um título de Grand Slam para Nadal, dessa vez em uma disputa de 5 sets na final do Australian Open, que terminou em 7-5, 6-3, 6-7 (3), 3-6 e 6-2, a favor do espanhol. Durante a cerimônia de premiação, Federer não conseguiu segurar a sua emoção e não conteve as lágrimas. Ele afirmou que era capaz de voltar a ser o número 1 do mundo e, mais uma vez, dominar o tênis. Muitos apenas riram diante de sua afirmação. Mais do que nunca, o público se perguntava: "Essa é realmente a Era Federer?"

40

Esconde-esconde particular

Por mais de 8 anos, Roger Federer teve Mirka Vavrinec como sua namorada. Constantemente esquivava-se quando o assunto era casamento e família. Já em 2004, durante um programa de tevê na Alemanha chamado *Wetten dass...*, que tem uma altíssima audiência, ele foi provocado pelo cantor pop britânico Robbie Williams, que lhe perguntou se iria casar com a sua namorada ou se, pelo menos, iriam ficar noivos.

Aqui e ali surgiam rumores de que o relacionamento não estava mais indo tão bem, mas regularmente Federer invalidava tais afirmações, declarando publicamente o seu amor por Mirka. Por exemplo, ao fim de uma temporada triunfante em 2006, disse, na cerimônia de premiação do Masters Cup, em Xangai: "As pessoas dizem que sou o melhor. Mas só consigo ser o melhor com ela ao meu lado." Em Hamburgo, no ano de 2007, depois de acabar com a sequência de 81 vitórias em quadras de saibro de Rafael Nadal, Federer imediatamente correu até Mirka e a abraçou com ternura. "Era o óbvio, pois Mirka me ajudou nas horas mais difíceis", declarou. Além disso, ele havia feito seu aquecimento para a partida com ela.

No entanto, no começo de 2008, o pensamento de Federer mudou em relação a ter uma família. "O assunto casamento está em pauta", disse, no início de 2008. "Uma família, um Rogerzinho seria legal, mas não para hoje nem para amanhã." Ainda assim, foi uma grande surpresa quando ele postou em seu site as seguintes linhas, pouco antes do torneio em Indian

Wells, Califórnia, no dia 12 de março de 2009: "Mirka e eu estamos muito empolgados por avisar a todos vocês que seremos pais este verão! Mirka está grávida, e estamos muito felizes por começar uma família juntos. Isso é um sonho se tornando realidade para nós."

A mensagem foi uma maneira apropriada de informar ao público sobre o evento mais importante da vida particular deles. Por mais que Federer gostasse de falar sobre a sua carreira, ele sempre se manteve calado sobre sua vida pessoal. Em um esforço para manter um pouco de sua privacidade, ele apenas deu as informações essenciais e não entrou em muitos detalhes. Gostava particularmente de sair meio às escondidas após os campeonatos, sem dizer a ninguém para onde estava indo.

"A atenção do público cresceu muito nos últimos anos", comentou, no verão de 2009. "Isso se deve aos meus patrocinadores, que fazem comerciais comigo por todos os lugares do mundo, embora eu não esteja lá. Sei que me torno cada vez mais famoso em todos os lugares e, com isso, a minha vida particular se torna mais e mais interessante. Mas Mirka não está procurando por atenção pública. Ela não quer se tornar uma celebridade e ter a sua foto estampada por aí. Tomara que consigamos manter o máximo de privacidade possível no futuro."

Federer tinha alguns truques na manga para o ano de 2009 — o ano mais turbulento em sua vida particular. Quando um repórter perguntou a ele sobre o bebê que estava chegando, ele não informou a data do nascimento ou sexo da criança, ou, mais importante ainda, que sabia desde janeiro que Mirka estava esperando gêmeos. (Em sua primeira partida após saber que seria pai de gêmeos, Federer derrotou Juan Martin del Potro por 6-3, 6-0 e 6-0, pelas quartas de final do Australian Open). Acompanhou alegremente os rumores sobre a sua paternidade começarem a rodar pelo mundo.

Federer também evitava falar sobre o seu casamento. Disse que não havia nada planejado, para tapear a mídia, em Indian Wells. Eles ficaram sabendo do grande evento quando já era tarde demais. Na noite do dia 11 de abril, a notícia foi postada em seu site: "Caros torcedores, hoje cedo, em minha cidade natal, Basileia, tendo como convidados um pequeno grupo de amigos mais próximos e familiares, Mirka e eu nos casamos. Era um lindo dia de primavera e uma ocasião muito feliz. O senhor e a senhora Federer desejam a todos vocês uma feliz Páscoa. Com amor, Roger."

O casamento aconteceu no cartório de registro em Basileia, e a recepção em uma mansão barroca no Venrable Wenkenpark, em Riehen. Nem mesmo

Esconde-esconde particular

Stanislas Wawrinka, o parceiro de Federer nas duplas pelas Olímpiadas, compareceu ao casamento. Robert Federer, seu pai, disse: "Roger não queria uma legião com 500 pessoas, fotógrafos e paparazzi." No fim, acabou dando tudo certo. As 4 fotos do casamento liberadas para a imprensa foram tiradas por um dos convidados.

O jogo de esconde-esconde continuou mais tarde, no dia 23 de julho, quando Mirka deu à luz às gêmeas. Mesmo a localidade do nascimento foi mantida em segredo por algum tempo. Todos acreditavam que o nascimento seria na clínica particular Bethanien, e muitos repórteres e paparazzi sentaram por lá e esperaram para emboscá-los. Depois de Mirka ter dado à luz os bebês, foi revelado que o nascimento havia acontecido em Zurique, no hospital Hirslanden. A notícia foi postada no site de Federer no dia 24 de julho, dia seguinte ao acontecimento. Federer escreveu: "Roger Federer e a sua esposa Mirka orgulhosamente anunciam o nascimento das gêmeas Charlene Riva e Myla Rose, que nasceram na terça-feira à noite, no dia 23 de julho, na Suíça. Este é o melhor dia de nossas vidas. Mirka, Myla e Charlene estão todas bem e saudáveis." A primeira foto das gêmeas foi tirada pelo pai de Federer e publicada no site do tenista e em sua página do Facebook.

Ainda em março, quando a notícia de que iria ser pai foi anunciada, Federer disse não ter a intenção de deixar a sua carreira de lado em virtude das responsabilidades de ser pai ou quaisquer outras circunstâncias de sua vida particular. "Quando eu sonhei em ser o número 1, sempre quis que meus filhos me vissem jogar, caso os tivesse algum dia." Ele vinha pensando em ser pai fazia algum tempo, e agora isso era uma realidade. Federer estava muito feliz. Havia tirado um tempo de folga maior do circuito — e disse que continuaria a fazer isso com o nascimento das gêmeas — porém, declarou: "Isso poderia me motivar a jogar por mais tempo."

41

Quebrando recordes

Enquanto Roger Federer aproveitava a felicidade em sua vida privada, sua carreira no tênis não estava indo adiante. Com o intuito de descansar as suas costas e de se preparar apropriadamente para eventos maiores mais à frente, na primavera e no verão, ele não participou do torneio de Dubai e nem da Copa Davis contra os Estados Unidos, em Birmingham, Alabama, o que lhe rendeu duras críticas. Ao mesmo tempo, não conseguiu fazer com que o técnico australiano Darren Cahill o treinasse. Cahill, que havia trabalhado com Andre Agassi e Lleyton Hewitt, depois de um pequeno período de testes, decidiu tomar uma posição diferente, que o permitia passar mais tempo com a sua esposa e seus 2 filhos, residentes em Las Vegas.

Federer voltou ao circuito em Indian Wells, na Califórnia, onde perdeu para Andy Murray por 6-3, 4-6 e 6-1 nas semifinais. Na competição seguinte, em Key Biscayne, Federer teve um rendimento desolador, em uma derrota por 3-6, 6-2 e 6-3 nas semifinais para Novak Djokovic. Então, o Roger Federer do passado se revelou. Após muitos erros, ele, com muita raiva, destruiu a sua raquete em plena quadra. O vídeo e as fotografias de Federer arrebentando a sua raquete foram exibidos pelo mundo inteiro e tornaram-se um símbolo da sua maior crise até aquele momento. O começo da temporada de saibro não mudou muita coisa. Depois de apenas 5 dias de seu casamento, Federer perdeu nas oitavas de final em Monte Carlo, ao ser vencido, pela primeira vez, por Stanislas Wawrinka. Nada parecia dar certo.

Quebrando recordes

A forma física de Roger Federer era uma preocupação quando chegou a Madri para o último torneio antes de Roland-Garros. Madri era o lugar de uma nova e importante competição em quadras de saibro, bem no coração da terra natal de Rafael Nadal. Esse torneio tomou o lugar do decadente Aberto da Alemanha, em Hamburgo, onde Federer teve as suas maiores conquistas em quadras de saibro: "O meu objetivo aqui é vencer o campeonato. Percebo que estou prestes a dar a volta por cima."

Algo milagroso aconteceu na estrutura futurística com o belo nome de "Caja Magica" (A Caixa Mágica) onde o torneio é jogado. Depois das vitórias sobre Robin Soderling, James Blake, Andy Roddick e Juan Martin del Potro, Federer dominou Nadal na final. O espanhol teve de salvar 3 match points em uma vitória épica de 4 horas e 2 minutos, por 3-6, 7-6 (3) e 7-6 (9), nas semifinais contra Novak Djokovic, deixando a sua torcida confusa, pois nunca havia visto o seu herói tão vulnerável nas quadras de saibro. A vitória de Federer por 6-4 e 6-4 contra Nadal acabou com a sequência de 5 derrotas consecutivas para o espanhol e deu a ele a 7ª vitória na 20ª partida que disputaram. Era o seu primeiro título em 7 meses.

O que ninguém sabia naquele tempo era o fato de Federer ter reencontrado, em Madri, a chave para voltar a sua forma dominante. O modo como conseguiu isso foi mais bem descrito por ele mesmo durante um entrevista para a BBC, alguns meses mais tarde: "Acho que teve muito a ver com o meu problema nas costas. Eu não quero dar nenhuma desculpa. Por causa desse problema, eu tive a sensação de que deveria começar a jogar mais agressivamente, para não ter de ficar me defendendo tanto. Quando se está na ofensiva, quem controla as coisas é você. Na defensiva, isso não acontece. Eu ficava receoso e preocupado quanto às minhas costas começarem a doer muito ou não estarem bem para a partida seguinte; estava apenas sendo um pouco cauteloso. Eu estava assustado a um ponto que, quase subconscientemente, comecei a jogar, por vezes, muito mais ofensivamente, mas — para não dizer que o pânico se instalava —, contra os melhores jogadores, era difícil jogar na ofensiva o tempo todo. Acho que era uma das razões pela qual eu perdi um pouco da minha confiança e escolhia as jogadas erradas. É claro que os meus oponentes tinham de jogar bem, pois contra jogadores de nível menor eu ainda era dominante."

Federer resolveu o enigma de seu rendimento ruim antes e depois do Italian Championships, em maio, quando estava em treinamento na Sardenha (com o australiano Stefan Koubek) e na Suíça. "Eu treinei para valer e disse a mim mesmo que tinha de ser capaz de executar o meu saque com a

216 A biografia de Roger Federer

potencialidade máxima. Eu trabalhei duro na defesa até me sentir seguro quanto às minhas costas. Agora me sinto 100% de novo."

O treinamento bem-sucedido e a conquista em Madri mudaram abruptamente a sua perspectiva quanto a Wimbledon e Roland-Garros. "Esse é um grande momento, veio na hora certa", disse. "Algumas semanas atrás, eu não estava muito seguro quanto a vencer em Roland-Garros. Não é mais assim agora."

O que aconteceu em Roland-Garros excedeu qualquer expectativa. Nadal, o tetracampeão absoluto em Paris, foi vencido surpreendentemente por Robin Soderling, da Suécia, na quarta rodada, a primeira derrota do espanhol em Roland-Garros. Esse acontecimento deixou o caminho mais livre para Federer, pois foi Nadal quem, por 4 vezes, acabou com sonho do suíço de conquistar o torneio, incluindo as 3 últimas finais. No entanto, Federer teria de se esforçar. Depois de 2 vitórias complicadas, contra Jose Acasuso e Paul-Henri Mathieu, em seu caminho para a quarta rodada, ele se reencontrou com o seu rival de longa data, Tommy Haas, da Alemanha. Federer não estava bem e, de maneira surpreendente, ficou atrás no placar por 2 sets a 0, 7-6 (4) e 7-5. Sacando quando estava 3-4 no terceiro set, encarou um break point, o qual, se não houvesse defendido, daria a Haas a oportunidade de sacar para fechar a partida, por 3 sets a 0. Porém, Federer evocou um de seus momentos mágicos. Ele deu um golpe vencedor de forehand que bateu em cima da linha. Foi, então, para o seu game de serviço e, depois de vencer 9 games seguidos, prosseguiu para fechar a partida em 5 sets com as parciais de 6-7 (4), 5-7, 6-4, 6-0 e 6-2. Após derrotar Gael Monfils, da França, nas quartas de final, Federer sobreviveu a uma forte ameaça de Del Potro nas semifinais, estando atrás no placar por uma quebra de saque no quinto set antes de triunfar por 3-6, 7-6 (2), 2-6, 6-1 e 6-4. Sua vitória contra o jovem argentino contou com a ajuda do tempo. "De repente, ficou mais frio, as nuvens fecharam o céu, e eu percebi: a bola não está quicando tão rápido agora, isso vai me ajudar", disse depois. "Não sei se foi coisa da minha imaginação. Mas, para mim, era, de alguma maneira, um sinal".

Na final, Federer não deixou existir nenhum tipo de fraqueza em seu jogo. Depois de uma vitória por 6-1, 7-6 (1) e 6-4 contra Soderling, o homem que havia derrotado Nadal, Federer caiu no chão de saibro ao vencer o seu primeiro título em Roland-Garros. Mesmo antes de fazer o último ponto, ele já tinha lágrimas nos olhos. Finalmente havia ganhado o campeonato o qual muitos achavam que nunca ganharia, poucas semanas após a sua fase ruim e em um período no qual a maioria das pessoas já não acreditava mais nele.

Quebrando recordes

Federer se tornou o sexto jogador, depois de Fred Perry, Don Budge, Roy Emerson, Rod Laver e Andre Agassi, a realizar o Grand Slam de carreira — conquistar os 4 títulos mais importantes no tênis no decorrer de sua carreira. O último tenista a conseguir tal feito havia sido Andre Agassi, 10 anos antes, de quem recebeu o famoso troféu Coupe des Mousquetaires. Federer disse: "Sempre soube que tinha a conquista em Paris dentro de mim, por isso eu deixei um espaço reservado para o Coupe des Mousquetaires em minha estante de troféus." Era o 14º troféu em torneios de Grand Slam, igualando-se ao detentor do recorde, Pete Sampras.

Duas semanas depois, quando se soube que Nadal não conseguiria defender o título em Wimbledon por causa de tendinite nos dois joelhos, Federer foi colocado como o grande favorito. Perdendo apenas um set, Federer chegou à final, na qual enfrentaria o seu velho adversário Andy Roddick, que havia derrotado Andy Murray nas semifinais, para a decepção dos anfitriões britânicos. Mais uma vez, Federer não estava apenas jogando contra o americano de quem havia ganhado nas finais de 2004 e 2005 em Wimbledon mas também contra a história do tênis.

Lendas, tais como Rod Laver e Björn Borg, estavam presentes na Quadra Central, que agora apresentava um teto retrátil. Porém, o espectador inesperado era Sampras, que voou com a sua esposa da Califórnia para Londres com o propósito de apenas assistir à partida. Sampras havia dito que estaria lá no dia em que Federer quebrasse o seu recorde — e assim o fez.

Federer estava tenso no começo da partida, perdendo a sua soberania típica e leveza característica em Wimbledon. A final não tardou para se transformar em uma batalha de saques. Por azar, o serviço de Federer foi quebrado por Roddick no fim do primeiro set, e ele acabou entregando o set por 7-5. Federer, então, teve sorte em não sofrer uma desvantagem de 2 sets a 0 quando Roddick estava liderando o tie break do segundo set por 6-2, 4 set points seguidos. Mas Roddick errou um voleio aparentemente fácil de backhand ao placar de 6-5 e, então, Federer tirou proveito e venceu o tie break do segundo set por 8-6, depois de marcar 6 pontos seguidos.

Os jogadores tiveram 6 games de serviço cada um e forçaram o tie break do terceiro set; Federer conseguiu a vantagem de 2 sets a 1, ao vencer o tie break por 7-5. No decorrer da partida, o suíço não foi páreo para o saque potente do americano. Roddick conseguiu mais uma quebra de serviço no quarto game do quarto set e forçou a partida para o quinto set. Federer e Roddick continuaram a trocar games de serviços dominantes, e o quinto set se tornou um épico. O placar foi de 5-5 para 6-6 e, então, 7-7 e 8-8. Ao chegar nesse ponto, Roddick teve uma oportunidade enorme de quebrar o serviço de Federer quando estava 15-40, mas o suíço respondeu com dois saques excelentes.

Somente no 30º game do set final foi que as coisas mudaram de figura. Com Federer na frente por 15-14, Roddick errou um forehand no segundo ponto em iguais, dando a Federer o seu primeiro match point. Era tudo que Federer precisava para fechar a partida; Roddick colocou muita força em seu forehand e jogou a bola para além da linha de fundo. Federer assegurou a sua primeira quebra de serviço na partida e quebrou o recorde ao ganhar o seu 15º título de simples em um torneio de Grand Slam.

Depois de 4 horas e 16 minutos, incluindo um quinto set de 95 minutos, o placar final da partida era de 5-7, 7-6 (6), 7-6 (5) 3-6 e 16-14, declarando Federer o campeão. Os 77 games marcaram, até então, a partida mais longa da história nos torneios de Grand Slam.

"Eu estou feliz por ter quebrado o recorde de títulos em torneios de Grand Slam. Wimbledon sempre foi o torneio mais significativo para mim", disse Federer, que estabeleceu um recorde pessoal de 50 aces na final. "Eu me senti estranho depois da final, diferente de como me senti nos outros torneios de Grand Slam. Eu não derramei uma lágrima, não fiquei emotivo como em Paris, Melbourne e, um ano atrás, em Wimbledon. No final, eu estava completamente exausto e cansado por causa da duração e da importância da partida."

Com o seu 6º título em Wimbledon, Federer também passou Nadal para assumir o lugar mais alto no ranking da ATP. O seu triunfo estava completo. Ele havia alcançado os seus sonhos, estabelecido novos padrões em seu esporte, e a sua carreira estava mais próxima da perfeição do que nunca. Ao se debater se era realmente o melhor jogador do planeta, Federer deu provas o suficiente — e para muitas pessoas, incluindo Sampras — de que era o melhor de todos os tempos.

"Eu não tenho como não concordar com isso", Sampras disse após a final em Wimbledon. "Os críticos dizem que é Laver, e Nadal já o derrotou algumas vezes nos grandes torneios. Ele já venceu em todos os torneios de Grand Slam, tem 15 títulos agora. Ele vai ganhar mais alguns aqui. Então, para mim, ele é o melhor de todos os tempos."

"Ele ainda está em plena forma", Sampras continuou. "Está com apenas 27 anos de idade. Ainda tem muitos anos para competir aqui, no US Open

Quebrando recordes

219

e nos outros grandes torneios. Se conseguir se manter em boa forma e continuar com o bom trabalho, pode alcançar uns 18, 19 títulos de torneios de Grand Slam. O cara é uma lenda. E agora é um ícone."

O próprio Federer acompanhou o debate sobre o "Maior de Todos os Tempos" de maneira serena e discreta. "Eu gosto disso e fico orgulhoso quando as pessoas escrevem coisas boas sobre mim", disse no verão de 2009. "Quinze títulos de torneios de Grand Slam, conquistar os 4 grandes torneios, chegar a 20 semifinais consecutivas em torneios de Grand Slam e ser o número 1 por 237 semanas seguidas. Agora, com certeza, eu sou um dos melhores. Mas não digo que sou o melhor de todos os tempos. Tenho muito respeito pela história do tênis. Prefiro terminar a minha carreira primeiro. Aí, sim, poderemos me comparar aos outros. Talvez ainda esteja jogando daqui a 10 anos."

PARTE II

1

A pessoa
UM CARA LEGAL, PORÉM DE PERSONALIDADE FORTE

Roger Federer ainda era um adolescente e um jogador promissor quando eu o escutei pela primeira vez proferir a frase que se tornaria o mote para a sua vida inteira: "É legal ser importante, mas é muito mais importante ser legal." Eu li uma vez essas palavras de sabedoria em um livro do filantropo Robert Dedman, um americano que começou a sua carreira como lavador de pratos e, então, conseguiu se tornar um milionário bem-sucedido construindo resorts e clubes privados. Dedman fez dessa declaração uma de suas dez regras mais valiosas; ele escreveu que "é fácil se tornar uma pessoa legal quando a vida é boa e tudo está indo bem. Mas é um grande desafio quando as coisas vão mal. Ser uma pessoa legal, então, exige ter uma personalidade forte para não ceder à tentação de ser exatamente o oposto".

Desde essa época, Roger Federer tem provado que pode e deseja viver de acordo com essa filosofia. Ele não está falando isso da boca para fora; é realmente o seu princípio de vida. Até mesmo em situações difíceis, é simpático e respeitoso — e há muitas situações difíceis para um tenista número 1 do ranking do qual todo mundo quer um pedaço. Alguém já achou Roger Federer uma pessoa desagradável, convencida, um metido esnobe? Mesmo quando não está se sentindo bem, ao sofrer derrotas amargas, ao ter de responder a mesma pergunta pela 12ª vez, quando está cansado, com dores ou quando simplesmente quer voltar para o seu quarto de hotel, ainda assim, ele é cordial e amigável. Ele também responde a perguntas desconfortáveis sem ficar irritado ou desconfiado.

Em Xangai, no Masters Cup de 2005, em uma coletiva de imprensa na qual os jogadores sentam-se por uma hora em uma mesa redonda e respondem às perguntas da mídia, uma repórter chinesa lhe fez uma pergunta inocente: "Roger, muitos torcedores o perseguem e mesmo assim você não perde a paciência e continua a ser uma pessoa amigável. Como você pode ser tão legal com todo mundo?" A repórter teve de repetir a pergunta por duas vezes, em um inglês enrolado, para que Federer pudesse finalmente entender, porém ele escutou com paciência e respondeu espontaneamente. Parecia ser a pergunta mais fácil do dia para ele. "Por que devo ser desagradável se posso simplesmente ser agradável? É simples assim para mim."

Andy Roddick disse sobre Federer, depois da final de Wimbledon, em 2005: "Eu adoraria te odiar, mas você é uma pessoa muito legal." Rafael Nadal recebeu uma mensagem de congratulação de Federer por ter conquistado o torneio de Madri, em 2005, e após ter batido o recorde do próprio Federer, ao conquistar 4 títulos do Masters Series no mesmo ano. Quando Nadal chegou à Basileia, pouco tempo depois, para disputar o Swiss Indoors, e logo ter de abandonar o torneio por causa de uma lesão, Federer o visitou no hotel. Os dois melhores jogadores do ano, que duelaram na temporada inteira por títulos e pelo 1º lugar do ranking, conversaram por 20 minutos longe das câmeras. "Nós também nos falamos por telefone algumas vezes", disse Nadal. "Federer não é apenas um dos melhores jogadores do mundo e uma ótima pessoa, ele é sereno, calmo e, o mais importante, ele é um cara muito legal."

Achar traços positivos no caráter de Federer é a coisa mais fácil do mundo para um biógrafo. Ele é paciente, cooperativo, prestativo e atencioso; preocupa-se muito com os pobres e carentes, além de cuidar de sua própria instituição de caridade. É honesto, digno de confiança, direto e joga sempre honestamente; se ele diz que uma bola foi fora, todos imediatamente acreditam nele. Federer é cosmopolita, fala várias línguas, se expressa muito bem e pensa antes de dizer qualquer coisa. É modesto, despretensioso, fiel, equilibrado, compreensivo e solidário. Não possui similaridades com aqueles atletas egocêntricos, que apenas querem falar de si mesmos o tempo todo — e há muitos que são assim.

Nenhum detalhe é pequeno demais a ponto de desinteressar Federer. As pessoas ficam constantemente surpresas com o interesse que ele expressa sobre as suas vidas. Ele sempre tenta recordar os seus nomes e tratá-las da maneira correta.

A pessoa

Federer vive seguindo valores e princípios, cuja maioria ele adquiriu, sem dúvida, de seus pais com o passar dos anos. Entre eles estão a integridade, a honestidade, a autenticidade, a modéstia e a lealdade. As pessoas em quem ele confia descobrem que têm um amigo para a vida inteira. Ex-colegas de classe que não são ligados ao mundo do tênis ainda são seus amigos mais íntimos. "Você pode sempre confiar nele, conversar com ele e contar com ele", disse o seu amigo Marco Chiudinelli. "Ele sabe guardar segredos."

Um desses princípios é o de fazer as coisas de maneira apropriada ou não fazê-las. Yves Allegro disse: "Quando ele toma uma decisão, o seu coração fica completamente imergido nisso." Allegro, que tem um contato regular com Federer, nunca para de se impressionar com a vontade irredutível e com o seu profissionalismo em relação à administração de sua carreira. "O tênis é a sua vida, e a sua carreira está em primeiro lugar", disse. "Ele faz de tudo para poder melhorar. Realmente aprecia a vida e a saboreia intensamente. Ama o tênis e tudo relacionado a esse esporte, mas não é sempre fácil para ele. Quando vejo tudo o que tem de fazer, às vezes penso comigo: eu tenho sorte de não ser o número 1 do mundo."

Federer sabe que sua carreira no tênis é efêmera, uma fase de sua vida. Tem consciência de que terá muito tempo para fazer outras coisas — snowboarding, jogar golfe, criar seus filhos, cortar a grama, fazer churrasco e beber cerveja com os amigos.

Allegro teve a experiência de presenciar o quanto Federer pode ser prestativo e confiável, em 2003, quando perguntou se ele queria contribuir com algo para ajudar o clube de tênis Grône, em Wallis, pelo seu 25º aniversário. O pai de Allegro era o fundador do clube, que, na época, estava se afundando em dívidas. Federer, espontaneamente, concordou em ajudar com um jogo de exibição, sem cobrar nada. Apesar do fato de ele ter acabado de conquistar o título em Wimbledon e chegado à final em Gstaad, ele compareceu ao clube como havia prometido para jogar a partida de exibição para um público de 3 mil pessoas; isso salvou o clube do colapso financeiro.

Quando o seu ex-colega de quarto Michael Lammer disputou o *qualifying* do US Open, em 2005, Federer estava nas arquibancadas torcendo por ele. Durante jantares em Nova York, ele o aconselhou e serviu de tutor para o seu compatriota um pouco mais jovem. "Ele se ofereceu para me ajudar por sua própria inciativa", disse Lammer, a quem os ensinamentos de Federer ajudaram a passar o *qualifying* da fase de classificação e chegar até a segunda rodada, na chave principal, em Flushing Meadows. "Eu acho que foi divertido para Roger. Ele tem a sua própria equipe, mas não tem centenas de amigos no tour. Ele provavelmente acharia bom se houvesse jogadores mais fortes na Suíça."

O alto astral de Federer, aliado a um pouco de patriotismo, é também a razão pela qual o tempo que passa com a equipe da Copa Davis significa tanto para ele. Esses dias e semanas representam uma mudança muito bem-vinda na rotina repetitiva dos torneios, uma vez que ele deixa de ser um jogador individual para se tornar parte de uma equipe, o que é muito fácil para ele, pois é amigo da maioria das pessoas do time. "A Copa Davis é menos estressante para ele que os outros torneios", disse Allegro. "Os pequenos problemas ficam em segundo plano. Nós jogamos baralho, nos divertimos, todo mundo se dá bem." É claro para Allegro que a atmosfera positiva é a razão pela qual ele joga o seu melhor tênis na Copa Davis. "Ele gosta de jogar pelo seu país e quando se sente bem, é quase invencível."

Se Federer não fosse um jogador profissional de tênis, sua vida provavelmente o teria levado para uma carreira no futebol. Ele tem boas relações com os melhores jogadores suíços de futebol como Benjamin Huggel ou Murat Yakin, acompanha o seu time preferido — FC Basel — onde quer que ele esteja e fica triste quando deixa de assistir às grandes vitórias do time. Gigi Oeri, o vice-presidente do FC Basel, até mesmo foi a Wimbledon como um convidado de Federer.

Em 2003, Federer disse: "Às vezes, sonho como uma criança em me tornar um jogador de futebol e fazer um gol em um estádio lotado." Um ano mais tarde, lhe permitiram treinar com o primeiro time do FC Basel na primavera. O técnico do FC Basel, Christian Gross, percebeu que o seu jeito com a bola não estava apenas limitado às quadras de tênis. "Com um pouco de persistência, com certeza, ele poderia ter se tornado um jogador de futebol", disse. Um comentarista de rádio suíço certa vez afirmou sobre o campeão de Wimbledon: "Federer é como o cachorrinho do vizinho. Dê-lhe uma bola e ele ficará feliz."

Como um torcedor genuíno, Federer está disposto a fazer sacrifícios para aproveitar a sua paixão pelo futebol. Quando a Suíça disputou com a Turquia o jogo decisivo da fase classificatória para a Copa do Mundo, em 2005, ele assistiu à partida até as 4 da madrugada, mesmo tendo um jogo importantíssimo no dia seguinte, no Tennis Masters Cup, contra Guillermo Coria.

A pessoa

Obviamente, Federer é muito ambicioso e odeia perder — mas onde estaria se não fosse assim? Porém, mesmo na derrota, ele é sempre justo. Ele pode perder com imparcialidade — e, sem dúvida, perder fica mais fácil quanto menos se experimenta esse sabor amargo.

As pessoas que conhecem Federer desde jovem e não o veem há um bom tempo sempre descobrem, com um misto de surpresa e alegria, que ele quase não mudou. Federer é a prova viva de que alguém que se tornou rico e famoso pode também ser uma pessoa normal. Ele percebeu, há muito tempo, que as coisas ficam melhores se ele apenas se portar como sempre o fez — mesmo nas situações mais adversas.

Embora não se considere uma estrela, Federer gosta da sua imensa popularidade internacional e tem um vasto número de fãs. No começo de 2007, o número de membros registrados oficialmente em seu site era de 100.000. Ele pode não ser o tipo de pessoa por quem as garotas choram, gritam e desmaiam, como acontece com David Beckham e Robbie Williams, mas Federer tem fãs entre as mulheres que são mais interessadas na pessoa que no tenista. Ele tem os seus momentos de modelo — nas sessões de fotos e *faits divers* para grandes revistas, como *Vogue* e *GQ*. O tenista foi, até mesmo, incluído 2 vezes na edição da revista *People* que elegeu o homem mais sexy, na seção que falava da sensualidade dos homens internacionais. A homenagem pareceu mais diverti-lo que lisonjeá-lo.

Federer pode não lançar tendências, como Beckham e Brad Pitt, porém tem uma boa noção de moda e é aberto para todos os designs e estilos. No verão de 2005, ele disse: "Eu costumava ter apenas algumas camisas e dois pares de calças no meu armário, mas agora ele está lotado". Atrás de todo homem elegante, existe uma mulher elegante, e Mirka Vavrinec o tem auxiliado muito nesse assunto. Normalmente ambos se consultam com estilistas e amigos do setor de moda antes de eventos importantes ou sessões de fotos. Anna Wintour, a editora-chefe da *Vogue* americana e uma das pessoas mais influentes no setor de moda, é amiga próxima do casal.

Como todos os atletas individuais, Federer vive uma rotina solitária, contando com a sua equipe e um grupo exclusivo de pessoas que se sacrificam muito pelo seu sucesso. Disciplina mental, perspicácia e personalidade são importantes para o sucesso. Ninguém, no entanto, acusaria Federer de ser um "machão". O seu outro lado — o lado gentil, vulnerável e emocional — é facilmente reconhecido. Alguém já viu um atleta chorar tantas vezes em público como Federer? O homem da Basileia não entende isso como uma fraqueza, mas como um sinal de sua grande sensibilidade e respeito pelo esporte.

228   A biografia de Roger Federer

Ele também não é o tipo que cria escândalos ou é perseguido pelos paparazzi, como Boris Becker ou John McEnroe nos seus dias de jogadores profissionais. Com exceção de algumas poucas sessões pré-arranjadas de fotos, em sua maioria, nas férias, e consistindo de belas fotos com poses, Federer não tem a sua imagem vinculada às páginas de fofocas. Mesmo o seu relacionamento com Mirka não produziu muitas histórias para a imprensa responsável por cobrir os eventos da sociedade ao longo desses anos. O casal não é daqueles que mergulham de cabeça nas noitadas durante o seu tempo de folga. As suas férias são bem tranquilas. "Nas férias, eu faço exatamente o contrário do que faço nos treinamentos. Isso quer dizer: nada", disse Federer. "Eu me deito na praia, durmo, saio para fazer uma boa refeição e, às vezes, se estou disposto, faço compras."

Roger e Mirka levam uma vida calma e harmoniosa e parecem compatíveis um com o outro. "Mirka gosta de cozinhar, e eu gosto de comer. É uma combinação perfeita", ele disse. "Eu ajudo de vez em quando, arrumando a cama, passando aspirador ou secando a louça. Nós nos asseguramos em dividir o trabalho de maneira equilibrada." Reconhecendo que sua esposa sacrifica-se muito por ele, Roger tenta retribuir de alguma maneira todas as vezes que tem uma oportunidade. Vai com ela ao cinema, ao teatro e a shows. Ele disse: "Nas férias, eu estou disposto a mudar de papéis. Então ela fica sendo o centro das atenções."

O fato de Mirka ser 3 anos mais velha que Federer e conhecer o tênis profissional por experiência própria emprega uma estabilidade adicional à relação. Desde a carreira de Boris Becker, os anos no tênis são contados como os "anos de um cachorro": um ano vale por 7. "Às vezes, Roger parece um menino de 12 anos, mas então ele pode ser como um homem de 35 anos", disse Mirka. "Não é um problema para mim ser 3 anos mais velha."

Ela não é do tipo que sobrecarrega o seu parceiro com exigências irreais, pois sabe o que significa estar no topo. Acima de tudo, Mirka é extremamente orgulhosa dele e, portanto, está disposta a se comprometer.

Por Roger ser tão amigável com a mídia, a mídia é amigável com ele. Eles respeitam o fato de Federer ditar as regras. Ele é, portanto, uma das celebridades da Suíça que, até agora, não permitiu a entrada de repórteres em sua casa para fazerem uma matéria. Roger e Mirka na banheira? Inimaginável. Quando um repórter uma vez lhe perguntou como o seu apartamento era, ele respondeu, com uma candura desalentadora: "Isso é muito particular. É algo que eu não discuto de jeito nenhum. Somente os meus

A pessoa

melhores amigos e minha família têm acesso ao meu apartamento." Fim de papo. Próxima pergunta.

Federer é do signo de leão e o seu animal predileto é o leão — o que se encaixa perfeitamente com a sua personalidade. Ele é orgulhoso, tem uma autoridade natural e gosta de ter tudo sob controle — e não apenas nas quadras de tênis. O sucesso e o profissionalismo com que conduz a sua carreira o fazem um líder natural, tanto nas questões pessoais quanto nas questões de negócios. Ele pode ter fugido das decisões no passado, sempre questionando os seus pais e treinadores antes, mas esses dias já se foram há um bom tempo. Federer não precisa de mais ninguém para lhe dizer o que fazer. Mesmo durante partidas maratônicas que duram mais de 4 horas, Roger não olha para o espaço reservado para ele na arquibancada ou para a sua equipe.

Como um leão, Federer, às vezes, pode mostrar os dentes e o seu lado intransigente e inflexível, o qual é incongruente com sua natureza normalmente gentil e dócil. Isso aconteceu, por exemplo, quando ele tirou Jakob Hlasek de seu posto como o capitão da Copa Davis, quando tinha apenas 19 anos, ou na ocasião em que, para o assombro de todos, se separou de seu técnico e amigo Peter Lundgren. Depois desse incidente, o *Neue Zürcher Zeitung* descreveu Federer como o "Exterminador", que, com relação à "execução mental, foi equipado com uma cabeça teimosa e corajosa". O jornal continua afirmando que ele é "uma pessoa forte que despreza marionetes".

Federer é uma pessoa que não tem medo das consequências depois de tomar as decisões que julga corretas. Segundo Federer, foi traumático para ele informar Lundgren que a parceria profissional entre eles estava acabada. Era como se outra pessoa tivesse tomado essa decisão, um tipo de alter ego. A sua relutância em ser condescendente, até mesmo com relação aos problemas menores, contribui para a sua autoridade e o torna uma figura de respeito — até mesmo para pessoas muito mais velhas que ele. Como um exemplo, a maioria de sua equipe não concorda em dar entrevistas sem o consentimento do chefe — Federer.

Quem culparia Federer por querer ter o máximo de controle sobre sua carreira? Afinal de contas, ele tem passado a sua vida inteira na tentativa de dominar um esporte difícil da maneira mais profissional e bem-sucedida possível. Ao fazer isso, aprendeu que nos menores detalhes podem estar a diferença entre a vitória e a derrota — e que seus instintos iniciais estão sempre corretos.

2

O jogador
IGUAL A UM CAMALEÃO

Os requisitos e exigências no âmbito físico para os jogadores de tênis estão entre os mais penosos de todos os esportes. Qualquer um que queira vencer os grandes torneios e figurar entre os melhores jogadores deve ser tão rápido quanto um velocista, ter a resistência de um maratonista, ser capaz de aguentar as adversidades do esforço como um boxeador e ter a impetuosidade de um atacante no futebol. Ele ou ela deve ter visão e esperteza de um mestre de xadrez, os nervos de um montanhista e a força de um competidor de decatlo, bem como a mão tranquila de um pintor, a paciência de um marinheiro durante a calmaria e a coragem e o sangue-frio de um assassino. Também é interessante ser bem agenciado, ser relativamente atraente e, se possível, ter uma propensão ao espetáculo, porque, afinal de contas, as pessoas querem ser entretidas.

Em uma entrevista, depois de ter se aposentado, em 2002, Pete Sampras disse: "Eu estou cansado do tênis. Ele sugou toda a minha energia. Eu nunca tive uma noite tranquila de sono em toda a minha carreira. Somente depois de me aposentar eu pude dormir uma noite inteira sem problemas." O campeão por 14 vezes de torneios do Grand Slam, que reinou como o número 1 do mundo por 6 anos, não tocou em uma raquete, por meses, depois que se aposentou.

Os especialistas são unânimes em dizer que Roger Federer tem todas as qualidades necessárias para se tornar um campeão. "Ele é a encruzilhada

O jogador   231

entre Ivan Lendl, o trabalhador pesado de fundo de quadra, e Patrick Rafter, o jogador agressivo e explosivo", disse Tony Roche, que não perdeu muito do tênis nos últimos 40 anos e trabalhou com os dois jogadores citados, Lendl e Rafter, por muitos anos antes de assumir a posição de técnico de Federer. Os seus golpes também lembravam Roche de Rod Laver, o único jogador na história a fazer o Grand Slam por 2 vezes. "Algumas das coisas que ele faz são simplesmente inacreditáveis — ninguém consegue fazê-las", disse Roche. "Eu, às vezes, me pergunto: como foi que ele fez aquilo?"

Federer não apenas tem o talento de ditar a jogada e dar um golpe vencedor de qualquer lugar da quadra mas também pode jogar defensivamente contra os melhores. As suas pernas ligeiras e a capacidade de antecipação permitem a ele defender jogadas que resultariam em bolas vencedoras se fosse um jogador comum. Federer não apenas alcança bolas difíceis mas também, com um movimento de seu pulso, pode melhorar as suas chances de dar golpes vencedores raramente vistos em uma quadra de tênis. O ESPN, canal de esportes americano, frequentemente mostra os melhores momentos de Federer em uma sessão da programação chamada "O parque de diversões de Federer".

Assistir a Federer em uma quadra de tênis normalmente deixa a impressão de que o relógio bate de maneira diferente para ele em relação aos outros jogadores — mais lentamente. O tempo entre a jogada de seu oponente e a jogada dele parece lhe dar mais opções que para os outros jogadores — como se tudo estivesse em câmera lenta — enquanto ele se move em tempo real. Ninguém tem o reflexo de Federer ou leva tão poucos aces.

Federer — como nenhum outro jogador — pode alterar o peso, a rotação e a velocidade da bola. Ele tem a habilidade nata de "segurar o golpe" até o último momento, permitindo disfarçar as suas intenções com grande perícia. Ele cobre a quadra excepcionalmente bem e tem muito equilíbrio ao preparar o golpe, "congelando" o seu oponente naquela fração de segundos entre o movimento para trás e começo do movimento para frente em direção à bola. Esse momento derradeiro os força a adivinhar para que lado ele irá jogar a bola. Quando erram, parecem que foram feitos de bobo. Essa habilidade, esse talento, é desmoralizante para vários oponentes. Tal maestria, quando está em plena fluidez, encoraja e anima a superestrela suíça. O seu jogo é o casamento perfeito entre arte (quando, onde e como fazer uma jogada apropriada) e ciência (uma técnica perfeita em seus movimentos). Tony Roche, certa vez, disse: "Ele nunca se apressa. A marca registrada dos campões em qualquer tipo de esporte é que eles aparentam ter mais tempo que os demais."

232

A biografia de Roger Federer

Federer tem uma feição indiferente que lembra a de Björn Borg. Ele é notório por sua elegância, virtuosismo, imprevisibilidade, seu prazer pelo jogo, sua criatividade e pelo repertório fascinante de variações de golpes. O ex-jogador suíço Heinz Günthardt, que era tecnicamente preciso em quadra e hoje é um analista perspicaz da televisão, diz que Federer joga tênis como ninguém jamais jogou. Günthardt escreveu para o jornal suíço *Sonntags Zeitung*: "Ele joga da maneira que quiser. Ele vai à rede, joga no fundo de quadra, defende, ataca, joga rapidamente, com emoção, com topspin e slice. A sua variação de golpes é engenhosa. Qualquer um que observar o seu jogo chegará à conclusão que ele joga como todos os grandes jogadores dos últimos 20 anos — e, por causa disso, como ninguém mais."

Günthardt chamou a atenção para o fato de a diversidade de golpes de Federer também impor um dilema em potencial no qual o suíço, mais que qualquer outro jogador, pode se perder diante de tantas opções. Federer não dominou a "arte da economia" ou o reconhecimento de que precisa apenas de alguns golpes dentre o seu repertório. Com tantas jogadas à sua disposição, Federer, às vezes, é sobrecarregado por ter de pensar muito, dentro das quadras, sobre qual seria a melhor jogada em determinadas situações.

Nos seus primeiros dias como profissional, Federer era um "exibido", que gostava de tentar jogadas espetaculares — porém, com um baixo aproveitamento — e, por isso, constantemente perdia as partidas que deveria ganhar, por falta de um planejamento mais conservador em seu jogo.

Certa vez, ele admitiu: "Naquela época, eu queria mostrar para todo mundo o que eu era capaz de fazer, as jogadas difíceis que tinha dominado, mas, depois de um tempo, ficou claro para mim que eu teria mais atenção se estivesse entre os melhores jogadores e mostrando o meu tênis nas grandes Quadras Centrais."

Federer aprendeu a administrar o seu estilo teatral e começou a jogar mais pelo placar, e não tanto para os espectadores. O seu desejo em fazer jogadas arriscadas e a sua agressividade inflexível abriram caminho para uma tática mais calculada que também levava as fraquezas de seus oponentes em consideração. Sem essa reorientação e mudança de tática, Federer nunca teria se tornado o número 1 do mundo.

"Eu acredito que o talento tenha me levado até o número 10 do ranking mundial", ele disse para o *L'Equipe* no final de 2005, depois que o jornal o declarou como o "Campeão dos Campeões". "Depois disso, eu tive de dar alguns passos a mais, porque, nos dias de hoje, as partidas exigem muito da parte física e mental, e somente o talento não é suficiente."

O jogador

233

Federer, o campeão do tênis, é um quebra-cabeça de muitas peças. Levou anos para que as peças pudessem se encaixar. Porém tudo ficou no lugar, com cada parte móvel trabalhando de maneira sincronizada — talento, atletismo, força mental, autoconfiança, poder de concentração, determinação, percepção tática, profissionalismo, ambição e orgulho. Como Andy Roddick uma vez perguntou, com resignação, depois de uma partida: "Como você derrota um jogador que não tem fraquezas?"

Um ponto importante no desenvolvimento de Federer foi encontrar a medida certa de emoção e temperamento dentro da quadra. A inquietude e a agressividade que o caracterizavam, quando estava na categoria juvenil, abriram espaço para uma tranquilidade e confiança inabaláveis. O processo pelo qual Federer teve de passar para chegar a esse ponto, contudo, foi longo e aconteceu em vários níveis.

O primeiro melhoramento nessa área ocorreu quando Federer saiu dos torneios da categoria juvenil e foi para o tour profissional. Assim que ele começou a jogar partidas de importância maior e em frente a públicos maiores, passou a se esforçar para se controlar, e não arremessar a raquete e gritar. Quanto mais alto subia no ranking mundial, melhor ele ficava e menos razões tinha para ficar agitado. Claro, a velocidade com que ele chegou ao topo nunca foi rápida o suficiente, em sua opinião. Ele sofria algumas recaídas de tempos em tempos, especialmente nas rodadas iniciais ou fora das quadras.

Entre 1998 e a primavera de 2000, Federer trabalhou com o psicólogo esportivo Chris Marcolli, que, além de atendê-lo, também prestava serviços para clubes de hóquei e outras organizações esportivas. Essa foi uma fase na carreira de Federer em que ele fez ótimos campeonatos, mas também sofreu muitas decepções e derrotas desnecessárias. O seu trabalho mental, às vezes, também tinha efeitos negativos sobre ele, como em ocasiões nas quais ficava relaxado demais. Em Key Biscayne, no ano de 1999, depois de perder para um jogador de ranking baixo, Kenneth Carlsen, da Dinamarca, Federer explicou que estava surpreendentemente sem nenhuma motivação. "Eu estava quase entediado dentro da quadra", disse no começo da temporada de 2003. "Eu não mostrava mais emoção e tive de descobrir o que era melhor para o meu jogo. Agora sei como devo me comportar para jogar bem."

Segundo Federer, o seu maior progresso veio com o seu jogo mental. Paralela a essa situação estava a melhora decisiva na área de condicionamento físico que Federer iniciou, em dezembro de 2000, com o preparador físico Pierre Paganini. Foi Paganini quem desenvolveu um planejamento de 3 anos

234   A biografia de Roger Federer

com o objetivo de maximizar o desempenho físico de Federer e aumentar a sua resistência. O trabalho produziu resultados rápidos. No começo de 2003, ele declarou: "Eu tenho menos problemas em partidas longas. Isso também significa que posso jogar por mais tempo em um torneio e que posso jogar 4 torneios em sequência sem ter grandes problemas. Posso dizer a mim mesmo para manter a calma e que ficar cansado é uma coisa normal. De repente, no fim, tenho a chance de ganhar o torneio."

Por vezes, parece inacreditável para Federer o quanto ele mudou. Em 2004, ele disse: "Antes, quando o meu técnico me dizia para me acalmar, eu achava algo impossível de acontecer. Eu simplesmente tinha de me livrar daquela tensão e dos demônios em minha cabeça. Ninguém poderia me ajudar. Teria de partir de mim mesmo."

Sem o condicionamento físico, Federer não teria conseguido controlar as suas emoções. O trabalho extra que ele investiu em sua carreira, sob a orientação de Paganini, também fortificou a sua autoconfiança e suas ambições de crescimento. Federer admitiu, no US Open, em 2005, que nos anos como juvenil e nos seus primeiros anos como um profissional, às vezes, ele perdia partidas nas quais não tinha dado o máximo de seu esforço. Por vezes, tinha o sentimento horrível de que seu oponente merecia a vitória mais do que ele. Por quê? "Porque eu tinha a impressão de que ele havia treinado mais que eu", disse.

∽∾

Como Roger Federer joga, exatamente? No verão de 2005, ele descreveu o seu estilo como "retrô" para o *New York Times*. Ele está realmente trazendo para o tênis a era anterior, quando o jogo era caracterizado por raquetes de madeira, pela arte, pela tática e pelo atleticismo.

"Eu sou muito competente, claro. Não a arma perfeita, digamos, mas os jogadores que jogam contra mim sabem que tipo de arma eu sou", disse para o *Times*. "Eles sabem que se me derem uma bola curta, já era, mesmo não parecendo ser tão drástico. É mais como se fosse um jogo fluido, no qual não há arranhões, sabe, que é redondo, sendo mais perigoso. A minha habilidade é ser igual um camaleão, talvez."

Capacidade de antecipação, Federer acredita, é umas das melhores qualidades. "Eu tenho a impressão que eu sinto como a bola vai vir, e as minhas reações são automáticas".

Muitas coisas que fazem Federer forte dificilmente são perceptíveis para o espectador comum, talvez por não parecem tão espetaculares ou

O jogador

sensacionais quanto um forehand estalado e acompanhado de um gemido alto ou um saque de 225 km/h. Qualquer um percebe que o serviço de Federer não é tão rápido quanto o de Andy Roddick ou Ivan Ljubicic — mas apenas os oponentes sabem o quanto Federer é capaz de variar velocidade, posição e efeito no seu saque, e como essas variações podem pegar os jogadores desprevenidos ou explorar as fraquezas da devolução de serviço de certos tenistas.

A sua variedade de golpes é um de seus atributos mais impressionantes. Ele pode sempre surpreender com um tipo diferente de golpe. Pode fingir um serviço em que a bola quicará alto e diminuir a velocidade de sua mão no último segundo, de maneira que o oponente, já irritado, não sabe exatamente o que vai acontecer. Ele pode imprimir tanto topspin em seu forehand que os juízes de linha já estão prontos para dar a bola como fora quando, de repente, ela cai, como se fosse uma pedra, para dentro da quadra. Federer consegue causar um efeito na bola com o seu slice de backhand de maneira a torná-la mais lenta, mal quicar na quadra e ir para fora, quando o máximo que seu oponente pode fazer é tentar dar um golpe cavado por debaixo da bola, para fazê-la apenas passar para o outro lado da quadra: daí, um golpe vencedor é apenas um detalhe técnico.

"Ele inventa golpes e tenta coisas que parecem irreais", disse o ex-tenista suíço Marc Rosset. "Eu não conheço ninguém que tenha tanta intimidade com o esporte."

Federer cansa os seus oponentes com tanta facilidade que faz o tênis parecer fácil. "Ele é como um artista, um pintor ou escultor, que cria a impressão de que tudo é fácil", afirmou Yves Allegro, parceiro frequente de Federer nas duplas.

Philippe Bouin, o colunista de tênis do *L'Equipe* e um dos maiores especialistas internacionais no assunto, descreve o jogo de Federer como um "milagre permanente". Bouin, contudo, também chama a atenção para o lado ruim de tal atributo: "O azar é que o seu talento lhe permite executar as mais difíceis jogadas como se fossem a coisa mais fácil do mundo", disse. "As pessoas ficarão decepcionadas no dia em que o mágico colocar a mão dentro de sua cartola e for mordido pelo seu próprio coelho."

A força mental de Federer pode também ter sido obtida muito naturalmente. Desde jovem, ele tinha a capacidade de se controlar quando a situação ficava ruim. Mesmo em seu tempo de formação como tenista, ele era decididamente o tipo competitivo que evocava o seu melhor em momentos cruciais, e o seu desempenho nos treinamentos não refletia a sua verdadeira força de jogo.

Para jogar o seu melhor em momentos cruciais, você precisa ser mentalmente forte. Se você não está em sintonia e não acredita em si mesmo, não há como utilizar o seu potencial máximo em um momento decisivo.

Nesse sentindo, atletas que competem em esportes individuais correm o risco de ficar irritados, com distúrbios e pensamentos ruins — mais que nos esportes coletivos, nos quais as substituições e os colegas de time podem evitar que um atleta mentalmente fragilizado decida exclusivamente o resultado de um jogo. "Nós, jogadores de tênis, temos a tendência de sermos muito sensíveis. Um pequeno grão de areia nas engrenagens já é o suficiente para nos tirar dos trilhos", disse Federer, em 2004. "Eu sempre tento me manter calmo e equilibrado. Por isso tenho a tendência de olhar menos em direção ao espaço reservado para a minha equipe nas arquibancadas que os outros tenistas."

Federer desenvolveu um trabalho exemplar ao evitar distrações, como se elas batessem em um campo de força e sumissem. Não se superestima ou subestima os seus oponentes — não importa a diferença no ranking. Ele está preparado para qualquer coisa — por isso, raramente é surpreendido ou desviado do seu caminho. Até mesmo durante suas longas sequências de vitórias, as pessoas ouvirão Federer dizer coisas como: "Estou longe de me considerar uma lenda", "Eu estou esperando pelo pior", "Eu sempre fico surpreso quando ganho facilmente" e "Eu nunca subestimo um oponente".

O número 1 do ranking é, para Federer, uma fonte de onde ele tira forças e motivação, ao contrário de outros jogadores, que encaram essa posição como um fardo. "Eu gosto de ser o favorito, não apenas o favorito, mas, sim, o grande favorito", disse ele, em 2005. "Afinal de contas, cabe ao desafiante fazer alguma coisa enquanto o favorito olha em volta primeiro e verifica o que os outros estão fazendo. É claro que tenho de assegurar a vitória, mas eu sou mentalmente tão forte que não tenho nenhum problema com essa situação."

Enquanto outros jogadores têm a tendência de se desconcentrarem por um erro do juiz de linha, Federer apenas balança a sua cabeça e continua a jogar como se nada tivesse acontecido. Quando, por exemplo, estava jogando a final do US Open de 2005 contra Agassi — com mais de 23 mil pessoas torcendo fervorosamente para o seu adversário americano, inclusive com alguns torcedores o provocando intencionalmente —, ele conseguiu se manter concentrado e focado no que era mais essencial e mandar a bola sobre a rede dentro da quadra uma vez a mais que seu oponente.

3

O oponente
APENAS PARA COLOCÁ-LO EM SEU LUGAR

Logo depois de sua estreia no ATP Tour, Roger Federer foi rapidamente considerado o novo Pete Sampras. No começo e à primeira vista, o novato brincalhão lembrava Sampras de muitas maneiras — raquete Wilson, roupas da Nike, saque forte, brilhante forehand e backhand com uma mão e muito topspin.

Boris Becker foi um dos especialistas que mais rápida e corretamente avaliou o potencial de Federer. No começo da temporada de 2000, quando Federer ainda estava mais perdendo que ganhando, o tricampeão de Wimbledon já elogiava o jovem suíço: "Roger é um dos maiores talentos que o mundo do tênis já produziu." Em virtude de seu estilo incomparável e de seu infinito potencial, Federer foi recebido com láureas prematuras que, nesse ínterim, não facilitavam o seu desenvolvimento. Evocava uma passagem da Bíblia: "E, a qualquer que muito for dado, muito se lhe pedirá."

Enquanto Federer cresceu relativamente sem pressão, na Suíça, ao se tornar profissional, a comunidade internacional do tênis entrou em contato pela primeira vez com o seu talento e habilidade, e o estresse das grandes expectativas o dominou sem misericórdia. Ele tinha dificuldades para lidar com todos esses elogios efusivos, já que, em sua cabeça, ainda não tinha provado nada. O fato de seu grande sucesso demorar anos para acontecer não silenciou os louvores, e os comentários aumentavam o seu teor de impaciência, lamentação e, algumas vezes, o sentimento de frustração. Muitas

238 A biografia de Roger Federer

pessoas na Suíça e pelo mundo do tênis ficavam cada vez mais esperançosas de que Federer finalmente iria transformar seu potencial notório em realidade e se tornar um grande campeão.

No começo do novo século, o tênis profissional precisava de uma estrela no topo do jogo — uma figura atrativa, que criaria uma nova publicidade para o esporte. O tênis precisava de uma fagulha para manter seu status no mercado saturado e global dos esportes competitivos. A modalidade precisava identificar a sua próxima estrela para sustentar e gerar novos espectadores, patrocinadores e uma maior cobertura da mídia — similar ao que o golfe encontrou em Tiger Woods.

Depois que Sampras jogou a sua última partida da carreira, em 2002, pela final do US Open, o tênis perdeu o modelo padrão da figura lendária que dominou o esporte na década anterior. Um vazio se criou no tênis masculino no início de 1999, quando Sampras foi, pela última vez, o número 1 do mundo. Os 5 anos que se seguiram mostraram ser uma extensa fase de transição, na qual 9 jogadores conseguiram ser o número 1 do mundo, causando confusão em relação a quem era o detentor da coroa do esporte.

Não havia dúvidas: o mundo do tênis estava pronto para que Federer se tornasse um grande campeão, antes mesmo de ele estar preparado para tal responsabilidade. Houve um longo tempo de aprendizado antes da conquista do seu 1º título de torneio de Grand Slam, em 2003. Depois da conquista de Federer em Wimbledon, em 2003, Becker declarou: "Ele deixou de ser apenas um jogador de nível internacional para se transformar em um campeão de torneios do Grand Slam. Para a modalidade tênis, ele é uma dádiva divina, especialmente para a Europa. Finalmente, há outro jogador europeu carismático — da Suíça, considerada um país neutro — que revitalizará o esporte por todo o continente. Todos nós ganhamos alguma coisa com a vitória de Federer em Wimbledon. Até que enfim, o tênis, mais uma vez, tem um jogador com uma técnica clássica, que pode fazer tudo, e não apenas sacar a uma velocidade de 220 km/h."

John McEnroe também era um torcedor prematuro de Federer. O antigo *enfant terrible* e, ele próprio, um artista talentoso nas quadras, descreveu Federer como "o jogador mais perfeito que já existiu". O virtuose do saque e voleio disse, na França, no outono de 2003: "Eu sonhava em jogar como Federer. Assisti-lo jogar é muito bom. Se ele continuar assim, se tornará o maior campeão que eu já vi em toda minha vida." Federer, segundo McEnroe, era o "Sampras do século XXI, e qualquer criança que estivesse aprendendo a jogar tênis deveria tê-lo como um modelo."

O oponente

239

Mats Wilander, que venceu 3 dos 4 torneios do Grand Slam em 1988, também era um admirador precoce do homem da Basileia. "Como eu adoraria ver Roger vencer em Paris!", ele escreveu para um jornal antes do Roland-Garros de 2004. "Na verdade, gostaria de vê-lo ganhar tudo. Federer se destaca entre os outros e ele nem mesmo alcançou o seu ápice ainda." Pouco depois, naquele ano, Wilander reafirmou a sua estima por Federer, ao dizer: "Eu gostaria de apenas estar em seu lugar, pelo menos um dia, para saber como é jogar daquele jeito."

Sampras, que oficialmente encerrou a sua carreira tenística no US Open de 2003, não tinha nada além de elogios para o novo sucessor de seu trono. Embora ele tenha jogado contra Federer em apenas uma ocasião, pelas oitavas de final de Wimbledon, em 2001, Sampras não era alheio ao desenvolvimento impressionante de Federer.

Sem um traço sequer de inveja, ele afirmou: "Ele está meio corpo acima de todos. Ele também é o melhor atleta e se move de maneira mais eficiente que os demais." Igualmente impressionante, de acordo com Sampras, era a habilidade de Federer em manter o mais alto nível de jogo sem gastar uma quantidade descomedida de energia. "É por isso que ele pode dar o seu melhor durante a temporada inteira", disse.

Sampras admitiu ter muitas coisas em comum com Federer: "Nós temos o mesmo temperamento, e ele tem a mesma leveza de jogar que eu tinha", declarou. "Ele é dominante como eu fui capaz de ser durante um tempo." Em uma entrevista mais recente, o americano se expressou mais precisamente: "Federer é melhor no fundo de quadra que eu", disse, em 2006. "O seu backhand também é melhor, e o seu forehand tão bom quanto. Os livros de recordes serão os seus principais desafios nos próximos 4 ou 5 anos."

Os elogios a Federer não estavam limitados ao tour masculino. As melhores jogadoras no WTA Tour não se envergonhavam de sua euforia com relação ao estilo do jogo de Federer. "Roger tem esse instinto natural para melhorar", disse a sua amiga suíça, Martina Hingis. "Eu sempre preciso de alguém para me explicar porque alguma coisa não estava funcionando, mas ele sente isso sozinho." Serena Williams, que, como Hingis, dominou o tênis feminino por um longo tempo, declarou: "Eu gostaria de jogar como ele."

Outros grandes jogadores de tênis do passado também não poupavam esforços para elogiar Federer: "Nada parece perturbá-lo na quadra. Eu às vezes me pergunto se ele tem algum batimento cardíaco", disse Jimmy Connors, em Wimbledon, no ano de 2005, quando estava comentando para a BBC. Nesse mesmo ano, Ivan Lendl, que confiou no mesmo treinador,

240 A biografia de Roger Federer

Tony Roche, por muitos anos, comparou Federer a Tiger Woods, na véspera do US Open. "Roger e Tiger têm em comum o fato de possuírem um enorme talento e investirem a maioria de seu tempo em suas carreiras", disse ele. "Por isso são tão difíceis de serem derrotados." O ex-cidadão tcheco, que mais tarde se naturalizaria americano, não descartou a possibilidade de já ter visto atletas talentosos como Federer. "Já existiram outros jogadores extremamente talentosos, mas eles não conseguiram alcançar as coisas que Federer está obtendo agora", disse Lendl.

Houve alguns jogadores que conseguiram um nível razoável de sucesso contra Federer, especialmente Tim Henman, David Nalbandian, Lleyton Hewitt e Rafael Nadal. Hewitt ganhou 7 das primeiras 9 partidas contra ele, enquanto Henman e Nalbandian ficaram com 6 das primeiras 10. Mas, em algum ponto, Federer descobriu a chave para vencer os seus temidos adversários e controlar essas rivalidades. Depois de perder 6 das primeiras 10 partidas contra Rafael Nadal, Federer ganhou do seu rival espanhol, vencendo 6 das 13 partidas seguintes, incluindo as finais de Wimbledon, em 2006 e 2007.

"Se você pegasse o serviço de Roddick, a devolução de Agassi, o meu voleio e a agilidade de Hewitt, você teria alguma chance contra Federer", disse Henman após ter perdido para Federer nas semifinais do US Open de 2004. "Mas para isso você precisaria de muitos jogadores." Quando perguntaram a Gaston Gaudio sobre qual era a diferença entre o seu colega argentino Nalbandian e o campeão de Wimbledon, ele comentou de maneira seca: "Federer, como Nalbandian, é um jogador completo, mas Federer é um gênio."

Como os melhores jogadores reagiam ao saber do infortúnio de que os dias de seus jogos coincidiam com os de Federer? Hewitt, que era o número 1 do mundo antes do reinado de Federer, em 2004, perdeu todas as 9 partidas contra ele, em 2004 e 2005, das quais perdeu 5 sets de 6-0. Cinco dessas derrotas aconteceram em torneios do Grand Slam — uma na final do US Open e uma na final do Masters Cup. Hewitt, com o passar dos anos, constantemente chamava a atenção para o fato de que Federer havia colocado o tênis em um nível mais alto com a sua ascensão para a posição dominante de número 1 do mundo, mas o australiano admitiu que não havia desistido de sua busca em alcançar o nível de excelência de Federer.

"Todo mundo precisa de um tempo para chegar nele", disse Hewitt depois de ter perdido para Federer nas semifinais do US Open de 2005 — a sua 9º derrota consecutiva para o homem da Basileia. "É por isso que alguém como Agassi, aos 35 anos de idade, ainda quer se aprimorar. Claro que foi frustrante, mas você tem que ver as coisas sempre de um ângulo

O oponente

241

maior. Eu acho que sou um jogador melhor agora do que quando eu era o número 1 do mundo."

Roddick, o predecessor imediato de Federer como o número 1 do mundo, não tem se saído muito melhor. Em comparação direta, o americano fica para trás 19-2 em suas disputas com Federer, depois da final épica de Wimbledon, em 2009, na qual Federer venceu por 16-14 no quinto set. Eles jogaram em 3 finais em Wimbledon (2004, 2005 e 2009) e uma final do US Open (2006). Roddick, que é um ano mais novo que Federer, bravamente prometeu não se deixar desanimar. Depois da final de Wimbledon em 2005, ele disse: "Eu jogaria contra ele de novo e de novo, até os números ficarem em 31-1."

Depois dessa partida, Roddick o chamou de "o jogador fisicamente mais abençoado contra quem eu já joguei. Além disso, ele também ganhou muita força mental. Você junta essas duas coisas e tem uma combinação poderosa". Quando lhe perguntaram se Federer poderia se tornar o melhor jogador de todos os tempos, Roddick continuou: "Não acho que você precisa ir muito longe para chegar a essa conclusão, isso sim. Eu acho que o tempo irá dizer melhor. Se ele continuar a jogar nesse nível, então, acho que sim. Eu não conheço muitas pessoas na história que o derrotariam."

Roddick explicou que Federer ainda consegue ganhar pontos em jogadas que ele, em sua própria opinião, não poderia fazer melhor. "É muito difícil", ele disse. "Eu me lembro, era o game de serviço dele, acho que estava provavelmente 30 a 30. Eu dei a melhor devolução que podia em cima da linha e bati com força. Ele conseguiu chegar na bola. Eu me aproximei e, realizando todo o movimento, dei um forehand cruzado, e lá estava ele, que simplesmente me deu uma passada. Eu não sei se poderia ter feito essas duas jogadas melhores. Sabe, essas coisas te desanimam e te colocam sob pressão, você pensa: está certo, se eu estou fazendo jogadas como essas, talvez eu tenha de tentar ainda mais e fazer algo melhor, mas eu não sei se vou conseguir."

Agassi, de alguma maneira, conseguiu dominar Federer nas primeiras 3 partidas, mas, depois de 8 derrotas consecutivas — a última partida sendo na final do US Open de 2005 —, os números das disputas entre eles sempre ficaram em 8-3, a favor de Federer. Agassi, que, como Hewitt, perdeu uma final da US Open e outra do Masters Cup para Federer, não é reservado ao exaltar as virtudes das habilidades de Federer.

No Masters Cup de Houston, em 2003, no qual ele perdeu para Federer 2 vezes em um período de 6 dias, Agassi comentou: "Ele faz tudo muito bem. Ele se move muito bem, joga dos dois lados, do fundo da quadra e na rede. O seu saque é extremamente eficiente e preciso, ele conhece muito

242 A biografia de Roger Federer

bem o jogo. É o melhor a que alguém pode chegar." Durante uma coletiva após a cerimônia de premiação em Houston, parecendo mais uma declaração de amor, Agassi disse para Federer: "Cara, você é a minha inspiração."

Um ano mais tarde, nas quartas de final do Australian Open de 2005, Agassi elogiou Federer devido ao aprimoramento em seu serviço e trabalho de pernas, mas resistiu a comparar o suíço com outros grandes jogadores, como Sampras.

Na época, ele disse: "Não é justo comparar os grandes jogadores. Cada um tem os seus pontos fortes e fracos." Contudo, depois de perder a final do US Open, naquele mesmo ano, Agassi entrou em um monólogo depois da partida, na sala de imprensa dentro do Arthur Ashe Stadium. Agassi falou com convicção e reverência — quase como se estive acabado de ter um contato imediato com um ser extraplanetário:

"Perder é decepcionante, mas a primeira coisa que você tem de avaliar é o porquê da derrota e se perdeu para um jogador melhor. Quero dizer, por mais que se queira negar, ele é o melhor tenista contra quem eu já joguei. Não há como fugir. Cada jogada tem certa urgência. Se fizer a coisa certa, você tem a sensação de possuir uma chance de ganhar o ponto. E isso é muito bom.

Eu já joguei contra muitas pessoas durante esses anos e todas elas tinham pontos fracos nos quais eu podia concentrar o meu jogo, mas ele tem resposta para tudo que você tenta. Ele joga de maneira especial. Eu nunca vi coisa igual.

Eu estou apenas falando sobre o critério, as opções, o talento e a execução que ele mostra em todas as partidas importantes. É impressionante.

Pete era sensacional. Mas havia pontos onde se podia jogar contra ele. Você sabia o que tinha de fazer. Conseguia dominar de certa forma. Isso não acontece com Roger. Eu acho que ele é o melhor jogador contra quem eu já joguei.

Roger é o único cara contra quem joguei que, quando você está sacando e consegue fazer 1-0, faz você pensar: é isso aí, ótimo! E eu não estou brincando com isso, estou dizendo exatamente como é. Ele pode te pegar a qualquer hora. Se você estiver sacando a 30-0, e ele consegue deixar em 30-15, a pressão que você sente é diferente com os outros. E por isso há uma sensação de urgência em cada ponto, em cada jogada. É um desafio inacreditável.

O oponente

Ele joga a bola curta, faz você ir para frente e para trás. Usa a força de seu golpe contra você mesmo. Se você tirar a força, para que ele não a use, ele dá um passo a mais para te pegar com o seu forehand. O tanto de opções que ele tem para tirar o melhor proveito da partida, a qualquer hora, mesmo com as coisas aparentemente fora de sincronia, parecem ser intermináveis. O seu sucesso é apenas o reflexo de tudo que ele tem a capacidade de fazer.

Para ganhar, alguma coisa tem de não estar funcionando para ele, e você precisa jogar o tênis mais perfeito que já jogou. Mesmo quando você o tem de costas para a parede, ele tem, ao seu dispor, melhores opções que os outros jogadores. Mas você não pode apenas falar de seu talento. Tem de respeitá-lo por seu trabalho duro, disciplina, dedicação e a atitude que ele leva para as quadra todas as vezes.

Você entra em quadra com a sensação de que tem de jogar uma partida perfeita para poder derrotá-lo. É claro que ele tem de jogar o que sabe. Mas, se esse for o caso, você vai ter de jogar uma partida impecável para vencer."

4

O empreendedor
VESTÍGIOS DO HIPOPÓTAMO

Lynette Federer ficou surpresa ao ler uma das entrevistas de seu filho, ainda quando pequeno, para um jornal suíço. A pergunta para Federer era: "O que você compraria com o seu primeiro prêmio em dinheiro?" A resposta impressa no jornal foi: "Uma Mercedes." Roger ainda estava na escola e nem tinha habilitação para dirigir. Sua mãe o conhecia bem para saber que a resposta não estava correta. Ela ligou para os editores do jornal e pediu para escutar a fita em que estava gravada a entrevista. A intuição da mãe estava correta. Na verdade, ele tinha dito: "Mais CDs."

Roger Federer nunca teve gostos extravagantes. Dinheiro nunca foi o seu principal incentivo para se aprimorar. Era apenas um subproduto muito bem-vindo de seu sucesso. É fato que a maioria dos jogadores de tênis bem-sucedidos são banhados a ouro e estão entre os atletas individuais mais bem pagos no mundo. Normalmente, os 100 melhores jogadores no ranking mundial não têm grandes problemas com relação a dinheiro — mas a nacionalidade tem um grande papel nisso. O melhor jogador do Japão, um país que é fanático por tênis e uma das maiores economias mundiais, pode estar ranqueado como o número 300, porém ainda ganhará substancialmente mais que um jogador espanhol entre os 10 melhores de seu país, mesmo ranqueado 200 posições acima. Lucros advindos de publicidade, contratos de patrocinadores, dentre outras oportunidades, são maiores para os jogadores de primeira qualidade, em

O empreendedor

certas nações, e, por vezes, excedem muito os ganhos com prêmios em dinheiro.

Qualquer um que perguntar para um tenista profissional quantos dólares ou euros ele ganha em um torneio raramente receberá uma resposta exata. Para a maioria, o total de ganhos em prêmios é um número abstrato em um pedaço de papel e, quando é finalmente transferido para uma conta bancária, depois de cobrados os impostos, não parece tanto. No entanto, todos os jogadores sabem exatamente quantos pontos acumularam na ATP ou na WTA, quantos ainda sobram para serem alcançados e onde estão. Esses pontos decidem basicamente o lugar no ranking que, por sua vez, determina os torneios nos quais um jogador pode ou não pode competir.

Enquanto o tênis, na maioria das vezes, é um esporte individual, não é assim quando se trata da rotina diária. Ninguém consegue trabalhar sem uma ajuda de fora para coordenar e planejar as sessões de treinamento, deixar as raquetes, o encordoamento, os calçados e roupas prontas, fazer as preparações para as viagens, cuidar dos vistos, preparar o itinerário dos torneios, responder às perguntas e requerimentos da mídia, dos patrocinadores e dos torcedores, fazer a manutenção do site, administrar as questões financeiras e legais, se assegurar do condicionamento físico e tratar as pequenas e grandes lesões, melhorar a nutrição e — algo que tem ficado cada vez mais importante — ter certeza de que nenhuma substância ilegal está sendo ingerida.

Os profissionais de tênis são forçados a formar uma equipe para trabalhar com eles, como se fosse uma pequena corporação. Isso já começa na categoria juvenil, embora, às vezes, uma associação nacional ajude nas muitas tarefas de uma jogador — como a Federação Suíça de Tênis fez com Federer.

Praticamente todos os melhores jogadores são representados por pequenas ou grandes agências, nas quais os agentes e sua equipe oferecem os seus serviços — nem sempre de maneira altruísta — para os jogadores. A reputação dos agentes e das agências de esporte não é sempre positiva, pois muitos colocam como prioridade os seus próprios objetivos financeiros em detrimento do que é mais importante para seus clientes.

A International Management Group, ou IMG — a maior agência de esportes do mundo — assinou com Martina Hingis quando ela tinha apenas 12 anos de idade. Federer também chamou a atenção dos caçadores de talentos da agência, ainda quando era muito novo. A IMG assinou um contrato com a família Federer quando Roger tinha 15 anos de idade. Régis Brunet,

246 A biografia de Roger Federer

que também administrou a carreira de seu amigo suíço Marc Rosset, foi designado para trabalhar com Federer. Lynette e Robert Federer investiram muito tempo e dinheiro na carreira de seu filho, mas também tinham um relativo privilégio de poder contar com a assistência das estruturas nacionais, logo no começo da carreira de Roger. Por anos, a federação suíça arcou com as contas de viagens e acomodações em muitas partidas e também deu oportunidades para treinamentos e assistência esportiva.

Desde muito novo, Federer começou a ganhar mais dinheiro no esporte que os seus contemporâneos. Aos 18 anos, ele já havia ganhado 110 mil dólares em prêmios no tour profissional e, aos 19 anos, já tinha acumulado mais de 500 mil dólares. Assim que Federer se tornou um profissional de ponta, seus ganhos em prêmios subiram vertiginosamente. Aos 20 anos de idade, os seus ganhos estavam em 1,5 milhão de dólares. Quando estava com 23 anos, o seus ganhos oficiais haviam passado de 10 milhões de dólares e, aos 24, foi superada a marca de 20 milhões de dólares. Na primavera de 2010, Federer superou a marca de 55 milhões de dólares em prêmios de carreira, muito à frente dos 43 milhões de dólares de Pete Sampras, que está ranqueado em 2º lugar na lista dos maiores ganhos em prêmios.

Aos 17 anos, Federer já havia assinado contratos de patrocínio com a Nike e com a Wilson. A Babolat o supria com 100 encordoamentos naturais por ano, e a Swisscom pagava as contas do seu telefone celular — o que o adolescente achou muito bom, levando em consideração os inúmeros telefonemas.

No início de sua carreira, Federer não dava muita importância para os detalhes dos procedimentos de seus negócios. Naquela época, em uma entrevista, ele disse: "Eu nem quero saber se estou recebendo dinheiro da Head ou da Wilson ou apenas equipamentos, porque se eu começar a ligar muito para essas coisas, isso pode mudar a minha atitude com relação ao tênis"; "O prêmio em dinheiro é transferido para a minha conta bancária e será usado depois, quando eu começar a viajar ainda mais." Ele ainda falou de uma maneira um tanto rápida: "Eu nunca vou comprar algo muito caro. Gosto de levar uma vida simples."

Federer nunca foi um jogador que faria de tudo para economizar ou ganhar um dinheiro a mais. Ele também não se mudou para Monte Carlo — o tradicional paraíso fiscal dos jogadores de tênis — para economizar os impostos de seus ganhos como muitos tenistas profissionais, dentre eles, os seus compatriotas Marc Rosset, Jakob Hlasek e Heinz Günthardt. Em 2002,

O empreendedor   247

ele falou para o *Schweizer Illustrierte*: "O que se faz de bom lá? Eu não gosto de Mônaco. Vou ficar na Suíça."

Federer era menos tentado a correr atrás do dinheiro fácil por muitas razões. Em primeiro lugar, ele já estava ganhando consideravelmente mais dinheiro que os seus colegas em uma idade precoce. Em segundo lugar, como um cidadão suíço, havia menos oportunidades corporativas que para jogadores de outros países, como os Estados Unidos e a Alemanha. Em terceiro lugar, ele sempre acreditou em "qualidade antes de quantidade" e queria se concentrar no desenvolvimento de seu jogo com a esperança de que seu sucesso arrancasse mais recompensas, posteriormente, em sua carreira.

Federer, contudo, sempre teve consciência de seu valor. Ele, de forma lenta, porém constante, subiu para a posição mais alta do tênis profissional e observou os tipos de oportunidades que surgiam para os melhores jogadores. Quando lhe perguntaram em Bangkok, na primavera de 2004, se gostaria de ganhar o máximo de dinheiro o mais rápido possível, ele respondeu: "Eu estou na melhor fase de minha vida e não quero passar por ela dormindo. Tenho várias perguntas, mas o mais importante é que qualquer parceiro novo tem de se conformar com os meus planos. Eles não podem tirar muito do meu tempo e as suas campanhas publicitárias têm de ser corretas. Não sou o tipo de pessoa que corre atrás de dinheiro. Poderia jogar em torneios menores, nos quais as garantias monetárias são grandes, mas eu não permito que essas coisas me deixem maluco. A coisa mais importante para mim agora é melhorar o meu jogo e ter o controle sobre minha carreira."

O fato de Federer não querer ganhar o dinheiro fácil e rápido é demonstrado em seu itinerário de torneios. Depois de se tornar um jogador top de linha, ele apenas jogou pouquíssimos torneios menores no ATP Tour para os quais os jogadores podem ser levados a competir, em virtude da grande quantia em dinheiro já garantida (o que não é permitido nos Masters Series e nos torneios do Grand Slam). Nesses eventos, a participação de estrelas do calibre de Federer ou de Agassi pode alcançar 6 dígitos. Federer é considerado um jogador que vale esse preço, pois ele atrai muitos torcedores e patrocinadores locais e é certo que jogará em alto nível. Ele ganhou 10 torneios no International Series que competiu entre maio de 2004 e janeiro de 2006 — um desempenho incrível e constante.

248 A biografia de Roger Federer

A estratégia de Federer, que consiste em olhar para as coisas como um todo, se intensificou. Ele se desenvolveu para virar o campeão que é hoje porque não se desviou de seu caminho por causa de distrações e permaneceu focado no único objetivo de maximizar o seu desempenho em quadra. O seu sucesso e a sua reputação como um campeão com altíssima credibilidade aumentam o seu valor com o passar dos anos.

O número dos contratos de propaganda de Federer sempre foi administrável — ao contrário de Björn Borg, por exemplo, que tinha de manter 40 parceiros de contrato satisfeitos quando estava em seu ápice. Aos 20 anos, Federer assinou um contrato com a luxuosa fabricante de relógios Rolex — a marca que também é associada a Wimbledon. Em junho de 2004, o contrato de Federer com a Rolex foi desfeito e ele assinou um contrato de 5 anos como "embaixador" para o fabricante suíço de relógios Maurice Lacroix.

Essa parceria foi prematuramente desfeita depois de 2 anos. Assim que a Rolex percebeu o valor de Federer como um parceiro, eles assinaram com ele um novo contrato no verão de 2006, substituindo a Maurice Lacroix.

Além disso, ele assinou contratos com a Emmi, uma companhia leiteira em Lucerna (o que pareceu bem apropriado para uma pessoa que possuía a sua própria vaca), com a Atag Asset Management, em Berna (até julho de 2004), e com a Swiss International Air Lines. Todos os contratos estavam relacionados ao seu desempenho dentro das quadras e cresceram substancialmente com os sucessos de Federer.

Federer é um parceiro muito confiável para as companhias. Ele está associado aos seus patrocinadores de materiais esportivos Wilson e Nike desde o começo de sua carreira — e provavelmente ficará para sempre. O seu contrato com a Nike foi renovado em maio de 2003, depois de ter expirado no outono de 2002. Naquela época, o novo contrato foi considerado o mais lucrativo já assinado por um atleta suíço. Como quase todos os contratos da Nike, havia uma cláusula proibindo qualquer propaganda adicional em suas roupas — e a Nike compensa Federer por isso.

Mas a renegociação do contrato da Nike foi um longo e cansativo processo, e essa foi uma das razões pelas quais Federer se separou da IMG, em junho de 2003. Na primavera daquele ano, ele disse que "algumas coisas aconteceram na IMG. Essas coisas que eu não posso e não tenho permissão para revelar". Era uma questão de dinheiro, segundo ele, mas não apenas isso. "Havia muitas coisas de que eu não estava gostando."

O empreendedor

Desse ponto em diante, Federer só queria trabalhar com as pessoas em quem confiasse. Ele percebeu que o melhor controle não funciona se não houver confiança. Ele deu ao seu ambiente uma nova estrutura, que ficou conhecida como *In-House Management* (Administração Familiar), baseada em sua convicção de que companhias familiares são os melhores tipos de empresas. O pai de John McEnroe — um advogado — frequentemente administrava os negócios em nome de seu filho, e tudo deu certo para ele. Os pais de Federer se tornaram o principal suporte da gestão dos negócios do filho e fundaram a *The Hippo Company* (A Companhia do Hipopótamo) com sede em Bottmingen, na Suíça. "*Hippo*" (hipopótamo), obviamente, foi escolhido como uma forma de homenagem à África do Sul, a terra natal da mãe de Roger. "A minha esposa e eu observávamos com frequência os hipopótamos durante as nossas férias na África do Sul e acabamos ficando apaixonados por eles", Robert Federer explicou uma vez.

Depois de 33 anos, Lynette Federer deixou a Ciba Corporation no outono de 2003 e ficou à disposição de seu filho em tempo integral; porém, ela não gostava de ser chamada de empresária. "Nós crescemos nesse negócio", disse ela, meses mais tarde. "Se nós precisamos da opinião de um especialista sobre uma questão em particular, não temos receio em perguntar para um profissional." As duas metas principais para o seu filho eram "construir o nome de Federer em uma marca internacional" e "maximizar os lucros durante a vida inteira". A nativa da África do Sul, que, ao contrário de Mirka Vavrinec, apenas viajava ocasionalmente para os torneios, trabalhava muito nos bastidores, que era exatamente o desejo de seu filho. Segundo Federer, em 2005, era importante que seus pais vivessem a sua privacidade em paz, apesar da conexão empresarial que mantinham com ele. "Eu não quero que eles sofram por causa da minha fama", disse. "Eu também dou muita importância ao fato deles não estarem no centro das atenções da mídia com muita frequência e darem entrevistas muito raramente."

Robert Federer continuou a trabalhar para Ciba até o verão de 2006, quando se aposentou, com 60 anos. Robert, contudo, foi sempre parte do centro da gestão de seu filho por anos. "Eu me via como um conselheiro e tentava tirar o peso das costas de Roger sempre que possível", disse ele, no verão de 2003. "Mas, mesmo tendo uma ótima relação baseada na confiança e no respeito, nós, ainda assim, temos alguns problemas."

Em 2003, Mirka oficialmente assumiu a responsabilidade de coordenar suas viagens e sua agenda, especialmente com a mídia e com os patrocinadores. O novo papel e a nova responsabilidade de Mirka deram um novo propósito à sua vida após a interrupção de sua carreira profissional, em decorrência de uma lesão. Na medida em que misturar uma relação de negócios com uma relação pessoal pode, por vezes, causar problemas, Roger e Mirka dizem que tem sido mais fácil do que eles imaginaram. Mirka trata os seus dois papéis de maneira independente, do melhor jeito que pode, e logo decidiu "não ficar mais estressada" quando os pedidos de seu namorado/cliente começassem a se acumular. "Eu fiz todo mundo perceber que deveriam fazer os seus pedidos com muita antecedência — e funcionou perfeitamente", ela disse, em 2004. Mirka assegurou-se em levar prontamente apenas as questões mais relevantes até Roger, para que ele não fosse incomodado por assuntos que ela julgava triviais.

Nicola Arzani, o diretor de comunicações da ATP Tour, exalta a relação profissional que ele tem com Mirka. "Eu trabalho regularmente com Mirka, e tudo funciona muito bem", disse. "Nós coordenamos todas as perguntas e arrumamos a agenda de Federer de acordo com as prioridades — geralmente, com uma grande antecedência." Federer, como todos os outros jogadores, é apoiado pelos profissionais de comunicação da ATP Tour ou pela Federação Internacional de Tênis nos torneios do Grand Slam.

Mirka assumiu atividades extras, em 2003, como a força principal por trás de uma linha de cosméticos que levava o nome de Roger Federer, apresentada durante o Swiss Indoors, na Basileia. Assim nasceu a RF Cosmetic Corporation, e Federer ajudou ativamente a criar a fragrância para o perfume *Feel the Touch*. Mesmo esse produto tendo, de maneira geral, uma grande aceitação, os especialistas do mercado achavam que a empreitada era arriscada. Eles provaram estar certos quando a linha foi encerrada e a empresa fechada em 2009.

Federer mal havia substituído a IMG pela sua *In-House Management* quando os seus meses de grande sucesso irromperam, nos anos de 2003 e 2004, seguidos de muitos pedidos e oportunidades para ele — e de muito trabalho para a sua equipe. Dentro de 7 meses, Federer conquistou Wimbledon, o Masters Cup e o Australian Open e, então, se tornou o número 1 do ranking mundial. Todo o seu sucesso e suas consequências sujeitaram a estrutura da sua administração a um estresse muito grande. "Nós fomos todos pegos de surpresa, sem dúvida", disse Federer. Ele admitiu que queria ser informado de todas as atividades e se via como o chefe da *In-House Management*.

No dia 1 de julho de 2004, Thomas Werder se juntou ao time como o novo diretor de comunicação responsável pela gestão da marca registrada,

O empreendedor 251

relações públicas e pela comunicação com os fãs. Essa relação profissional, contudo, foi desfeita quase um ano mais tarde. A agência de consultoria alemã Hering Schuppener, com sede em Düsseldorf, foi apresentada como uma parceira para administrar as relações públicas internacionais, mas ficou, na maioria das vezes, em segundo plano.

Com exceção da Maurice Lacroix, novas parcerias com patrocinadores não foram inicialmente anunciadas. Em fevereiro de 2004, quando seu filho se tornou o número 1 do ranking mundial, Robert Federer disse que, enquanto eles estivessem engajados nas negociações, o espaço para outros parceiros era, apesar disso, finito. "Nós estamos seguindo o nosso ritmo", disse. "Não queremos forçar nada. Roger não pode ter 20 contratos porque cada contrato toma parte de seu tempo."

De acordo com os especialistas em marketing, o fato de as tentativas de Roger Federer para tirar mais vantagem das suas oportunidades comerciais não terem resultado em mais contratos de propaganda não teve relação apenas com essa limitação mas também deveu-se à falta de contatos de sua equipe no mundo da propaganda corporativa. Além disso, Federer não era a primeira escolha para muitas companhias internacionais como um meio de propaganda, e isso se devia especialmente à sua nacionalidade, sua imagem, e — por mais absurdo que possa parecer — à sua superioridade atlética.

Federer tinha um mercado corporativo limitado em seu país, a Suíça, e, como todos os que não eram americanos, tinha dificuldades em alcançar os potes financeiros de mel da indústria de propaganda corporativa. Tal empreendimento, sem a ajuda de uma agência de marketing do esporte profissional que conheça o mercado americano e que tenha as conexões necessárias, é praticamente impossível. A reputação de Federer como um atleta justo, confiável e excelente pode também não ter feito dele um exibicionista ou carismático o suficiente para muitas companhias. Federer não arrebentava as suas raquetes ou ficava fazendo escarcéu em suas partidas como John McEnroe ou Ilie Nastase costumavam fazer. Ele não pegava em suas partes íntimas como Jimmy Connors e, às vezes, não era considerado uma lenda como Björn Borg, que parecia um deus sueco. Ele não mergulhava nas quadras até os seus joelhos começarem a sangrar como Boris Becker e também não se cercava de atrizes de filmes como alguns de seus colegas, por exemplo, McEnroe, cuja primeira esposa foi a atriz Tatum O'Neal, e a segunda, a estrela do rock Patty Smythe; o mesmo aconteceu com Andre Agassi, que casou com a atriz Brooke Shields antes de ficar com a tenista superstar Steffi Graf.

252 A biografia de Roger Federer

Qualquer um que goste de conversíveis, safaris, jogar cartas com os amigos, boa música, boa comida, sol, areia e mar é muito normal. Durante os seus primeiros 2 anos como o número 1 do mundo, Federer não tinha um rival à sua altura. Borg tinha Connors e, mais tarde, McEnroe. McEnroe tinha ambos, Connors e Borg, e, mais tarde, Ivan Lendl. Becker tinha Stefan Edberg, e Andre Agassi tinha Pete Sampras. No tênis feminino, não havia uma rivalidade maior que a existente entre Martina Navratilova e Chris Evert. Entre 2004 e 2005, Roger Federer não teve ninguém que pudesse se comparar a ele. Durante as temporadas de 2004 e 2005, Federer perdeu apenas 10 vezes para 9 jogadores diferentes, 7 dos quais não estavam nem entre os 10 primeiros do ranking. Uma rivalidade real só nasceu no começo de 2006, com Rafael Nadal.

Quando, em julho de 2005, a revista *Forbes* publicou a lista dos atletas mais bem pagos do mundo, Federer não estava incluído. O seu faturamento anual (dos prêmios em dinheiro, garantias iniciais, propagandas e contratos em material esportivo) estava estimado por volta de 14 milhões de dólares. A *Forbes* colocou apenas dois tenistas na lista — Andre Agassi, que, com 28,2 milhões de dólares, veio em sétimo na lista, e Maria Sharapova, a atraente russa, campeã de Wimbledon em 2004, cuja renda anual era estimada em 18,3 milhões de dólares por causa de vários contratos de publicidade. A lista da *Forbes* era dominada pelos jogadores de basquete e de baseball, como a estrela do golfe Tiger Woods (80,3 milhões de dólares) e o campeão mundial de Fórmula 1 Michael Schumacher (80 milhões de dólares) nas primeiras posições.

Dada a necessidade inegável de alcançar os seus colegas esportistas na lista da *Forbes* e ganhar mais que apenas apoio básico no espaço publicitário, ninguém ficou surpreso quando Federer, mais uma vez, aumentou a gestão com uma agência profissional internacional, em 2005. Foi uma surpresa, no entanto, quando ele escolheu reassinar com a IMG, depois de uma separação que durou 2 anos, apesar das ofertas feitas pela Octagon, SFX e outras grandes agências. Contudo, a maior agência de marketing esportivo foi anunciada como apenas uma adição à *In-House Management*, com o objetivo de "se concentrar intensivamente nas suas oportunidades econômicas". Essa foi uma situação ótima, explicou Federer: "Eu vou continuar a trabalhar com o meu time, aproveitar a sua estrutura de apoio e, ao mesmo tempo, ter uma rede mundial ao meu dispor."

O americano Tony Godsick se tornou o agente de Federer, uma pessoa de dentro do tênis que também agenciava a carreira tenística da campeã de

O empreendedor

Wimbledon, do US Open e do Australian Open, Lindsay Davenport. Godsick era também casado com Mary Joe Fernandez, a ex-tenista top de linha que tinha 3 coisas que Federer invejava muito: duas medalhas de ouro e uma de bronze das Olimpíadas de 1992 e 1996.

Depois da morte, em 2003, do fundador da IMG, Mark McComarck, a companhia foi vendida. A companhia de Cleveland, com base em Ohio, então, reduziu consideravelmente o seu pessoal de 2.700 funcionários, vendeu muitas de suas propriedades e partes de negócios, aparentemente para sanar problemas financeiros. A participação da IMG no tênis profissional também foi reduzida assim que a companhia perdeu terreno nos eventos de Scottsdale, no Arizona, Los Angeles e Indian Wells. O seguinte dono da IMG foi Ted Forstmann, um investidor que comprava e vendia companhias à vontade, e que fez um esforço pessoal para convencer Federer a fazer negócios com a sua nova empresa. Foi dito que o americano havia pago 750 milhões de dólares pela IMG, e algumas pessoas envolvidas imediatamente especularam que Federer havia sido contratado para ajudar a aumentar o valor de mercado da companhia e que teria participação nos lucros acrescidos, caso a IMG fosse revendida ou listada no mercado de ações. Nenhum comentário oficial partiu das duas partes sobre tal especulação.

Quando, durante o Australian Open, lhe perguntaram se a sua nova relação profissional com a IMG mudou as coisas para ele e se estaria, então, mais ativo nas questões fora de quadra, Federer, sem vacilar, afirmou que estava, naquele momento, em uma posição nova e mais forte do que antes em relação à IMG: "Eu não quero assumir mais coisas para fazer, pois já tenho muitas responsabilidades. Deixei bem claro para a IMG que essa é a razão pela qual eu estou voltando. É o oposto: a IMG é que tem de fazer mais que antes."

A IMG rapidamente se tornou muito ativa, a fim de otimizar a situação econômica de Federer e explorar melhor o seu potencial. O objetivo era achar parceiros ideais e contratos que refletiam mais precisamente o seu status como um "ícone do esporte mundial". Em 2006, contratos ainda em andamento foram renegociados, cancelados (Maurice Lacroix) e novos foram feitos (Rolex e Jura — máquinas para café). Federer também assinou um contrato vitalício com a Wilson, apesar das ofertas atrativas de fabricantes de raquetes do Japão e da Áustria.

No começo de 2007, Federer assinou o seu primeiro grande contrato de patrocínio com uma companhia que não tinha relação com o tênis e que não era uma companhia suíça. Em Dubai, ele foi revelado como o mais novo embaixador do programa da Gillette *Champions*, ao lado de Tiger Woods e do jogador de futebol Thierry Henry. "Esses 3 embaixadores foram selecionados não apenas pelos seus feitos no esporte mas também pelo comportamento deles fora do jogo", explicou a companhia. "Eles são tão campeões em suas vidas pessoais como em seus esportes."

O alto valor do contrato foi um progresso para Federer e mostrou que ele havia se tornado um megastar internacional. As iniciativas de várias facetas do marketing, incluindo a publicidade global impressa e de broadcasting em mais de 150 mercados, o ajudou a aumentar a sua popularidade fora do mundo dos esportes.

Do mesmo modo, em 2007, a Netjets, uma empresa de jatos particulares, tornou-se uma das parceiras de Federer. Essa ligação fez com que ele passasse a viajar cada vez mais em jatinhos e também em voos intercontinentais — o que o ajudou a poupar tempo e energia. Na primavera de 2008, ele deu início a uma "parceria estratégica" de vários anos com a Mercedes-Benz China Ltda. Associado ao contrato há um programa de desenvolvimento, em parceria com a associação chinesa de tênis, que visa aumentar a popularidade do esporte no país e incentivar os jovens.

Mas Federer se tornou um garoto-propaganda valioso (mesmo que caro) especialmente para as grandes empresas suíças direcionadas ao exterior. Ele representa alguns valores suíços típicos, como confiança, qualidade e seriedade, se apresenta de maneira autoconfiante — mas sem arrogância —, se expressa em várias línguas e sabe valorizar seus parceiros. Depois da empresa aérea Swiss, assim como Emmi, Rolex, Jura e a seguradora Nationale Suisse, no outono de 2009, a Lindt, da empresa Lindt & Sprüngli, marca suíça líder em chocolates, apostou na estrela internacional do país.

Com o total de suas receitas, a cada ano, Federer avança um pouco mais na lista dos esportistas mais bem pagos. A empresa de comunicação norte-americana Forbes.com avaliou em 33 milhões de dólares sua receita bruta anual, composta de prêmios em dinheiro, cachês para participação em eventos e contratos de patrocínio do verão de 2008 até o verão de 2009 (embora alguns especialistas na área tenham considerado o valor baixo demais). Isso lhe garantiu o 11º lugar na lista dos esportistas mais bem pagos, porém bem abaixo do líder, Tiger Woods. Nesse mesmo período, estima-se que o golfista, amigo de Federer, tenha recebido 110 milhões de dólares, tornando-se o primeiro bilionário em dólar do esporte.

O empreendedor

255

A um tanto lúdica *Celebrity 100 list 2009* da *Forbes*, que faz um ranking dos nomes mais famosos do *show business*, do esporte e da cultura, a partir de seus supostos rendimentos e de sua presença nas diversas mídias (TV, rádio, internet e imprensa escrita), ilustra o quanto Federer se tornou uma estrela mundial. Na lista, encabeçada pela atriz Angelina Jolie, Roger Federer ocupava a posição de número 27, sendo o 5º esportista — atrás de Tiger Woods e de 3 jogadores americanos de basquete. No quesito presença na imprensa escrita, ele chegou, inclusive, ao 3º lugar, atrás do presidente americano Barack Obama e do rapper 50 Cent.

Na Suíça, já aos 27 anos, Federer era considerado herói nacional de fama indelével. Isso é comprovado também por uma grande pesquisa patrocinada pelo jornal *Sonntags Zeitung*, que queria saber qual era "a maior personalidade suíça de todos os tempos" e que foi publicada no início de 2009. Ele ficou em 3º lugar, atrás do vencedor do prêmio Nobel Albert Einstein, que tinha a nacionalidade suíça, assim como de Gottlieb Duttweiler, o fundador da Migros, a maior empresa varejista do país.

Certa vez, perguntei a Federer se sua relação com o dinheiro havia mudado, e ele me respondeu: "De repente, o muito se tornou muito mais, e eu tinha problemas com isso no começo. Com o tempo, fica mais fácil se dar alguns presentes." Para ele, o pior é ter de ler, o tempo todo, especulações sobre sua renda. "Daí, tenho a sensação de estar sendo rotulado de mercenário, que ganha o dinheiro e vira as costas. Isso não é verdade: eu simplesmente estou tentando concretizar meu sonho de tenista."

5

Todos o querem
A ROTINA DIÁRIA DA MÍDIA

Era dia 3 julho de 2004 — a noite antes da final de Wimbledon entre Roger Federer e Andy Roddick. Nossos repórteres da *Sonntags Zeitung* já haviam sido enviados para Zurique, e meu colega Simon Graf e eu estávamos arrumando as nossas coisas na sala de imprensa do All England Club quando o meu celular tocou. O nome "Vavrinec" estava aparecendo iluminado na tela, porém não era Mirka, e sim o próprio Roger. Eu fiquei bastante surpreso, pois era muito difícil ele me ligar pessoalmente, especialmente na noite antecedente à final de Wimbledon. Nosso jornal iria publicar uma matéria grande sobre a sua namorada no dia seguinte e havia mandado, como cortesia, uma cópia do arquivo para o e-mail dela. O fato de Federer estar me ligando não me parecia um sinal muito bom.

Era de conhecimento geral que Federer não gostava de ver ninguém de sua equipe sendo examinado muito de perto pela mídia, e ele se sentia na obrigação de protegê-los. Após convencermos Mirka a nos dar uma entrevista pessoal, ela finalmente falou, de maneira cândida, sobre a sua rotina diária, sua relação com Roger, sobre ter filhos e casamento. Veio-mc à cabeça que Roger queria agora puxar o freio de emergência e barrar a publicação da entrevista — o que era impossível, pois já era tarde demais. De qualquer maneira, deveria ser algo importante, pois ele estava me telefonando pessoalmente antes de uma das grandes partidas de sua carreira.

Todos o querem

Ao falar comigo, ele parecia ter antecipado meus pensamentos, mas também estava descontraído e, rapidamente, dispersou os meus receios. A sua única preocupação com a entrevista era que a resposta para a pergunta relacionada à função de seu amigo Reto Staubli em sua equipe precisava ficar mais bem definida. Staubli, um ex-tenista profissional da Suíça, acompanhou Federer em torneios após a separação entre ele e Peter Lundgren. Ele, às vezes, treinava com Roger e parecia ter assumido o papel de técnico. O objetivo de Federer ter ligado era esclarecer melhor essa parte da história, a fim de evitar qualquer problema para o seu amigo, que ainda tinha um trabalho como bancário na Suíça. Pelo telefone, Federer explicou: "Reto não quer perder o seu emprego no banco e, até agora, ele usou todo o seu tempo de férias para trabalhar com a gente. Graças à generosidade de seus patrões em serem condescendentes com os seus desejos, ele recebeu mais tempo de férias, sem remuneração."

Esse pequeno incidente ilustra 3 traços do caráter de Federer: a sua disposição em ajudar os seus amigos, os seus esforços para manter todas as consequências colaterais de sua carreira sob controle e a sua habilidade de apenas agir naturalmente. Ele sempre teve uma relação tranquila com a mídia e sempre foi uma pessoa muito social. Mesmo nos tempos como jogador juvenil, ele não tinha medo de falar com jornalistas sobre alguma matéria com a qual não estava de acordo. Como o número 1 do mundo, a revista *Forbes* contou um total de 24.396 artigos sobre Federer durante um período de 12 meses, o que tornava praticamente impossível a tarefa de acompanhar o que era publicado sobre ele na imprensa.

No que diz respeito à imprensa, não há escapatória para os tenistas de sucesso. O interesse da imprensa cresce com eles e cria, involuntariamente, uma comunidade com o mesmo propósito. Eles têm de dar entrevistas para a mídia depois de todas as partidas — e, por isso, as coletivas de imprensa se tornaram tão parte do evento quanto as duchas e as massagens. As conversas com a mídia, no entanto, podem ser estressantes em virtude de perguntas embaraçosas e mais que apenas gentilezas sendo trocadas. Por vezes, são revelados alguns segredos, são feitas perguntas provocativas e reafirmados preconceitos. Muitos jogadores, portanto, veem a coletiva de imprensa como uma tarefa cansativa e aborrecedora — uma frustrante perda de tempo. Os jogadores respondem às perguntas com desconfiança, ficam mais reticentes ou evasivos e tentam criar certa distância com a mídia. Aqueles que não dizem nada, nada de errado dizem. Essas coletivas obrigatórias pós-jogo são normalmente conduzidas, em primeiro lugar, em inglês

258 A biografia de Roger Federer

e, então, se necessário, na língua nativa do jogador. Em algumas ocasiões, elas chegam a durar mais que as próprias partidas. O crescimento e o desenvolvimento no mundo da mídia contribuíram para uma maior demanda da televisão, das estações de rádio e dos sites em cobrir pessoalmente, a fim de conseguir citações e comentários dos jogadores.

Pode ser uma benção o fato de Federer, além do alemão suíço, também ser capaz de se comunicar em alemão, inglês e francês — mas, às vezes, o fato de ser multilíngue é uma desvantagem nessas sessões de entrevistas. A sua participação na coletiva normalmente dura mais que a de qualquer outro jogador porque, além de em inglês e alemão, ele também tem de produzir citações em francês, que se tornou a sua segunda língua e é a segunda língua oficial na Suíça, depois do alemão. Federer também é acompanhado, em torneios maiores, por um grupo de jornalistas suíços que falam francês.

Com os outros jogadores, como os argentinos, as coletivas de imprensa são como um passeio no parque. Guillermo Coria, por exemplo, mesmo depois de 5 anos no tour profissional, sempre apareceu em coletivas acompanhado por um intérprete e fala somente em espanhol. David Nalbandian é um mestre na arte da evasão e da economia das palavras, de maneira que a transcrição de sua entrevista mal chega a uma página.

Alguns jogadores, entretanto, usam as coletivas como um fórum para resolver questões pessoais, para se vingar de artigos dos quais não gostaram. Vez ou outra, há momentos em que certos entrevistadores são boicotados ou retirados da sala. Mesmo John McEnroe, por exemplo, não tinha nenhuma reserva em fazer isso. Boris Becker também humilhava os jornalistas, embora um pouco mais gentilmente. Por vezes, ele respondia às perguntas de pessoas que conhecia por anos, e às quais tratava com familiaridade, para apenas dirigir-se a elas, com deboche, em termos formais.

Fazer esses tipos de joguinhos é algo inimaginável para Federer. Ele é uma pessoa que cumprimenta os jornalistas quando entra e então se despede quando sai — mesmo depois das derrotas. Quando começou a jogar no tênis profissional, ele constantemente surpreendia os repórteres depois das entrevistas ao agradecê-los por terem vindo à sua partida e à sua coletiva de imprensa. Ele nota quando há um rosto familiar, que não via há muito tempo, na sala de imprensa e, às vezes, até mesmo faz perguntas para os próprios repórteres durante as coletivas.

Federer não é um tipo de pessoa que faz um espetáculo de si mesmo por falar demais, por comentários que viram manchetes ou artigos escandalosos.

Todos o querem

Ele parece ter internalizado o mote de Benjamin Franklin — "O coração de um tolo está em sua boca, porém a boca de um sábio está em seu coração". A sua gentileza com a mídia, sem dúvidas, contribui com a sua popularidade e sua boa imagem perante a imprensa. Ele trata os seus parceiros de entrevista com seriedade e é tratado por eles da mesma forma. Federer desenvolveu um jeito de integrar a mídia em sua carreira, o que é uma exceção entre os jogadores top de linha. Depois de grandes torneios, como o Master Cup, em Houston, ele ofereceu champagne para os repórteres, jogou pingue-pongue com eles e lhes mostrou a sala dos jogadores no vestiário. Na primavera de 2004, ele visitou o departamento editorial do jornal *L'Equipe*, em Paris, antes de Roland-Garros. Os repórteres ficaram surpresos e o elogiaram muito em seus artigos.

Não há dúvidas que Federer havia dominado o jogo dos microfones e blocos de notas do mesmo modo como havia dominado o jogo da raquete e da bola de tênis. Ele se beneficia por ter as mesmas qualidades requeridas para ambos — perspicácia, paciência, respeito pelos oponentes e o desejo de sempre dar o melhor de si.

A maneira como ele trabalha com a mídia também facilita a colocação de limites. Se ele não quiser dizer algo sobre um tópico específico, a maioria dos integrantes da mídia respeita os seus desejos imediatamente. Por exemplo, perguntas sobre o seu teste no serviço militar obrigatório — Federer foi declarado fisicamente inapto para o serviço militar e foi designado a serviços comunitários alternativos — são consideradas um tabu, bem como questões extremamente pessoais, e o público normalmente descobre onde ele passou as suas férias depois que elas já acabaram.

Federer, no entanto, também teve dificuldades com a mídia, especialmente em 2001 e 2002, quando tentava conquistar o seu primeiro torneio de Grand Slam. "Depois das coletivas de imprensa, eu tinha a impressão de que havia sido pendurado de cabeça para baixo e chacoalhado", admitiu depois de sua terceira vitória em Wimbledon. "Eu saía e pensava: ok, agora eu tenho de repensar todo o meu jogo. Eu me sinto melhor hoje. Sei o que posso e o que não posso fazer, o que eu posso ou não posso dizer, para não ser influenciado negativamente."

É quase impossível provocá-lo. O mais perto que se pode chegar de uma provocação é abordando-o com aquelas perguntas que mostram uma falta de respeito por ele e por suas realizações. Por exemplo, quando um repórter perguntou a ele 2 vezes se ele realmente acreditava que era capaz

260   A biografia de Roger Federer

de derrotar Andre Agassi depois de já tê-lo vencido em duas ocasiões anteriores, a resposta dele era curta e grossa. Federer não gostava muito de uma história, ocorrida em 2004, pouco antes das Olimpíadas, sobre a previsão de um astrólogo de que as estrelas não estariam a seu favor em Atenas. "Você tem de vir com algo mais criativo que isso", disse, mas enfatizou que não daria muita atenção a esse tipo de coisa. "O que esses especialistas dizem não tem a mínima importância", falou. "Eu não vou me dar ao luxo de me incomodar com tais assuntos. Não tenho como controlar o que é escrito por aí e nem quero fazer isso. Eu não tenho de provar nada a ninguém, a não ser para mim mesmo."

Federer vê a mídia como um colega temporário, mas os dias tranquilos, em que se podia marcar uma entrevista particular improvisada, agora fazem parte de um passado distante. Depois da sua primeira conquista em Wimbledon, ele disse: "Naquela época, eu podia dar entrevistas espontaneamente, mas agora elas têm de ser agendadas com meses de antecedência. Eu percebi que gosto de planejar as coisas. Dessa maneira, posso me preparar antecipadamente para as datas com a imprensa e patrocinadores e aproveitar o momento." Mesmo quando são entrevistas exclusivas, o seu mote ainda é: qualidade antes de quantidade.

De acordo com Nicola Arzani, um dos oficiais de comunicação da ATP, a demanda por Federer está crescendo após a sua grande conquista. "Quanto mais ele ganha e mantém a sua imagem como um representante sério do esporte, mais portas irão se abrir para ele", disse Arzani, no início de 2006. "Você pode levá-lo a qualquer pessoa do mundo da mídia e arranjar qualquer tipo de evento. Ele se tornou uma estrela internacional e também conquistou o mercado da mídia americana, o que não é fácil. As reportagens sobre ele têm sido as melhores que eu tenho visto. Federer era considerado mais um herói da Suíça, mas agora ele é uma estrela internacional. É por isso que ele tem mais reponsabilidades e compromissos pelo mundo afora. Porém, ele ainda é muito acessível à mídia suíça."

Às vezes, Federer bagunça toda a sua agenda porque não consegue se manter longe de cultivar os contatos com a mídia. Quem ainda poderia ficar surpreso com o fato de a mídia tê-lo premiado com o Prix Orange, em Roland-Garros, como o jogador mais acessível e simpático?

6

Um homem aclamado
O PONTO DE VISTA DA IMPRENSA

Onde quer que Roger Federer apareça, ele é recebido com grande apreço e estima pela mídia, não importa o lugar no mundo onde esteja jogando. Ele parece inspirar os jornalistas a fazerem comparações extraordinárias e afirmações cheias de cores com relação ao seu estilo e à sua maneira de jogar.

"Federer tem desempenhos como ninguém antes dele carregando um passaporte suíço, pelo menos desde Ursula Andress, quando emergiu de um lago no 'Doctor No' vestindo um biquíni branco", o *Süddeutsche Zeitung* escreveu depois de sua primeira conquista em Wimbledon, evocando a imagem de um filme de James Bond. A revista alemã *Stern* afirmou: "Assisti-lo jogando tênis é como ver Michelangelo trabalhando na Capela Sistina", completando: "Se o tênis masculino, que tem uma carência de heróis, tivesse de ter um salvador em algum momento, ele seria parecido com Roger Federer."

Durante Wimbledon, Federer normalmente é o sujeito que recebe ainda mais elogios extraordinários da imprensa. Parece que os jornalistas estão competindo um com o outro para ver quem é o melhor em descrever a elegância e o status do homem da Basileia. Até mesmo John Parsons, um jornalista reservado e sério do *Daily Telegraph* e mundialmente um dos mais respeitados crônicos de tênis até o seu falecimento, em 2004, também se rendeu aos encantos de Federer. Ele escreveu: "Pegue a frieza do temperamento de Björn Borg, adicione a elegância dos voleios de Stefan Edberg, misture com a autoridade do serviço de Pete Sampras e com a qualidade dos retornos de Andre Agassi e então você terá uma noção do novo campeão de Wimbledon. Ele pode se tornar um gigante entre os campeões."

Entre os maiores admiradores do jogador suíço está o *Times* de Londres, cujo extraordinário colunista, Simon Barnes, elevou Federer para a aristocracia no começo de sua carreira e o descreveu como o "Harry Potter do tênis". Depois da partida de semifinal contra Roddick, em 2003, Barnes escreveu: "Há pessoas que realmente não acreditam existir mais arte no tênis. Aquilo foi arte moderna." Quando Federer conseguiu a sua primeira conquista em Wimbledon, no All England Club, os editores do *Times* ficaram extasiados de alegria. "Que soem todas as trompas alpinas e deixem todos os relógios cuco cantarem à vontade", publicou o jornal. "Cantem à tirolesa a boa notícia de pico a pico e abram todos os Toblerones. A vitória de Roger Federer em Wimbledon confirmou os suíços como uma nação de heróis do esporte, uma terra onde gigantes emergem dos prados das montanhas para navegar os mares, viajar de balão em volta do mundo e abrir caminho para a fama no tênis de grama."

Barnes até mesmo fez uma comparação incomum entre Federer e os melhores jogadores de futebol do mundo: "É como assistir ao Brasil! Mas o Brasil não estava tentando ser belo quando eles ganharam a Copa do Mundo mais do que Federer estava quando conquistou o título. A beleza esteve na arte com que ele destruiu o seu oponente." John Robert, o correspondente bem-humorado do *Independent*, achou a sua comparação nos automóveis. "Ele mostrou para o público que estava na Quadra Central e para milhões de telespectadores que valeu a pena ter esperado por tanto tempo um virtuose como ele. Ele é o Rolls-Royce das quadras de tênis." Neil Harman, o especialista de tênis do *Times*, celebrou Federer mais uma vez, em dezembro de 2003. Harman escreveu: "Federer lançou um encanto mágico no campeonato em um estilo que evoca as memórias do tempo áureo, quando o esporte ainda era uma reunião alegre entre o jogador, a raquete e a bola."

O fascínio do *Times* por Federer continuou até mesmo quando ele conquistou o seu terceiro título em Wimbledon, em 2005. "Você achou isso entediante? Talvez você devesse escolher algo menos intelectualmente estimulante. Como Shakespeare", escreveu Barnes. "Em Hamlet, por exemplo, você já sabe desde o primeiro ato que as coisas acabarão mal para ele, mas o prazer em conhecer a história não sofre com isso — ao contrário. Qualquer um que ache a excelência entediante não deveria acompanhar os esportes nos quais a excelência é o objetivo, porém raramente é alcançada."

Um homem aclamado

O *Daily Telegraph* observou certa afinidade entre o caráter de Federer e o jeito de ser britânico, afirmando, em 2005, que "os torcedores não apenas admiram o seu talento mas também apreciam a sua personalidade. Ele não é um *showman* como Becker, Connors ou Agassi. A sua modéstia e o seu jeito tímido têm um apelo ao caráter britânico".

Demorou um pouco mais de tempo para que os Estados Unidos aceitassem Federer como um talento excepcional, o que não é surpresa, considerando os seus baixos resultados nesse país no começo de sua carreira. Porém, quando as suas sequências de vitórias também começaram nos torneios americanos, a reação foi instantânea. O popular cronista esportivo George Vecsey, do *The New York Times*, expressou, com admiração: "Nessa era de equipamentos nucleares e jogadores enormes, Federer joga com a facilidade e habilidade dos homens de muito tempo atrás, de estatura modesta, vestindo calças brancas, camisas com as mangas arregaçadas e raquetes de madeira."

O *New York Times* declarou que Federer era o padrão para tudo no US Open, em 2005. "Quem é o número 1? Federer, dentro e fora das quadras" era a manchete da publicação de agosto. Federer foi, então, comparado com Lleyton Hewitt, que, durante o seu reinado como o primeiro do ranking, era conhecido por seus comentários egoístas, desequilibrados e, por vezes, insultantes. Hewitt, entrou em litígio com o ATP Tour e não fez quase nada pelo esporte. O *New York Times* publicou: "Federer assumiu o seu lugar de número 1 do mundo como uma responsabilidade, não como uma posição de direito, amadurecendo para tornar-se um jogador de inteligência, ação e consciência social."

Bud Collins, do *Boston Globe*, provavelmente o mais famoso repórter americano especialista em tênis, apresentou Federer aos seus leitores como "o solitário Roger", o caubói solitário cuja vaca está pastando em um prado nas montanhas enquanto ele conquista o mundo. "Não há um técnico em seus estábulos hoje em dia. Nem agente. Nem propagandistas. Nem pajem, mordomo, criado, chofer, *sommelier*. Em suma, não há uma comitiva", exagerou ele. A independência de Federer, bem como o seu longo tempo sem um treinador e sem uma grande agência, surpreendeu os observadores em todos os lugares dos Estados Unidos, onde toda a estrela do esporte tem uma equipe completa ao seu dispor. Não houve um clichê que Collins não usasse, mas o seu texto foi bem original. "Como um verdadeiro canivete suíço calçando tênis, Roger tem vários tipos de lâminas para aniquilar os seus oponentes — e ele faz isso com *swings* tão doces como os chocolates suíços, é tão impenetrável quanto uma conta bancária na Suíça e tão preciso como um relógio suíço."

264 A biografia de Roger Federer

O *New York Post* fez questão de desmentir qualquer crítico que insistia em dizer que a dominância de Federer deixaria o tênis chato. O jornal escreveu, em 2005: "Roger Federer pode vencer 8 dos próximos 10 torneios de Grand Slam, chegar às semifinais dos 2 restantes, e nem assim o tênis se tornará chato. O *quem* e o *quando*, em cada torneio, podem já estar definidos com antecedência, mas é o *como* que cativa o público. Nós iremos assistir ao jogo com um fatalismo hipnotizante." O *Newsday*, o terceiro maior jornal em Nova York, exigiu mais respeito pelo "virtuose", depois que Federer foi forçado a competir em sua partida de estreia no US Open às 11h da manhã. Afinal de contas, ele é "o equivalente do tênis a Wayne Gretsky", fazendo uma comparação entre Federer e o maior jogador de hóquei na história. Quando o *Sports Illustrated* escolheu Federer como o tenista do ano de 2004, a revista escreveu que, "se Federer fosse de Milwaukee, Scranton ou Fresno (e não de Basileia, na Suíça), ele teria uma cobertura no panteão do esporte americano".

Embora Roland-Garros tenha sido o torneio de Grand Slam mais complicado para Federer e provado ser uma longa estrada para a realização de seu potencial em Paris, ele foi reconhecido e celebrado logo no começo como um fenômeno na França. Durante esse tempo, jornalistas constantemente destacavam a sua qualidade como ser humano, especialmente o *L'Equipe* e suas publicações afiliadas. O jornal de esportes publicou, no início de 2005, que, "com Federer, não há dramatização, comédia, gestos ou emoções extravagantes e expressão de tensão em seu rosto ao jogar. Ele parece não precisar de raiva ou agressividade para vencer como tantos outros campeões fazem. A imagem que ele prefere cultivar é de um homem simples".

O *L'Equipe* descreveu Federer, no que se refere à sua cordialidade e acessibilidade, como "um número 1 nada parecido com os seus antecessores. Ivan Lendl era arrogante e autoritário, Andre Agassi era uma estrela praticamente inacessível, Pete Sampras era impassível como um pepino e John McEnroe era apenas McEnroe. Mas Federer é um campeão único e modesto, de pureza e integridade incomuns". Ele parecia quase surreal, tendo em vista ser de um tempo em que tantos colegas bem menos talentosos se enchiam de soberba diante da menor oportunidade, continuou o jornal. "As pessoas podem conversar com extrema liberdade sobre Deus e o mundo, sobre tudo ou nada com um campeão desse calibre."

Mesmo os mais agressivos tabloides no mundo preferem não colocar Federer sob os holofotes do escândalo, o que acontecia com John McEnroe

Um homem aclamado

e Boris Becker repetidas vezes. O papel de gênio lhe foi reservado. Ele é o "Sr. Limpeza", o "matador silencioso com a face fria do futuro" (*Sydney Morning Herald*). O *Daily Express*, da Grã-Bretanha, certa vez exagerou: "Ele não poderia colocar as bolas de maneira mais precisa caso fosse até o outro lado da rede e marcasse o local desejado." O *Daily Mirror* o descreveu como "a tirania da beleza", escrevendo que, "na era de Federer, elegância, poder e técnica contam mais que a dureza; a variação derrota a monotonia".

Durante o Aberto da Alemanha, em 2004, o *Bild* descreveu Federer como "o número 1 mais legal de todos os tempos" e concluiu: "Se nós ao menos tivéssemos alguém como ele! Ele não xinga, não usa de malandragens, é sempre educado e cortês. Trapacear é algo repugnante para ele." Os alemães sempre lamentam por Roger não ter nascido a uns poucos quilômetros mais para o norte, em território alemão.

Federer precisou também conhecer a falta de misericórdia da mídia e os lados sombrios da sua série de vitórias. No início de 2008, quando ele ainda era claramente o número 1 — mas, sem o saber, sofria de mononucleose —, depois de perder em Melbourne para Novak Djokovic, declarou: "Eu criei um monstro. Quando se ganha quase toda a semana, as pessoas começam a duvidar quando se perde um set. Eu sempre preciso vencer o torneio, mesmo que chegar às semifinais seja um bom resultado."

Era como se ele estivesse prevendo o que vinha pela frente: do início de 2008 até maio de 2009, quando ele ganhou apenas 4 de 25 torneiros jogados — entre eles, também o US Open —, cada derrota era acompanhada por críticas, muitas vezes infundadas. A mídia, as cartas dos leitores e os fóruns da internet divulgavam uma atmosfera de fim de carreira, e alguns críticos chegaram a dizer que Federer havia perdido o momento certo para encerrar a sua carreira. Quase ninguém levou em consideração que ele sofreu durante meses as consequências da mononucleose e que, em seguida, havia passado por problemas de coluna.

Federer teve de reconhecer como é curta a vida do sucesso e o quão rápido as mesmas pessoas, que há pouco ainda o louvavam, podiam lhe dar as costas. Mesmo especialistas renomados, que haviam previsto que Federer ganharia 20 ou mais títulos de torneios de Grand Slam, começavam a dar declarações de que seu período no topo estava no fim, que ele provavelmente nunca mais ganharia um grande torneio e que continuaria a cair no ranking – isso porque ele nunca ficou abaixo do número 2, depois de ser superado por Rafael Nadal, em agosto de 2008, e ter recuperado a liderança depois da edição de 2009 de Wimbledon.

266   A biografia de Roger Federer

Por meio de sua constância e de seu brilhantismo, Federer havia elevado as expectativas ao infinito. Por essa razão, maior ainda era a decepção e o abatimento quando seu nível baixou um pouco, o que também era consequência de ele não jogar mais com sua inabalável autoconfiança. Até um colunista do prestigioso *New York Times* reclamou, antes do US Open de 2008: "Quem, diabos, é esse Roger Federer?" À mesma época, um comentarista do *The Sports Xchange/CBSsports.com* analisou, de maneira mais diferenciada: "Antes, o homem era invencível. Ele não o é mais, e isso talvez nos incomode mais do que a ele próprio. Nossa crença se tornou desilusão. Sentimo-nos iludidos de alguma forma."

Alguns veículos da mídia britânica, que tradicionalmente tendem ao extremo, transformaram Federer em um bom assunto de piadas, também por causa de algumas derrotas contra o escocês Andy Murray, que estava a caminho da liderança. Em 2009, durante Wimbledon, o *Daily Telegraph* escreveu que Murray estava prestes "a se sair melhor do que Federer". Seria uma ofensa alguém descrever a atuação de Murray como "à la Federer ". As "lágrimas de autocomiseração" do suíço, depois da derrota na final do Australian Open, eram "terríveis e indignas", e seus uniformes em Wimbledon, "cada vez mais risíveis".

Mas quando Federer completou o Grand Slam de carreira, vencendo Roland-Garros em 2009 e, logo em seguida, abocanhando o recorde de maior vencedor de simples em Wimbledon, os críticos, de repente, emudeceram. Ele tinha voltado a ser "o maior jogador de todos os tempos" para a maioria deles, inclusive para o *Times* londrino.

As reações positivas — até eufóricas — em relação a toda sua carreira são ampla maioria. Seria possível rechear um livro apenas com todos os hinos de louvor entoados por todos os especialistas, colunistas, treinadores, preparadores físicos e oponentes.

Talvez nenhum deles tenha ficado tão eufórico quanto o americano Nick Bolletieri, do jornal *The Indepedent*, na edição de 4 de julho de 2005. "É simplesmente impossível explicar como ele faz aquilo que faz", escreveu o experiente treinador, depois da terceira vitória de Federer em Wimbledon. "Sua força física e mental e sua serenidade, tão completas, o fazem um atleta único na história do tênis. O melhor atleta que já praticou esse esporte. Sampras foi um campeão maravilhoso, sem dúvida. Mas ele tinha pontos fracos, por exemplo, em seu backhand. Borg foi outro grande jogador. Mas

Um homem aclamado

ele era uma máquina e não convencia, como Federer. Seu talento não é deste planeta. São poucos os esportistas que têm tal dominância e tal aura; talvez Muhammad Ali, Michael Jordan e Wayne Gretzky. Federer está nesse nível. Independente do futuro, temos de ser gratos por tê-lo visto jogar. Ele é um mágico, um gênio."

Depois de Federer ter vencido seu 12º título de Grand Slam, em Nova York, no ano de 2007, a prestigiosa revista americana *Sports Illustrated* o elogiou de uma maneira que transcende muito o esporte, o honrando definitivamente com o status de uma lenda vida. "O suíço", escreveu a revista, "deixou poucas dúvidas de que ninguém no mundo sabe fazer algo tão bem quanto ele joga tênis".

O embaixador
UMA NOBRE MISSÃO

Roger Federer estava em Sydney, na Austrália, quando, no dia 26 de dezembro de 2004, um terremoto gigantesco perto da ilha de Sumatra, na Indonésia, gerou um tsunami que matou mais de 200 mil pessoas na região. Federer ficou profundamente abalado com a tragédia. Depois de sobrevoar a área atingida no seu caminho para o Aberto do Qatar, em Doha, apenas alguns dias depois, ele acompanhou intensamente pela televisão a cobertura da mídia em seu hotel.

"O fato todo o afetou de verdade", disse Mirka Vavrinec, pelo telefone, apenas alguns dias depois da tragédia. O casal havia terminado de passar as suas férias nas ilhas Maldivas, tendo saído apenas 3 semanas antes de Colombo, no Sri Lanka, um dos lugares mais afetados pelas ondas gigantescas. "Nós temos conhecidos lá perto, mas não conseguimos contatá-los há dias", disse Mirka. Roger e Mirka eram muito ligados à região, tendo passado várias de suas férias na ilha Phuket, da Tailândia, e outras áreas da região devastada pelo tsunami. Algumas semanas antes da tragédia, Federer venceu o Aberto da Tailândia, em Bangkok. "Foi um grande choque para mim", ele escreveu em seu site. "É difícil de imaginar o que as pessoas estão passando por lá."

Em um ato inicial e espontâneo, Federer transferiu 20 mil francos suíços (16 mil dólares) para uma organização suíça de ajuda. No entanto, sentiu que poderia e desejava fazer mais. De volta para a Austrália, ele se compro-

O embaixador

269

meteu, ao lado de outros atletas, a fazer uma campanha na "Nike Town" de Melbourne, com a qual foram arrecadados mais de 100 mil francos suíços (80 mil dólares). A Nike igualou essa quantia e contribuiu com roupas para as vítimas. Na véspera do Australian Open, Federer declarou o seu desejo em "jogar qualquer partida em particular para ajudar as vítimas". Não era o suficiente para ele apenas autografar raquetes para serem leiloadas. Ele próprio tomou a iniciativa e chamou os seus colegas jogadores para conduzirem uma campanha unificada.

O resultado foi um evento único no tênis profissional. Antes do torneio em Indian Wells, 9 jogadores top de linha fizeram um evento de exibição no dia 11 de março, a fim de arrecadar fundos para as vítimas do tsunami. As grandes tenistas, como Kim Clijsters, Elena Demetieva, Amelie Mauresmo e Daniela Hantuchova também participaram. Os jogadores até mesmo coletaram contribuições, em latas, dos torcedores nas arquibancadas — o que resultou em 18.282,76 dólares. O dinheiro arrecadado — bem como a quantia arrecadada nas vendas dos ingressos para o evento — foi transferido para as vítimas do tsunami pela Unicef. Um programa de auxílio a crianças, o ACE (Assisting Chidren Everywhere), foi também apresentado no mesmo evento, organizado pela Unicef e a ATP. Mais tarde, no ano anterior ao US Open, Federer foi reconhecido pela Unicef, em nome do tour de tênis, por seus trabalhos de caridade. Em abril de 2006, a Unicef nomeou Federer "Embaixador", em uma cerimônia em Nova York.

O que diferencia Federer dos outros atletas que têm o desejo de ajudar as pessoas necessitadas é a sua devoção pessoal. Não é suficiente para ele apenas enviar dinheiro. Ele está, como a campanha em Indian Wells demonstrou, disposto a se envolver pessoalmente e investir o seu precioso tempo nos projetos.

A Fundação Roger Federer — com sede em Bottmingen, na Suíça — foi fundada no dia 24 de dezembro de 2003, logo após ele ter conquistado o seu primeiro título de Grand Slam e antes de ele estar perto de ter segurança financeira. Os objetivos da fundação eram ajudar crianças carentes e promover os esportes para os jovens.

A fundação logo entrou em parceria cooperativa com a Imbewu Organization, uma organização de auxílio sul-africana com uma filial na Suíça comprometida a ajudar crianças e jovens carentes no município de New Brighton, na cidade sul-africana de Porto Elizabeth. O município está entre os mais pobres e superlotados na África do Sul, onde a aids, a violência e as

270 A biografia de Roger Federer

doenças levam incontáveis vidas. A fundação de Federer torna possível para 30 crianças estudarem em três escolas diferentes. A fundação arca com os custos de alimentação, uniformes e materiais escolares e também financia 3 assistentes sociais em tempo integral.

"Eu ganhei tanto em minha curta carreira no tênis. Gostaria de dar alguma coisa em troca com a minha fundação, especialmente para aqueles mais necessitados", Federer disse, na época, explicando o propósito de sua fundação. Ele explicou o porquê da África do Sul: "Porque minha mãe cresceu nesse país e eu sempre tive uma relação muito próxima com a África do Sul. A África do Sul, para mim, é o modelo de superação do ódio e da opressão."

O fato de que, para Federer, a fundação é uma questão de causa, e não de efeito, tornou-se evidente na maneira como ele organizou a sua primeira visita ao município de New Brighton, no começo de maio de 2005. O seu assessor de imprensa na época, Thomas Werder, sugeriu que ele permitisse que vários representantes da mídia viajassem com eles até a cidade, a fim de gerar uma grande publicidade em vários tipos de mídia. Federer, no entanto, recusou. Não era uma questão de alcançar a maior cobertura da mídia possível sob o mote "faça boas ações e fale sobre elas". A notícia de sua visita ao município veio como uma surpresa para a maioria da imprensa suíça. A pequena reportagem sobre a visita chegou ao fim da noite pela Swiss News Agency, no dia 2 de março de 2005, quando a maioria dos jornais já tinha pouco espaço para noticiar o evento, acabando por colocar a notícia em uma pequena nota.

Acompanhado Roger estava Mirka, sua mãe e Nicola Arzani, da ATP. "Ele não queria fazer disso um grande escarcéu", relembrou Arzani. "Eu o convenci a, pelo menos, permitir a presença de um fotógrafo, um *cameraman* e um jornalista local." Federer, segundo ele, passou o dia inteiro em New Brighton, jogou futebol e basquete com os estudantes, plantou uma árvore e deu 2.500 camisetas com o dizer "Eu sou o amanhã". Também visitou escolas, postos de saúde e a casa de uma garota. Então comeu o prato da culinária tradicional dos Xhosa, constituído de farinha de milho e feijão, com as crianças, que cantaram e dançaram para ele.

"Eu não senti medo nenhum", explicou, mais tarde, para Mark Mathabane, um sul-africano que vivia nos Estados Unidos e que escreveu sobre a visita na revista *Deuce*. "Eu queria ver as coisas com os meus próprios olhos, sentir como era viver daquele jeito. Também queria descobrir como as pessoas viviam por lá." Em novembro de 2005, os pais de Federer presentearam

O embaixador

271

o município com uma instalação poliesportiva para basquete, netball e futebol.

Em 2007, a Fundação Roger Federer foi relançada. Novas pessoas integraram o time, como Christophe Schmocker, um homem muito experiente em fundações e caridade. "O objetivo é jogar em uma liga superior", disse Schmocker. Um novo site e novos projetos foram feitos, como o patrocínio de Federer a 10 jovens atletas suíços de diferentes esportes. Um dos principais objetivos da fundação era "auxiliar países pobres selecionados do hemisfério sul", Schmocker explicou. Como exemplo, a fundação ajudou uma escola na Etiópia.

O campeão de Wimbledon rapidamente se conscientizou de que a sua posição no topo de seu esporte o daria a chance de ser um exemplo, se tornar um embaixador e chamar a atenção às questões necessárias.

"Se você me perguntar, ele é o melhor embaixador do tênis que nós já tivemos", disse Arzani. "É tão fácil trabalhar com ele, porque ele entende exatamente quais são as suas responsabilidades. É completamente dedicado com tudo que faz. Ele não faz as coisas simplesmente porque tem de fazê-las. Ele sempre quer saber exatamente o porquê das coisas, quem será beneficiado, por que um torneio quer fazer certa coisa ou por que ele deveria fazer determinada coisa com a mídia. Ele é muito comprometido com tudo que faz."

"O entusiasmo que ele tem pelo tênis é incrível", disse Yves Allegro, um de seus melhores amigos. "Não há ninguém como ele. Isso presenteia o tênis — na verdade, o mundo todo — com uma oportunidade única." John McEnroe fez quase a mesma observação em 2005, quando declarou para o *Newsday*: "Roger se importa com o tênis. Ele abraça a responsabilidade de ser o número 1 do mundo."

Quando perguntado pelo embaixador especial dos esportes da ONU da Suíça, Aldof Ogi, se ele estava disposto a ajudar a lançar o ano de 2005 como o "Ano Internacional dos Esportes e da Educação" em nome da ONU, Federer imediatamente aceitou. Acompanhados do Secretário Geral da ONU, Kofi Annan, Federer e Ogi anunciaram essa iniciativa na sede da ONU, em Nova York, no dia 5 de novembro de 2004. Quase um ano mais tarde, Federer apresentou um relatório provisório no Palácio das Nações, em Genebra. Ele conduziu as duas apresentações com grande entusiasmo.

Em seu site, Federer declarou: "Eu estou convencido que o esporte pode ajudar a superar as adversidades e também a construir pontes entre culturas e nações. Se eu puder fazer a minha modesta contribuição para ajudar os outros, eu certamente farei. Como um embaixador do esporte, contribuir para ajudar os outros é uma missão muito nobre." Antes do Natal de 2006, Federer tirou um tempo de folga para visitar a Índia, em seu papel de embaixador da Unicef.

O papel de embaixador parece combinar muito bem com Federer. Mark Miles, o ex-diretor executivo da ATP, não pôde acreditar em seus olhos quando Federer e Mirka organizaram um dia com a imprensa em Hong Kong depois do US Open em 2004 — espontaneamente — não só para satisfazer as demandas pelo tempo de Federer como também para promover o *boom* do tênis na Ásia.

A vontade de Federer em ajudar também criou uma admiração entre os organizadores do Masters Cup, em Xangai. Eles lhe perguntaram reservadamente se ele não estaria disposto a inaugurar o novo Qi Zhong Stadium pessoalmente, como uma introdução para o Tennis Masters Cup de 2005. Federer aceitou com gosto. Quando chegou a Xangai para a visita, um dia depois de vencer em Bangkok, deu entrevistas atrás de entrevistas e, em vez de jogar apenas um set com os organizadores e oficiais na Quadra Central, jogou dois. Também passou bastante tempo com os organizadores, os oficiais do governo, com a imprensa e os torcedores. Ele até mesmo visitou a cozinha para agradecer aos cozinheiros.

Durante o Masters Cup, em Xangai, repórteres mencionaram a sua visita para inaugurar o estádio e resumiram que nenhum outro jogador teria feito o que Federer fez para promover o evento, especialmente jogar mais que o combinado. "O meu parceiro de duplas queria jogar mais um set, e eu disse que tudo bem", Roger falou. "Nós até ganhamos os dois sets. Foi engraçado. Foi divertido ver como as coisas funcionam nos bastidores. Não é todos dias que se tem a oportunidade de passar um tempo com oficiais do governo, especialmente da China." Ele também observou: "O tênis tem me dado tanto que estou convencido que devo dar algo em retorno. Não é um dever para mim, mas isso faz com que eu me sinta muito melhor. Eu tenho orgulho de apoiar o tênis e o esporte e espero que o próximo número 1 do mundo faça isso também."

Lynette Federer gostava de ver o seu filho amadurecer e assumir o papel de um embaixador — e notou a grande mudança dentro dele quando conseguiu a

O embaixador

273

posição de número 1 do mundo pela primeira vez, em 2004. "Roger se tornou um perfeccionista. Ele é muito correto", ela disse, naquele mesmo ano. "Era completamente diferente antes, ele não levava as coisas tão a sério e sempre estava atrasado. Ele está levando esse papel de número 1 muito seriamente." Segundo ela, Roger preza por valores como honestidade, candura, amizade, espírito de equipe, responsabilidade, lealdade e integridade.

Federer tem sido um exemplo para muitos fãs e jovens tenistas ambiciosos já há um bom tempo. Ele se tornou uma pessoa que vale a pena admirar. Ele provavelmente dá mais autógrafos e é mais acessível que qualquer número 1 do ranking mundial antes dele. "Para fazer um sonho se tornar realidade para algumas pessoas", Federer disse uma vez, quando perguntado por que era tão paciente quando estava dando autógrafos. "Na época em que era um pegador de bolas, eu também costumava ir atrás dos jogadores para ganhar autógrafos. Em casa, eu olhava para as assinaturas como o troféu do dia. Eu sei como é, não me esqueci disso." Um dos seus costumes durante os torneios é convidar profissionais desconhecidos ou jogadores juvenis para praticar com ele, dando a eles uma experiência inesquecível.

Federer tem consciência de que a sua opinião carrega um peso maior que a dos outros e usa isso de maneira responsável. Ele não é um tipo de pessoa que fala clichês inúteis e promove mudanças radicais. Prefere apoiar as tradições do tênis e questões convencionais. Ele é contra a substituição dos juízes de linha por um sistema eletrônico. Também é contra experimentos com novos sistemas de pontuação, como foi implementado, parcialmente, em torneios de duplas. Não é a favor de se ter mais competições com pontos corridos, o que não deu certo em 2007. Ele também defende o direito de os torneios menores existirem. "Eu não acho correto medir tudo de acordo com os torneios de Grand Slam, porque, se fosse assim, as outras competições seriam basicamente insignificantes", disse. Mas, obviamente, ele tem a consciência de que, no fim, a sua carreira será principalmente avaliada pelo número de títulos em torneios de Grand Slam que ele conquistou e por quanto tempo ele permaneceu como o número 1 do mundo.

Federer não é apenas um embaixador para os esportes mas também para a Europa e, especialmente, para a Suíça. Apesar dos seus laços com a África do Sul, ele constantemente demonstra o quanto a Suíça significa para ele. Representar a Suíça na Copa Davis e nos Jogos Olímpicos é muito importante para Federer, mas, infelizmente, o seu compromisso com a Copa Davis tem sido sacrificado para dar prioridade à sua carreira no circuito. Ele descreve o momento em que liderou a delegação da Suíça nas

274 A biografia de Roger Federer

Olimpíadas como o porta-bandeira na Cerimônia de Abertura, no ano de 2004, em Atenas, na Grécia, como um dos mais importantes de sua vida. O momento foi repetido em 2008, nos Jogos Olímpicos de Pequim.

Acima de todas as coisas, Roger Federer é um embaixador extremamente talentoso e um trabalhador do tênis, que ama todas as facetas do esporte. Ele é uma pessoa que se esforça para promover a sua modalidade em todas as ocasiões possíveis e sabe que, por meio do tênis, pode dar alegria a um grande número de pessoas — e talvez fazer do mundo um lugar um pouco melhor para se viver.

Histórico de sua carreira

8 de agosto de 1981   Roger Federer nasce em Basileia, na Suíça.

15 de julho de 1996   Federer joga o seu primeiro torneio na categoria juvenil pela FIT (Federação Internacional de Tênis) em Davos, na Suíça, aos 14 anos de idade, e derrota Lakas Rhomberg, da Áustria, por 6-1 e 6-0, na primeira rodada.

11 de maio de 1997   aos 15 anos de idade, Federer conquista o seu primeiro campeonato mundial na categoria juvenil da FIT, em Prato, na Itália, ao derrotar Luka Kutanjac, da Croácia, por 6-4 e 6-0, na final.

22 de setembro de 1997   Federer, menos de 2 meses depois de completar 16 anos, estreia no ranking da ATP como o número 803 do mundo.

5 de julho de 1998   Federer, com 16 anos de idade, derrota Irakli Labaze, da República da Geórgia, por 6-4 e 6-4, para conquistar o título de simples em Wimbledon, na categoria juvenil.

7 de julho de 1998   Federer joga a sua primeira partida pelo ATP Tour, sendo derrotado pelo *lucky loser* Lucas Arnold, da Argentina, por 6-4 e 6-4, na primeira rodada do Swiss Open, em Gstaad.

30 de setembro de 1998   Federer derrota Guillaume Raoux, da França, por 6-2 e 6-2, na primeira rodada de Toulouse, sua primeira vitória em simples pela ATP.

276   A biografia de Roger Federer

20 de dezembro de 1998   Federer termina a sua carreira como juvenil, ao ganhar o prestigioso título em simples no Orange Bowl em Key Biscayne, na Flórida, derrotando Guillermo Coria, da Argentina, por 7-5 e 6-3, na final.

2 de abril de 1999   no centésimo ano da Copa Davis, Federer faz a sua estreia na competição, derrotando Davide Sanguinetti por 6-4, 6-7 (3), 6-3 e 6-4, no dia de abertura dos jogos, na vitória da Suíça sobre a Itália em Neuchâtel. Foi a primeira partida de melhor de 5 sets do jovem Federer, na época com 17 anos de idade. "No começo, eu estava nervoso, mas então fui me acalmando", disse Federer. "Eu não fui tão bem no tie break e me arrisquei muito. Mas acho que, no fim, o fato de me arriscar tanto, combinado com o apoio da torcida, me ajudaram a vencer."

25 de maio de 1999   ranqueado como o número 111 do mundo, Federer, com 17 anos de idade, joga a sua primeira partida na chave principal de um torneio de Grand Slam, em Roland-Garros, perdendo para o bicampeão do US Open, Patrick Rafter, da Austrália, por 5-7, 6-3, 6-0 e 6-2.

22 de junho de 1999   Federer faz a sua estreia na chave principal de Wimbledon e perde na primeira rodada para Jiri Novak, da República Tcheca, por 6-3, 2-6, 4-6, 6-3 e 6-4.

18 de janeiro de 2000   Federer joga e vence a sua primeira partida na chave principal do Australian Open, derrotando Michael Chang por 6-4, 6-4 e 7-6 (5), para chegar até a terceira rodada.

13 de fevereiro de 2000   Federer joga a sua primeira final de simples em torneios da ATP, mas perde para o seu compatriota, Marc Rosset, por 2-6, 6-3 e 7-6 (5), na partida que decidiu o campeão do Aberto de Marseille na França — a primeira final individual da ATP entre dois jogadores da Suíça.

2 de junho de 2000   Federer derrota o companheiro suíço Michel Kratochvil por 7-6 (5), 6-4, 2-6, 6-7 (4) e 8-6, para chegar à quarta rodada em Roland-Garros — sua primeira visita às oitavas de final de um torneio de Grand Slam.

27 de setembro de 2000   Fedcrer perde a disputa pela medalha de bronze nos Jogos Olímpicos de Sydney, caindo diante de Arnaud Di Pasquale, da França, por 7-6 (5), 6-7 (7) e 6-3.

4 de fevereiro de 2001   Federer, aos 19 anos de idade, conquista o primeiro título da ATP de sua carreira, ao derrotar Julien Boutter, da França, por 6-4,

Histórico de sua carreira

6-7 (7) e 6-4, em Milão, na Itália. "Que alívio", disse depois da partida. "Eu estou muito feliz por ter vencido o meu primeiro título aqui em Milão. Quando criança, você sempre sonha em conquistar o seu primeiro título."

5 de junho de 2001 pela primeira vez em sua carreira, Federer avança para as quartas de final de um torneio de Grand Slam, ao derrotar Wayne Arthurs, da Austrália, por 3-6, 6-3, 6-4 e 6-2, nas oitavas de final de Roland-Garros.

25 de junho de 2001 em sua terceira participação na chave principal, em Wimbledon, Federer finalmente vence a sua primeira partida na competição individual masculina, derrotando Christophe Rochus, da Bélgica, por 6-2, 6-3 e 6-2, na primeira rodada.

2 de julho de 2001 Federer confirma uma vitória estonteante com as parciais de 7-6 (7), 5-7, 6-4, 6-7 (2) e 7-5, na Quadra Central, contra o heptacampeão de Wimbledon, Pete Sampras, nas oitavas de final desse mesmo torneio, quebrando a sequência de 31 vitórias consecutivas de Sampras no All England Club e também acabando com a sua busca de igualar o recorde de 5 títulos consecutivos.

19 de maio de 2002 Federer domina Marat Safin para conquistar o seu primeiro título em um Masters Series, no Aberto da Alemanha, em Hamburgo, derrotando o russo por 6-1, 6-3 e 6-4, na final. Federer disse: "Eu joguei muito bem. Foi um torneio ótimo pra mim, realmente incrível. Eu joguei bem a semana toda e isso me dá confiança para entrar bem em Roland--Garros." Federer chega entre os 10 melhores do ranking no dia seguinte, graças ao seu esforço.

25 de junho de 2002 tido como um dos favoritos para vencer o título de Wimbledon, Federer é eliminado, na Quadra Central do All England Club, na primeira rodada, ao perder para o croata de 18 anos de idade, Mario Ancic, que havia chegado à chave principal da competição pelo torneio classificatório, por 6-3, 7-6 (2) e 6-3.

6 de julho de 2003 Federer conquista, pela primeira vez, um título de torneio de Grand Slam, ao derrotar Mark Philippoussis por 7-6 (5), 6-2 e 7-6 (3), na final de simples masculina em Wimbledon. Federer, com 21 anos, se torna o primeiro suíço em 117 edições do campeonato a vencer o título. Federer encaixa 21 aces e 50 bolas vencedoras, contra apenas 9 erros não forçados, na final que durou 1 hora e 56 minutos. Após a sua vitória, ele desabafou: "É um grande sonho se tornando realidade."

278 A biografia de Roger Federer

16 de novembro de 2003 Federer derrota Andre Agassi por 6-3, 6-0 e 6-4, para garantir o título do Master Cup, no fim do ano, pela primeira vez. Jogando no Westside Tennis Club, em Houston, no Texas, Federer encaixa 11 aces na partida de 88 minutos, que durou 2 horas e meia, em virtude da chuva. "Foi uma das minhas melhores partidas na temporada", disse ele, na época. "Eu estou muito feliz com o meu ano, especialmente com esse torneio. Eu trabalhei para valer nessa temporada. Você sempre tem altos e baixos, mas sinto que essa temporada foi completa."

1 de fevereiro de 2004 Federer vence pela primeira vez o Australian Open e conquista o seu segundo título de simples de um torneio do Grand Slam, com as parciais de 7-6 (3), 6-4 e 6-2, em sua vitória contra Marat Safin, na final masculina. O resultado de Federer no Australian Open o lança para a posição de número 1 do ranking, no dia seguinte. "Que ótimo começo de ano para mim, vencer o Australian Open e me tornar o número 1 do mundo", disse ele. "Realizar os meus sonhos, isso realmente significa muito para mim."

4 de julho de 2004 Federer conquista Wimbledon pela segunda vez consecutiva, ao derrotar, pela primeira vez, Andy Roddick, por 4-6, 7-5, 7-6 (3) e 6-4, pela final de simples masculina.

11 de julho de 2004 Federer vence o seu primeiro título como profissional em solo suíço, no Aberto da Suíça, em Gstaad, derrotando Igor Andreev, da Rússia, por 6-2, 6-3, 5-7 e 6-3, na final.

1 de agosto de 2004 no feriado nacional da Suíça e no segundo aniversário da morte de seu técnico, Peter Carter, Federer derrota Andy Roddick por 7-5 e 6-3, na final do Aberto do Canadá, em Toronto. Federer também se torna o primeiro jogador, desde Björn Borg, em 1979, a vencer 3 torneios em 3 diferentes tipos de quadra — grama, saibro e piso duro. Federer declarou: "Espero um dia poder tomar um café com Borg e conversar sobre essas séries."

17 de agosto de 2004 os sonhos olímpicos de Federer acabam em questão de horas, quando ele é eliminado tanto da competição em duplas quanto das simples na Olimpíada de Atenas. Nas simples, Federer perde na segunda rodada para Tomas Berdych, por 4-6, 7-5 e 7-5, e, então, com o seu parceiro Yves Allegro, perde para Mahesh Bhupathi e Leander Paes, da Índia, por 6-2 e 7-6 (7). "O que posso dizer? É um dia terrível para mim, perder em

Histórico de sua carreira

simples e duplas", Federer confessou. "Obviamente eu estava esperando por resultados melhores que esses, mas isso foi o que eu consegui. Agora eu tenho de aceitar e conviver com isso."

12 de setembro de 2004 Federer, com 23 anos de idade, conquista o US Open pela primeira vez, derrotando Lleyton Hewitt por 6-0, 7-6 (3) e 6-0, em 1 hora e 15 minutos, na final de simples masculina. O título do US Open une-se aos títulos de Wimbledon e do Australian Open, ambos conquistados em 2004, fazendo de Federer o primeiro jogador desde Mats Wilander, em 1988, a vencer 3 torneios de Grand Slam no mesmo ano.

21 de novembro de 2004 Roger Federer consegue um recorde na "Open Era"*: ele vence a sua 13ª final consecutiva, ao derrotar Lleyton Hewitt, por 6-3 e 6-2, na final do torneio de fim de ano, o Masters Cup, em Houston, no Texas. Com o título dessa competição, o seu 11º título no ano, o suíço número 1 do mundo fecha uma temporada fantástica, ganhando o Australian Open pela primeira vez, Wimbledon pela segunda vez e o US Open pela primeira vez. Nas palavras de Federer: "É simplesmente um final inacreditável para uma temporada fantástica para mim."

27 de janeiro de 2005 Federer deixa escapar um match point em sua derrota titânica, por 5-7, 6-4, 5-7, 7-6 (6) e 9-7, para Marat Safin nas semifinais do Australian Open.

27 de fevereiro de 2005 Federer conquista o 25º título de sua carreira de simples, ao derrotar Ivan Ljubicic por 6-1, 6-7 (6) e 6-3 na final do Aberto de Dubai, nos Emirados Árabes. O título é o seu 3º consecutivo na cidade rica em petróleo do Oriente Médio. Federer disse, na época: "Vencer 3 vezes aqui é fantástico. É a primeira vez que se consegue isso."

3 de abril de 2005 a dois pontos para ser derrotado no tie break do terceiro set, Federer luta contra o placar de 2 sets a 0 para, por fim, derrotar Rafael Nadal, da Espanha, por 2-6, 6-7 (4), 7-6 (5), 6-3 e 6-1, em 3 horas e 43 minutos, e conquistar o Nasdaq-100 Open, em Key Biscayne, na Flórida. Federer perdia por 4-2 no terceiro set e por 5-3 no tie break do terceiro set antes de virar o placar e conquistar a sua 22ª partida seguida e a sua 18ª final consecutiva.

---

* "Era Aberta" – existente desde 1968, quando os torneios foram abertos a jogadores profissionais. (N.T.)

280   A biografia de Roger Federer

3 de junho de 2005 Rafael Nadal, da Espanha, comemora o seu aniversário de 19 anos e derrota Federer por 6-3, 4-6, 6-4 e 6-3 nas semifinais de Roland-Garros. Nadal declarou: "Federer, para mim, é o melhor jogador seja lá onde for. Não apenas o número 1 para o tênis, mas o número 1 como pessoa e para o esporte."

3 de julho de 2005 Federer conquista Wimbledon pelo terceiro ano consecutivo, ao derrotar Andy Roddick por 6-2, 7-6 (2) e 6-4 na final. Após o jogo, em uma coletiva de imprensa, Roddick disse: "Eu acho que joguei de maneira decente, as minhas estatísticas são decentes e eu perdi de 3-0. Mas não vou ficar choramingando pelos cantos. Fiz tudo que podia. Tentei jogar de maneiras diferentes. Tentei jogar no forehand dele e ir para a rede. Ele me dava uma passada. Tentei fazer um jogo de fundo de quadra, ele descobriu um jeito de me passar, mesmo eu estando na linha de fundo. Espero que ele fique cansado e entediado ou coisa parecida." Roddick também comentou acerca de seus sentimentos pessoais com relação a Federer: "Tenho muito respeito por ele como pessoa. Eu disse a ele antes: adoraria odiá-lo, mas você é uma pessoa muito legal."

11 de setembro de 2005 depois de perder por 6-3, 2-6, 7-6 (1) e 6-1 para o suíço na final do US Open, Andre Agassi afirma que Federer é o melhor jogador contra quem ele já jogou. "Pete (Sampras) era sensacional", disse Agassi. "Mas havia pontos em que se podia jogar contra ele. Você conseguia dominar de certa forma. Isso não acontece com Roger. Eu acho que ele é o melhor jogador contra quem já joguei." Sobre os comentários de Agassi, Federer disse: "É maravilhoso ser comparado com todos os jogadores que ele enfrentou durante a sua carreira. Nós estamos falando dos melhores — alguns são considerados os melhores de todos os tempos. E eu ainda tenho chances de melhorar." A vitória dá o 6º título em torneios de Grand Slam a Federer e o segundo em Flushing Meadows.

20 de novembro de 2005 David Nalbandian, da Argentina, atordoa Federer, ao vencer uma partida de 4 horas de 33 minutos, por 6-7 (4), 6-7 (11), 6-2, 6-1 e 7-6 (3), e se consagrar como campeão do torneio de fim de ano, o Masters Cup. O êxito de Nalbandian quebra a sequência de 35 vitórias consecutivas de Federer e uma série de 24 vitórias consecutivas em finais de simples. Na cerimônia após a partida, Nalbandian disse para Federer: "Te conheço há muito tempo, não se preocupe, você vai ganhar muito mais troféus. Agora me deixe ficar com esse aqui." Federer termina a temporada de 2005 com a marca de 81 vitórias e 4 derrotas.

Histórico de sua carreira

29 de janeiro de 2006 Federer se emociona e chora ao abraçar um dos grandes jogadores de todos os tempos, Rod Laver, durante a cerimônia de premiação depois de sua vitória contra o cipriota Marcos Baghdatis, por 5-7, 7-5, 6-0 e 6-2, pela final do Australian Open. Federer tem dificuldades em colocar em palavras as emoções que sente durante a cerimônia de premiação e soluça depois de receber das mãos de Laver o troféu. "Espero que saibam o quanto isso significa para mim", disse, enquanto enxugava as lágrimas. Federer se torna o primeiro jogador a conquistar 3 torneios de Grand Slam consecutivos desde Pete Sampras, quando conquistou o Australian Open em 1994. O título é o seu 7º em torneios de Grand Slam, igualando-o, a John McEnroe, John Newcombe e Mats Wilander.

4 de março de 2006 na batalha entre o número 1 e o número 2 do mundo, o número 2 do ranking, Rafael Nadal, derrota o número 1, Federer, por 2-6, 6-4 e 6-4, na final do Aberto de Dubai, nos Emirados Árabes. A vitória de Nadal quebra a sequência de 56 vitórias de Federer em quadra de piso duro. "Eu acho inacreditável conseguir vencer o melhor jogador do mundo — talvez o melhor na história desse esporte", declarou Nadal.

14 de maio de 2006 em uma partida épica, que consagra oficialmente a rivalidade entre Roger Federer e Rafael Nadal como uma das maiores do esporte, Nadal derrota o homem da Basileia por 6-7 (0), 7-6 (5), 6-4, 2-6 e 7-6 (5), em uma final de 5 horas e 6 minutos pelo Aberto da Itália, em Roma. Federer lidera por 4-1 no quinto set e tem dois match points antes de deixar o rapaz de 19 anos, de Mallorca, voltar à partida para, de maneira bem-sucedida, defender o seu título italiano. Federer disse: "Eu estava no caminho certo, um passo à frente dele, e fui ultrapassado na linha de chegada, mas eu deveria ter vencido."

11 de junho de 2006 Federer falha em sua busca por conquistar um 4º título de Grand Slam consecutivo, ao perder de Rafael Nadal por 1-6, 6-1, 6-4 e 7-6 (4) na final de Roland-Garros. Federer, que apareceu na final do torneio francês pela primeira vez, quase se junta a Don Budge e Rod Laver como os únicos jogadores a conseguirem todos os 4 títulos de torneio de Grand Slam consecutivamente. A derrota também foi a primeira em 8 finais de torneios de Grand Slam em sua carreira. Federer falou sobre a oportunidade que perdeu de conseguir conquistar consecutivamente os 4 maiores torneios do tênis: "Obviamente, é uma pena, mas a vida continua, certo?"

282　　　　　　　　　　　　　　　　　　　　　　　　A biografia de Roger Federer

27 de junho de 2006　Federer vence a sua 42ª partida consecutiva em quadras de grama, ao derrotar Richard Gasquet, da França, por 6-3, 6-2 e 6-2, na primeira rodada de Wimbledon, quebrando o recorde da maior sequência de vitórias em quadras de grama, que até então pertencia a Björn Borg.

9 de julho de 2006　Federer acaba com uma série de 5 derrotas contra Rafael Nadal, ao vencer o rival espanhol por 6-0, 7-6 (5), 6-7 (2) e 6-3, para se consagrar tetracampeão consecutivo em Wimbledon, juntando-se a Björn Borg e Pete Sampras como os únicos tenistas a conquistarem, por 4 vezes consecutivas, o título simples masculino no All England Club. "Eu sei muito bem o quão importante essa partida foi para mim. Se eu perdesse, seria um grande problema. É importante vencer uma final contra ele, para variar, e ganhar dele, para variar também. Wimbledon, eu sabia, seria o lugar certo para fazer isso da maneira mais fácil, mas acabou sendo bem difícil", disse Federer.

13 de agosto de 2006　Federer conquista o 40º título de sua carreira, ao vencer Richard Gasquet, da França, por 2-6, 6-3 e 6-2, na final do Aberto do Canadá, em Toronto. Federer comentou sobre o começo ruim que teve na partida contra o francês: "Eu sempre acredito que posso virar qualquer partida. E foi o que aconteceu hoje. Eu sabia que, se conseguisse virar o jogo e assumisse a liderança da partida, seria muito difícil para o meu oponente. É isso que eu sempre digo a mim mesmo. Talvez possa ser uma ilusão, mas com certeza funciona."

16 de agosto de 2006　a série de 55 vitórias consecutivas na América do Norte é quebrada por uma derrota com parciais de 7-5 e 6-4 para Andy Murray, da Grã-Bretanha, na segunda rodada em Cincinnati. "As sequências de vitórias? Eu não me importo com elas agora que estão acabadas", disse Federer, que não havia deixado de ganhar nenhum set em suas últimas 194 partidas. "Será uma alívio para todo mundo, e agora nós podemos seguir em frente." Declarou Murray: "Eu sei que Federer não jogou a sua melhor partida, mas quantos jogadores conseguem vencê-lo, mesmo quando joga mal?"

10 de setembro de 2006　com o grande jogador de golfe Tiger Woods sentado no espaço reservado para ele na arquibancada, Federer conquista o US Open pelo terceiro ano consecutivo, ao derrotar Andy Roddick, por 6-2, 4-6, 7-5 e 6-1, na final. "Eu entendo o que ele tem passado com os sucessos que tenho conseguido obter ao decorrer dos anos agora", disse Federer sobre Woods. "Eu o acompanho bastante. Sempre me sinto feliz quando ele ganha. Cada vez mais, nos últimos anos, eu tenho sido bem modesto se

Histórico de sua carreira

comparado a Tiger. Eu perguntei como é para ele, e é engraçado, porque muitas coisas são iguais. Ele sabia exatamente como eu me sentia fora das quadras. Isso é algo que eu não havia experimentado antes, um cara que sabe como é se sentir invencível, às vezes, quando você tem a sensação de que nada mais vai dar errado. No quarto set, por exemplo, é como ele deve se sentir, eu acho, na rodada final. Ele sabe exatamente como é."

28 de janeiro de 2007   Federer se torna o primeiro jogador, desde de Björn Borg, em Roland-Garros, no ano de 1980, a conquistar um título de torneio de Grand Slam sem perder um set com uma vitória na final do Australian Open, contra o chileno Fernando Gonzalez, por 7-6 (2), 6-4 e 6-4. É o 10º título em torneios de Grand Slam de Federer.

26 de fevereiro de 2007   Federer começa a sua 161ª semana consecutiva como o número 1 do mundo, quebrando o recorde de todos os tempos, de Jimmy Connors. "Esse recorde é especial para mim. Mesmo que eu não seja mais o número 1 amanhã, ainda vai levar 3 anos para alguém conseguir quebrá-lo", disse ele.

10 de junho de 2007   Federer perde a final em Roland-Garros para Rafael Nadal, pelo segundo ano seguido, por 6-3, 4-6, 6-3 e 6-4, e novamente não consegue aproveitar a chance de levar o único troféu em torneios de Grand Slam que ele não possui. "Entendam do jeito que quiserem — estou decepcionado por ter perdido. Não ligo para como eu joguei nos últimos 10 meses ou nos últimos 10 anos. No fim de tudo, eu queria ter vencido essa partida", declarou Federer, na coletiva de imprensa depois da partida. "Eu não consegui. Foi uma pena. Mas a vida continua..." Federer também não consegue aproveitar a oportunidade de vencer os 4 maiores torneios do tênis em sequência, um feito que não se repetiu no tênis masculino desde Rod Laver ter conquistado 4 títulos consecutivos de Grand Slam, pela segunda vez, em 1969. Federer disse que, algum dia, iria vencer o torneio. "Por fim, se seu vencer esse campeonato, mais doce será o sabor", afirmou.

8 de julho de 2007   Federer conquista Wimbledon pelo quinto ano consecutivo, ao derrotar Rafael Nadal por 7-6 (7), 4-6, 7-6 (3), 2-6 e 6-2, em uma final épica que o coloca em pé de igualdade com o grande Björn Borg, que conquistou 5 títulos consecutivos em Wimbledon, de 1976 a 1980. "Foi uma partida apertada", disse Federer. "Eu falei para o Rafa na rede que ele merecia a vitória tanto quanto eu. Hoje eu fui o sortudo."

284   A biografia de Roger Federer

9 de setembro de 2007 Federer conquista pela quarta vez consecutiva o título do US Open — o seu 12º título em torneios de Grand Slam —, ao derrotar Novak Djokovic por 7-6 (4), 7-6 (2) e 6-4. Federer fica para trás em cada set por uma quebra e defende um total de 7 set points de Djokovic — 5 no primeiro set e 2 no segundo. Federer declarou: "Eu acho que ter perdido por 3 sets a 0 foi um pouco brutal para Novak, para ser sincero. Ele merecia coisa melhor. Ele teve uma campanha fantástica, não apenas nesse torneio, mas no ano todo. Eu disse a ele na rede: 'mantenha o bom trabalho'. Nós ainda teremos muito mais batalhas, eu acho."

25 de janeiro de 2008 Federer falha na semifinal do Australian Open e tem a sua sequência de 19 vitórias consecutivas no torneio quebrada, ao perder para Novak Djokovic por 7-5, 6-3 e 7-6 (5). A última derrota de Federer por 3 sets a 0 em um torneio de Grand Slam ocorreu quando ele perdeu para o brasileiro Gustavo Kuerten na terceira rodada de Roland-Garros, em 2004, e esta foi a primeira derrota em Melbourne Park, desde a fase correspondente, 3 anos antes, contra o jogador que viria a ser o campeão, Marat Safin. "Claro, eu criei um monstro", disse Federer. "Agora eu sei que preciso sempre conquistar todos os torneios, vencer todas as semanas. Sabe, perco um set e as pessoas dizem que estou jogando mal. Então só pode ser erro meu, eu acho."

8 de junho de 2008 Federer perde a final mais categórica em Roland-Garros desde 1977, em simples masculina, ao ser derrotado na partida mais desproporcional em sua rivalidade com Nadal — 6-1, 6-3 e 6-0. Chris Clarey escreveu no *New York Times:* "Em uma final que mais parecia uma via de mão única, Nadal estava apresentando de maneira sufocante o seu melhor tênis ao conquistar o seu 4º título em Roland-Garros, dando uma surra em seu errático e cada vez mais desalentado oponente suíço." Federer disse sobre a amarga derrota: "Claro que eu esperava vencer mais de 4 games, mas Rafa está realmente muito, muito forte este ano. Ele dominou esse torneio de maneira inédita, talvez."

6 de julho de 2008 Federer e Rafael Nadal jogam uma das mais famosas finais de Wimbledon na história, e o suíço não consegue conquistar o seu 6º título consecutivo, ao ser derrotado pelo rival espanhol por 6-4, 6-4, 6-7 (5), 6-7 (8) e 9-7. A final, de 4 horas de 48 minutos, é a maior de simples masculina da história de Wimbledon. Nadal acaba com a sequência de 40 vitórias consecutivas de Federer no All England Club e um recorde de 65 vitórias seguidas em quadras de grama. Federer descreveu a derrota como "provavelmente a mais difícil, de longe".

Histórico de sua carreira

16 de agosto de 2008 Federer conquista a medalha de ouro nas duplas masculinas no Jogos Olímpicos de Pequim, na China, quando ele e Stanislas Wawrinka vencem os suecos Simon Aspelin e Thomas Johansson por 6-3, 6-4, 6-7 (4) e 6-3. A medalha de ouro, um objetivo de carreira para Federer, vem como uma grande compensação depois de ele ter falhado na busca pelo ouro no masculino simples, ao ser eliminado pelo o americano James Blake nas quartas de final. "É um sonho fantástico se tornando realidade, eu me sinto muito feliz por ter conquistado essa medalha. É uma sensação ótima", disse. "Eu tentei por várias vezes e cheguei bem perto de ganhar uma medalha em Sidney, onde terminei em quarto. Desde então, eu não consigo parar de pensar que, se sou o melhor jogador do mundo, deveria jogar do mesmo jeito nas Olimpíadas e, por fim, eu consegui. É também muito especial porque é para a Suíça, sabe, o nosso país não consegue muitas medalhas em uma Olimpíada, talvez uma ou duas, mas, dessa vez, eu consegui a medalha de ouro, é para o meu país, eu realmente me sinto diferente, por ser para o meu país, é diferente de um torneio de Grand Slam, no qual eu jogo apenas para mim mesmo."

9 de setembro de 2008 Federer conquista o US Open pela quinta vez consecutiva, ao derrotar Andy Murray por 6-2, 7-5 e 6-2, para capturar o seu 13º título em torneios de Grand Slam. Sobre o número de seus títulos nos maiores torneios do tênis, Federer declarou: "Uma coisa é certa, eu não vou parar no número treze."

1 de fevereiro de 2009 Federer perde a final de 5 sets do Australian Open para Rafael Nadal e chora incontrolavelmente na cerimônia de premiação. Depois de sua derrota, por 7-5, 3-6, 7-6 (3), 3-6 e 6-2, para Nadal, ao ser convidado para discursar na cerimônia, Federer se segura para não perder a compostura. "Deus do céu, esse negócio está me torturando", disse, chorando, enquanto tentava fazer o seu discurso de vice-campeão. Depois de Nadal aceitar o troféu das mãos de Rod Laver — e de ter abraçado e consolado o seu oponente derrotado —, Federer retorna para o microfone e diz para Nadal: "Você merece. Você jogou uma final fantástica." A vitória de 4 horas e 22 minutos de Nadal impediu que Federer se igualasse ao recorde de Sampras de 14 títulos de torneios de Grand Slam.

11 de abril de 2009 Federer e a sua namorada de longa data, Mirka Vavrinec, se casam em uma cerimônia particular, na Basileia.

7 de junho de 2009 Federer encontra o seu furtivo "Santo Graal" e finalmente vence em Roland-Garros, para completar o seu "Grand Slam de Carreira".

286 A biografia de Roger Federer

Ele derrota Robin Soderling, da Suécia, por 6-1, 7-6 (1) e 6-4, na final e conquista o seu 14º título em torneios de Grand Slam, igualando-se ao recorde masculino estabelecido por Pete Sampras. "É talvez a minha maior vitória ou certamente a que remove o maior peso das minhas costas", disse Federer. "Eu acho que, agora e até o fim da minha carreira, posso realmente jogar com a minha cabeça em paz e nunca mais escutar que eu não ganharia em Roland-Garros." Federer recebe o Coupe des Mousquetaires das mãos de Andre Agassi, que, ao lado de Fred Perry, Don Budge, Rod Laver e Roy Emerson, são os únicos outros jogadores que conseguiram conquistar todos os 4 torneios mais importantes do tênis em suas carreiras.

5 de julho de 2009 Roger Federer conquista o seu 15º título individual em torneios de Grand Slam — quebrando o recorde masculino de todos os tempos, estabelecido por Pete Sampras —, ao derrotar Andy Roddick, por 5-7, 7-6 (6), 7-6 (5), 3-6 e 16-14, em uma final épica de Wimbledon para ficar marcada na história. Federer consegue um recorde pessoal de 50 aces para vencer o seu 6º título masculino em simples, em Wimbledon, em uma final que durou 4 horas e 16 minutos. "Eu estou feliz por ter conseguido quebrar o recorde aqui porque esse é o torneio mais significativo para mim", declarou. "É definitivamente como se fechasse um ciclo; começou aqui e terminou aqui."

23 de julho de 2009 Federer e a sua esposa, Mirka Vavrinec, se tornam pais das gêmeas Charlene Riva e Myla Rose.

14 de setembro de 2009 Federer não consegue conquistar o título do US Open pela sexta vez, pois Juan Martin del Potro, da Argentina, vence surpreendentemente o número 1 do mundo por 3-6, 7-6 (5), 4-6, 7-6 (4) e 6-2. Federer havia ganhado 40 partidas consecutivas em Flushing Meadows e 33 das suas últimas 34 partidas em torneios de Grand Slam.

31 de janeiro de 2010 Federer conquista o seu 16º título individual — e o seu 4º título masculino individual do Australian Open —, ao derrotar Andy Murray por 6-3, 6-4 e 7-6 (11). O título de torneio de Grand Slam é o primeiro dc Federer depois do nascimento das gêmeas, sendo o primeiro pai a conquistar um título de um dos grandes torneios do tênis desde 2003. Federer disse: "Eu estou nas nuvens por ganhar aqui de novo. Eu joguei o meu melhor tênis nessas duas últimas semanas. É também muito especial — o meu primeiro torneio de Grand Slam como pai."

Citações sobre Roger Federer

"Eu estou impressionado não apenas pela beleza do jogo de Roger mas também com a constância das suas conquistas nos torneios. Ainda mais impressionante é o fato de ele parecer amar o que está fazendo e lidar tão bem com a pressão. Roger é um grande campeão e um embaixador de nosso esporte."
— John McEnroe, 2007.

"Roger tem muitos tipos de jogadas, muito talento em um corpo só. É quase injusto que apenas uma pessoa possa fazer tudo isso — o seu backhand, o seu forehand, voleios, saque, o seu posicionamento em quadra... O jeito como ele se move dentro da quadra, você tem a sensação que ele mal está encostando no chão, e isso é o sinal de um grande campeão. E sua capacidade de antecipação, eu acredito, é algo que todos nós admiramos."
— Rod Lauer, 2007.

"Bem, eu penso quando olho para Roger, sabe, eu sou um fã. Eu sou um fã do seu jeito de jogar, da sua capacidade... Ele tem muita classe, tanto dentro quanto fora das quadras. É divertido assisti-lo jogar. Só a sua habilidade atlética, o que é capaz de fazer na partida. Eu acho que ele pode e vai quebrar todos os recordes do tênis."
— Pete Sampras, 2006.

"Ele simplesmente não tem mais nenhuma fraqueza em seu jogo. É um grande prazer vê-lo jogar. Para mim, Roger Federer é o modelo certo para qualquer um que esteja almejando uma carreira como um jogador de tênis. É simplesmente muito prazeroso assisti-lo nas quadras. As suas jogadas ficaram melhores, e eu duvido que haja qualquer tipo de jogada que ele não consiga fazer em qualquer lugar da quadra. Todos os recordes cairão perante Roger. Ele é um jogador completo, e eu não vejo ninguém que possa chegar perto dele por um bom tempo agora."

— Björn Borg, para *Gulf News*, 2007.

"Roger é um jogador completo. O que ele tem — e não é sorte — é a habilidade de mudar o seu jogo levemente para se adaptar ao que o seu oponente está fazendo. Ele não é reconhecido por ser um jogador agressivo, mas é tão bom na defesa e tão bom na devolução de serviço que força o outro jogador, mentalmente, a se sentir um pouco acuado. 'Eu tenho de servir um pouco melhor ou Roger vai pontuar... Eu tenho de ir à rede e fazer uma jogada melhor ou ele vai me dar uma passada.' Ele ganha pontos com os erros de seus adversários por causa da ameaça de suas habilidades. Por isso ele é um campeão."

— Jack Kramer, para a Associated Press, 2004.

"Roger é como um bom vinho, fica cada vez melhor com o passar dos anos. Eu acho que os seus melhores anos ainda estão por vir. Acredito que o seu ápice chegará quando ele estiver com 26, 27 e 28 anos, quando estiver maduro e no auge de sua forma física. Eu acho que ele se tornará um jogador melhor em vários aspectos. Roger ainda nem começou a usar todo o seu jogo. É um desafio para aqueles que têm de detê-lo. Além do mais, eles estão jogando contra um homem que, provavelmente, entrará para a história do tênis como o melhor de todos os tempos. Isso já deve servir de motivação mais que o suficiente."

— Tony Roche, para *The Age*, 2007.

"[No jogo moderno], você é um especialista em quadra de saibro, um especialista em quadra de grama, um especialista em quadra dura... Ou você é Roger Federer."

— Jimmy Connors, para a BBC, 2006.

"[Roger] tem o potencial para ser o melhor de todos os tempos. Eu não diria que agora, mas ele certamente está no caminho. Eu acompanho Roger e Tiger [Woods] e me sinto muito feliz em poder assistir aos dois, que, provavelmente, serão os melhores de todos os tempos. Eles são fenomenais."

— Ivan Lendl, para o *Sarasota Herald-Tribune*, 2007.

Citações sobre Roger Federer

289

"Eu gostaria de apenas estar em seu lugar pelo menos por um dia para saber como é jogar daquele jeito."

— Mats Wilander, para a Associated Press, 2004.

"Já me esgotaram provavelmente os adjetivos para descrevê-lo em quadra e para falar sobre a sua excelência. Ele é simplesmente inacreditável."

— James Blake, 2006.

"Eu realmente me considero um dos 5 melhores jogadores do mundo; isso não significa que estou perto de Roger."

— Ivan Ljubicic, 2006.

"Ele é uma pessoa de verdade. Ele não é um mistério. Fora das quadras, ele não tem a pretensão de ser especial. Se você o encontrar no McDonald's e não tiver ideia de quem ele é, você nunca imaginaria que é um dos melhores atletas do mundo."

— Andy Roddick, 2005.

"A explicação metafísica é que Roger Federer é um daqueles atletas raros e sobrenaturais que parecem estar isentos, pelo menos em parte, de certas regras da física. Boas comparações aqui incluem Michael Jordan, que não podia apenas pular a uma altura sobre-humana como também permanecer lá em cima um pouco mais de tempo do que a gravidade permite, e Muhammad Ali, que realmente conseguia 'flutuar' na lona e dar 2 ou 3 jabs no espaço de tempo suficiente para 1. Há provavelmente uns seis outros exemplos desde 1960. E Federer é desse tipo — um tipo que se pode chamar de gênio, ou mutante, ou avatar. Ele nunca se apressa ou se desiquilibra. A aproximação da bola dura, para ele, uma fração de segundo a mais do que deveria. Seus movimentos são mais graciosos que atléticos. Como Ali, Jordan, Maradona e Gretzky, ele parece ser, ao mesmo tempo, menos e mais consistente que os oponentes que ele enfrenta. Particularmente quando vestido todo de branco — já que Wimbledon adora se safar por ainda impor tal regra —, ele parece aquilo que pode bem ser (eu acho): uma criatura cujo corpo é feito de carne e, de alguma maneira, luz."

— David Foster Wallace, *New York Times Magazine*, 2006.

"Eu ouvi comparações entre o que Federer e Tiger Woods estão fazendo hoje em dia. Porém, pensemos assim: Tiger não faz nada contra você. Claro que ele te intimida, mas Tiger está jogando contra o campo de golfe, assim como você. Já Federer está jogando contra você. E quando ele te tira aquilo que você faz melhor, isso simplesmente te aleija. Ele faz o que for preciso para ganhar, não importa o tipo de jogador que você seja."

— Patrick McEnroe, para o *St. Petersburg Times*, 2007.

"No domingo à noite, na Rod Laver Arena, Roger Federer me deixou de boca aberta. Eu estava hipnotizado pela audácia de seu jogo. O seu puro domínio da arte do tênis foi simplesmente genial, e testemunhar aquilo foi como evocar algum tipo de experiência espiritual que ocorre apenas algumas vezes na vida — se você tiver essa sorte. Tentar descrever o jeito que Federer joga é como tentar descrever a maneira como Rudolf Nureyev dançava ou Jascha Heifetz tocava violino. Palavras comuns ou imagens não fazem justiça a nenhum deles."

— Gareth Andrews, do *The Age*, 2007.

"Sim, eu realmente joguei contra Roger quando ele tinha 15 anos de idade, durante um torneio na Basileia, e sabia, desde então, que ele seria um bom jogador, mas não desse jeito. Se mantiver o físico, será um milagre ele não vencer mais torneios de Grand Slam que Pete (Sampras). A maneira como ele escolhe as jogadas é inacreditável. Ele é rápido, tem um ótimo voleio, um ótimo saque, um ótimo backhand, ótimo tudo. Se eu fosse o seu treinador, o que poderia dizer para ele? Ele é um mago com a raquete. Mesmo quando está jogando mal, o que é raro, ele ainda consegue fazer coisas com a sua raquete que ninguém mais conseguiria."

— Goran Ivanisevic, para *The Independent*, 2004.

"Ele é o tenista mais abençoado que eu já vi jogar na minha vida. Eu já vi muitas pessoas jogarem. Vi os Lavers, joguei contra alguns dos melhores jogadores — os Sampras, Beckers, Connors, Borgs, você escolhe. Esse cara é provavelmente o melhor tenista da história. Ele pode derrotar mais da metade desses caras por aí de olhos fechados!"

— John McEnroe, 2004.

"Eu nunca gostei de assistir a alguém jogar tênis como eu gosto de assistir a Federer. Fico pasma. Pete Sampras era maravilhoso, mas ele dependia demais de seu saque, enquanto Roger tem tudo, é tão gracioso, elegante e fluido — uma sinfonia do tênis. Roger pode produzir jogadas que deveriam ser ilegais."

— Tracy Austin, 2004.

Citações sobre Roger Federer

291

"O melhor jeito para derrotá-lo seria dar com a raquete bem no meio da cabeça dele. Roger pode fazer o Grand Slam se continuar jogando desse jeito e, se ele fizer isso, se igualará aos os meus 2 Grand Slams, pois os padrões estão muito maiores hoje em dia."
— Rod Laver, 2007.

"Sou um fã de seu jogo, do seu temperamento, da maneira como ele se porta dentro e fora das quadras. Eu, de verdade, imagino como jogaria contra ele. Agora que fico sentado em meu sofá só assistindo, fico encantado com as coisas que ele é capaz de fazer. Ele se move muito bem, faz ótimas coisas nos dois lados da quadra, sabe se aproximar quando tem de fazê-lo e tem um belíssimo primeiro saque. Ele é completo. Não há nada que não saiba fazer. Eu simplesmente adoro isso. Ele faz tudo parecer tão fácil. É sutil, um atleta e tanto."
— Pete Sampras, 2007.

"Ele é provavelmente a pessoa mais talentosa que já pegou em uma raquete — as jogadas que ele faz, a maneira como está se tornando um jogador totalmente completo. E eu acho que, fora das quadras, ele também é magnífico. Já houve vários bons campeões, mas ele tem muita classe. Ele nunca se sente o maioral no vestiário ou qualquer coisa parecida."
— Andy Roddick, 2005.

"Você fala sobre tênis nos dias de hoje e muitas pessoas não dão muita atenção, não mostram interesse. Mas escute: se você não está prestando atenção nesse rapaz, se você gosta de esportes, você tem de tirar um tempo para apreciar esse cara. É como Tiger Woods. Muitas pessoas só gostam de esportes mais em voga: eu gosto de futebol americano, eu gosto de basquete, eu gosto de basebol. Se você não gosta de golfe, tudo bem, mas você tem de admirar a grandeza de Tiger Woods. É a mesma coisa com o tênis. Você não gosta muito de tênis? Eu não estou lhe dizendo que tem de gostar. Mas se você não der a Roger Federer o crédito que ele merece, então está lhe faltando alguma coisa. Roger Federer é o melhor jogador em qualquer esporte hoje e ninguém está próximo dele, ninguém."
— Mike Greenberg, do programa *Mike & Mike*, da Rádio ESPN, 2006.

"O que ele está fazendo no tênis, na minha opinião, está a uma grande distância do que eu tenho feito no golfe. Ele perdeu o quê? 5 partidas em 3 anos? Isso é fantástico."
— Tiger Woods, para a Associated Press, sobre Federer, depois de Woods saber que havia sido escolhido no lugar de Federer como o Atleta do ano pela AP (Associated Press), 2006.

Música
O CARA DO GRAND SLAM
(GRAND SLAM MAN)

© (p) 2005 John Macom (BMI)
Interpretada por Bige

Roger Federer, você fica melhor
A cada jogo que assisto
Roger Federer, foi isso que eu disse
(Você) vai ganhar de qualquer jeito

Ele é o cara do Grand Slam
Ele é o cara do Grand Slam

Ele é da Suíça, ele é um garoto prodígio
Mas não fique no seu caminho
Você sabe que ele espera vencer o Aberto
Ele tem a chance

Roger Federer, você é um predador
Ele te atacará desde o início
Roger Federer você é um triturador
Ele vai te partir ao meio

Ele é o cara do Grand Slam
Ele é o cara do Grand Slam
E essa é para os fãs

Roger Federer, you're getting better
Everytime I see you play
Roger Federer, that's what I said
(You're) gonna win it any way

He's your Grand Slam Man
He's your Grand Slam Man

He's from Switzerland, he's a wunderkind
But don't get in his way
You know he's hopin' to win the Open
He's got the opportunity

Roger Federer, you're a predator
He'll attack you from the start
Roger Federer, you're a shreader
He will tear you right apart

He's your Grand Slam Man
He's your Grand Slam Man
This one's for the fans

Roger Federer, você está melhorando
Eu sei que você sempre rouba a cena
Roger Federer, vista o seu suéter
Vamos, já está na hora

Ele é o cara do Grand Slam
Ele é o cara do Grand Slam
Ele não está apenas se bronzeando

Ele é o cara do Grand Slam
Ele é o cara do Grand Slam
Ele não está apenas se bronzeando

Ele venceu até mesmo em Roterdã
E gostam dele no Japão
Ele é o cara do Grand Slam

Roger Federer, you're getting better
I know you always steal the show
Roger Federer, put on your sweater
C'mon it's time to go

He's your Grand Slam Man
He's your Grand Slam Man
He's not just working on his tan

He's your Grand Slam Man
He's your Grand Slam Man
He's not just working on his tan

He's even won in Rotterdam
And they like him in Japan
He's your Grand Slam Man

Lista de fontes da imprensa para as citações

Página 12. "Eu não me considerava apta para fazer isso, e ele iria acabar me chateando, de um jeito ou de outro" — Lynette Federer, para o *Baseler Zeitung*.

Página 12. "Ele sempre aparecia gritando quando eu estava com meus amigos e pegava a extensão quando eu estava ao telefone. Ele era um capetinha" — Diana Federer, para o *Replay — Roger Federer, His Story* (DVD).

Página 19. "A primeira vez que o vi, Roger raramente subia a rede. Percebia-se seu talento logo de cara. Roger era capaz de fazer muitas coisas com a bola e com a raquete desde muito jovem. Ele era brincalhão e queria principalmente se divertir" — Peter Carter, para o *Basler Zeitung*.

Página 26. "Havia uma cortina nova no centro de tênis..." — Roger Federer, para *Replay — Roger Federer, His Story* (DVD).

Página 50. "Ele só me deu um beijo no último dia dos Jogos Olímpicos" — Mirka Vavrinec, para a *Schweizer Illustriete*.

Página 50. "Não acho que esse tipo de coisa tem de se tornar pública" — Roger Federer, para a *Facts*.

Página 53. "Atleticamente, ele tinha grandes defeitos. Havia um grande potencial para melhoramentos..." — Pierre Paganini, para a *Tages-Anzeiger Magazin*.

Página 54. "Ele quer trabalhar duro, mas precisa de muita variedade..." — Paganini, para o *Aargauer Zeitung*.

Página 70. "Mentalmente, sinto-me muito bem..." — Roger Federer, para o *Basler Zeitung*.

Página 73. "A África do Sul é um refúgio do mundo do tênis para ele..." — Lynette Federer, para o *Neue Welt*.

Página 76. "Era a primeira morte que Roger teve de encarar, e isso o atingiu profundamente..." — Lynette Federer, para o *Replay — Roger Federer, His Story* (DVD).

Página 83. "Ele tem um repertório inacreditável..." — Peter Lundgren, para o *Swiss Sportsinformation*.

Página 85. "O mundo inteiro fica me lembrando de que eu tenho de ganhar um torneio de Grand Slam..." — Roger Federer, para o *Journal du Dimanche*.

Página 87. "Eu simplesmente não estava preparado mentalmente..." — Roger Federer, para a *Tennis Magazine* (Paris).

Página 99. "Naquela época, eu estava muito atento dentro da quadra, em uma espécie de transe, e quase não me lembro de nada..." — Roger Federer, para a *Sport Magazin*.

Página 119. "É um longo caminho até chegar ao número 1. Você tem de passar por muitos obstáculos para chegar lá..." — Roger Federer, para a *Tennis Magazine* (Paris).

Página 211. "O assunto casamento está em pauta..." — Roger Federer, para o *Schwlizer Familie*.

Página 228. "Mirka gosta de cozinhar, e eu gosto de comer..." — Federer, para o *Schweizer Illustrierte*.

Página 228-229. "Isso é muito particular. É algo que eu não discuto de jeito nenhum..." — Federer, para o *Sonntags Blick*.

Página 232. "Naquela época, eu queria mostrar para todo mundo o que eu era capaz de fazer, as jogadas difíceis que eu tinha dominado..." — Federer, para o *Le Figaro*.

Lista de fontes da imprensa para as citações

Página 233. "Eu estava quase entediado dentro da quadra..." — Federer, para o *Aargauer Zeitung*.

Página 238. "Ele deixou de ser apenas um jogador de nível internacional para se transformar em um campeão de torneios de Grand Slam" — Boris Becker, para a *Tennis Magazin*, Hamburgo.

Página 239. "Eu gostaria de apenas estar em seu lugar, pelo menos um dia, para saber como é jogar daquele jeito" — Wilander, para a Associated Press.

Página 239. "Ele está meio corpo acima de todos" — Pete Sampras, para o *L'Equipe*.

Página 248. "Algumas coisas aconteceram na IMG..." — Roger Federer, para o *Aargauer Zeitung*.

Página 249. "Nós crescemos nesse negócio" — Lynette Federer, para o *Basler Zeitung*.

Página 249. "Eu me via como um conselheiro..." — Robert Federer, para a *Facts*.

Página 250. "Nós fomos todos pegos de surpresa..." — Roger Federer, para a *Sport Magazin*.

Página 273. "Roger se tornou um perfeccionista..." — Lynette Federer, para o *Basler Zeitung*.

PARTE III

Resultados de Roger Federer

Legenda:

Somente ATP-Tour, torneios do Grand Slam e Copa Davis (somente simples)

Números entre parênteses = posição no ranking mundial antes do torneio

R1, R2, R3 = 1ª rodada, 2ª rodada, 3ª rodada

Of, Qf, Sf, F = oitavas de final, quartas de final, semifinal, final

R2* = 2ª rodada depois de ter avançado à 1ª rodada sem jogar

RR = round robin, um contra todos

v. = venceu

p. = perdeu para

MS = *Masters Series*

1998

1) **Gstaad, Intls. Series, saibro (702)**
R1 p. Arnold (ARG/88)

2) **Toulouse, Intls. Series, quadra coberta (878)**
R1 v. Raoux (FRA/45) 6:2, 6:2
Of v. Fromberg (AUS/43) 6:1, 7:6 (5)
Qf p. Siemerink (NLD/20) 6:7(5) 2:6

3) **Basileia, Intls. Series, quadra coberta (396)**
R1 p. Agassi (USA/8) 3:6 2:6

1999

4) Marselha, Intls. Series, quadra coberta (243)
R1 v. Moya (ESP/5) 7:6 (1), 3:6, 6:3
Of v. Golmard (FRA/63) 6:7, 7:6, 7:6
Qf p. Clément (FRA/103) 3:6, 3:6

5) Rotterdam, Intls. Series, quadra coberta (178)
R1 v. Raoux (FRA/71) 6:7 (4), 7:5, 7:6 (3)
Of v. Ulihrach (CZE/30) 6:4, 7:5
Qf p. Kafelnikow (RUS/2) 1:6, 7:5, 4:6

6) Miami, MS, quadra rápida (125)
R1 p. Carlsen (DNK/106) 5:7, 6:7 (4)
Neuenburg, Copa Davis, R1, quadra coberta (123)
v. Sanguinetti (ITA/48) 6:4, 6:7 (3), 6:3, 6:4
p. Pozzi (ITA/69) 4:6, 6:7 (4)

7) Monte Carlo, MS, saibro (128)
R1 p. Spadea (USA/33) 6:7 (3), 0:6

8) Paris, Grand Slam, saibro (111)
R1 p. Rafter (AUS/3) 7:5, 3:6, 0:6, 2:6

9) Queens, Intls. Series, grama (104)
R1 p. Black (ZWE/37) 3:6, 0:6

10) Wimbledon, Grand Slam, grama (103)
R1 p. Novak (59) 3:6, 6:3, 6:4, 3:6, 4:6

11) Gstaad, Intls. Series, saibro (107)
R1 p. El Aynaoui (MAR/33) 2:6. 3:6
Bruxelas, Copa Davis, Qf, saibro (109)
p. Van Garsee (164) 6:7, 6:3, 6:1, 5:7, 1:6
p. Malisse (BEL/111) 6:4, 3:6, 5:7, 6:7 (5)

12) Washington, Intls. Series, quadra rápida (104)
R1 p. Phau (DEU/407) 2:6, 3:6

13) Taschkent, Intls. Series, quadra coberta (104)
R1 v. Pioline (FRA/16) 6:4, 6:3
Of p. Wessels (NLD/92) 6:4, 6:7 (1), 4:6

14) Toulouse, Intls. Series, quadra coberta (96)
R1 v. Schüttler (DEU/46) 7:6 (4), 6:1
Of p. Santoro (FRA/39) 3:6, 6:7 (3)

Resultados de Roger Federer   303

15) Basileia, Intls. Series, quadra coberta (106)
R1 v. Damm (CZE/105) 6:2, 3:6, 6:4
Of v. Popp (DEU/134) 6:2, 7:5
Qf p. Henman (GBR/6) 3:6, 5:7

16) Viena, Intls. Series, quadra coberta (93)
R1 v. Spadea (USA/21) 6:4, 6:2
Of v. Novak (CZE/34) 7:6 (10), 6:1
Qf v. Kucera (SVK/15) 2:6, 6:4, 6:1
Sf p. Rusedski (GBR/7) 3:6, 4:6

17) Lyon, Intls. Series, quadra coberta (67)
R1 v. Vacek (CZE/53) 6:3, 6:4
Of p. Hewitt (AUS/27) 6:7 (4), 6:2, 4:6

2000
18) Adelaide, Intls. Series, quadra rápida (64)
R1 v. Knippschild (DEU/89) 6:1, 6:4
Of p. Enqvist (SWE/4) 6:7 (5), 4:6

19) Auckland, Intls. Series, quadra rápida (61)
R1 p. Ferrero (ESP/45) 4:6, 4:6

20) Melbourne, Grand Slam, quadra rápida (62)
R1 v. Chang (USA/50) 6:4, 6:4, 7:6 (5)
R2 v. Kroslak (SVK/104) 7:6 (1), 6:2, 6:3
R3 p. Clément (FRA/54) 1:6, 4:6, 3:6
Zurique, Copa Davis, R1, quadra coberta (61)
v. Philippoussis (17) 6:4, 7:6 (3), 4:6, 6:4
p. Hewitt (AUS/15) 2:6, 6:3, 6:7 (2), 1:6

21) Marselha, Intls. Series, quadra coberta (67)
R1 v. Dupuis (FRA/93) 6:4, 6:4
Of v. Th. Johansson (SWE/41) 6:3, 6:2
Qf v. Ljubicic (HRV/69) 6:2, 3:6, 7:6 (5)
Sf v. Santoro (FRA/38) 7:6 (4), 7:5
F p. Rosset (CHE/77) 6:2, 3:6, 6:7 (5)

22) Londres, Intls. Series, quadra coberta (66)
R1 v. Kiefer (DEU/4) 6:2, 6:3
Of v. Ivanisevic (HRV/61) 7:5, 6:3
Qf p. Rosset (CHE/72) 6:3, 4:6, 4:6

23) Copenhague, Intls. Series, quadra coberta (58)
R1 v. Dewulf (BEL/234) 6:4, 4:6, 6:3
Of v. Jonsson (SWE/121) 6:4, 6:4
Qf v. Pozzi (ITA/83) 4:6, 6:1, 6:3
Sf p. Larsson (SWE/48) 3:6, 6:7 (6)

24) Miami, MS, quadra rápida (53)
R1 v. Gimelstob (USA/99) 7:5, 6:3
R2 p. Zabaleta (ARG/25) 4:6, 6:7 (7)

25) Monte Carlo, MS, saibro (49)
R1 p. Novak (CZE/37) 1:6, 6:2, 5:7

26) Barcelona, Intls. Series, saibro (51)
R1 p. Bruguera (ESP/249) 1:6, 1:6

27) Roma, MS, saibro (51)
R1 p. Medwedew (UKR/25) 6:3, 3:6, 5:7

28) Hamburgo, MS, saibro (50)
R1 p. Pavel (ROM/70) 4:6, 3:6

29) St. Pölten, Intls. Series, saibro (54)
R1 p. Hantschk (DEU/94) 2:6, 1:6

30) Paris, Grand Slam, saibro (54)
R1 v. Arthurs (AUS/106) 7:6 (4), 6:3, 1:6, 6:3
R2 v. Gambill (USA/69) 7:6 (5), 6:3, 6:3
R3 v. Kratochvil (CHE/120) 7:6, 6:4, 2:6, 6:7, 8:6
Of p. Corretja (ESP/10) 5:7, 6:7 (7), 2:6

31) Halle, Intls. Series, grama (38)
R1 v. Clément (FRA/57) 6:4, 6:2
Of v. Larsson (SWE/49) 6:2, 6:3
Qf p. Chang (USA/28) 5:7, 2:6

32) Nottingham, Intls. Series, grama (35)
R1 p. Fromberg (AUS/71) 5:7, 1:6

33) Wimbledon, Grand Slam, grama (35)
R1 p. Kafelnikow (RUS/5) 5:7, 5:7, 6:7 (6)

34) Gstaad, Intls. Series, saibro (39)
R1 p. Corretja (ESP/10) 4:6, 6:4, 4:6
St. Gallen, Copa Davis, quadra coberta (39)
v. Woltschkow (69) 4:6, 7:5, 7:6, 5:7, 6:2

Resultados de Roger Federer

35) Toronto, MS, quadra rápida (38)
R1 p. Hewitt (AUS/10) 6:3, 3:6, 2:6

36) Cincinnati, MS, quadra rápida (38)
R1 p. Clavet (ESP/45) 6:7 (3), 6:7 (4)

37) Indianapolis, Intls. Series, quadra rápida (40)
R1 p. Sekulov (AUS/191) 4:6, 5:7

38) Nova York, Grand Slam, quadra rápida (40)
R1 v. Wessels (93) 4:6, 4:6, 6:3, 7:5, 3:4
R2 v. Nestor (CAN/160) 6:1, 7:6 (5), 6:1
R3 p. Ferrero (ESP/12) 5:7, 6:7, 6:1, 6:7

39) Sydney, Olimpíada, quadra rápida (36)
R1 v. Prinosil (DEU/60) 6:2, 6:2
R2 v. Kucera (SVK/43) 6:4, 7:6 (5)
Of v. Tillstrom (SWE/61) 6:1, 6:2
Qf v. Alami (MAR/34) 7:6 (2), 6:1
Sf p. Haas (DEU/48) 3:6, 2:6
Disputa pela medalha de bronze:
p. Di Pasquale (FRA/61) 6:7 (5), 7:6 (7), 3:6

40) Viena, Intls. Series, quadra coberta (31)
R1 v. Norman (SWE/4) 4:6, 7:6 (4), 6:4
Of v. Mirnyi (BLR/42) 6:3, 6:3
Qf v. Krajicek (NLD/21) 6:4, 6:3
Sf. p. Henman (GBR/10) 6:2, 6:7 (4), 3:6

41) Basileia, Intls. Series, quadra coberta (34)
R1 v. Haas (DEU/20) 6:3, 6:3
Of v. Pavel (ROM/27) 7:6 (4), 6:4
Qf v. Thomann (FRA/185) 6:4, 6:4
Sf v. Hewitt (AUS/9) 6:4, 5:7, 7:6 (6)
F p. Enqvist (6) 2:6, 6:4, 6:7 (4), 6:1, 1:6

42) Stuttgart, MS, quadra coberta (25)
R1 v. Gambill (USA/27) 7:6 (3), 1:0 ret.
R2 p. Kafelnikow (RUS/5) 5:7, 3:6

43) Lyon, Intls. Series, quadra coberta (24)
R1 v. Escudé (FRA/38) 6:3, 7:6 (3)
Of p. Kucera (SVK/74) 6:3, 2:6, 1:6

306

A biografia de Roger Federer

44) Paris, MS, quadra coberta (24)
R1 p. Hrbaty (SVK/19) 6:4, 2:6, 2:6

45) Estocolmo, Intls. Series, quadra coberta (29)
R1 v. Juschni (RUS/110) 5:7, 6:4, 6:3
Of p. Vinciguerra (SWE/55) 5:7, 6:7 (3)

2001

46) Sydney, Intls. Series, quadra rápida (30)
R1 v. Ferreira (ZA/13) 6:3, 6:4
Of v. Rosset (CHE/29) 6:1, 6:2
Qf p. Grosjean (FRA/19) 5:7, 4:6

47) Melbourne, Grand Slam, quadra rápida (29)
R1 v. Di Pasquale (FRA/61) 6:4, 4:6, 6:1, 7:5
R2 v. Escudé (FRA/46) 6:1, 6:4, 6:4
R3 p. Clément (FRA/18) 6:7 (5), 4:6, 4:6

48) Milão, Intls. Series, quadra rápida (27)
R1 v. Schüttler (DEU/48) 6:3, 6:4
Of v. Saulnier (FRA/120) 2:6, 6:3, 6:4
Qf v. Ivanisevic (HRV/123) 6:4, 6:4
Sf v. Kafelnikow (RUS/7) 6:2, 6:7 (4), 6:3
F p. Boutter (FRA/67) 6:4, 6:7 (7), 6:4
Basileia, Copa Davis, R1, quadra coberta (22)
v. Martin (USA/37) 6:4, 7:6 (3), 4:6, 6:1
v. Gambill (USA/28) 7:5, 6:2, 4:6, 6:2

49) Marselha, Intls. Series, quadra coberta (23)
R1 v. Saulnier (FRA/114) 7:6 (7), 6:4
Of v. B. Bryan (USA/146) 7:6 (1), 6:3
Qf v. Kratochvil (CHE/78) 6:4, 7:6 (4)
Sf p. Kafelnikow (RUS/7) 7:6 (4), 4:6, 4:6

50) Roterdã, Intls. Series, quadra coberta (23)
R1 v. Ilie (AUS/42) 7:6 (5), 6:1
Of v. Grosjean (FRA/13) 4:6, 6:3, 6:4
Qf v. Corretja (ESP/8) 6:4, 6:2
Sf. v. Pavel (ROM/24) 6:7 (4), 6:4, 6:0
F p. Escudé (FRA/60) 5:7, 6:3, 6:7 (5)

Resultados de Roger Federer

51) Indian Wells, MS, quadra rápida (21)
R1 p. Kiefer (DEU/43) 6:3, 5:7, 1:6

52) Miami, MS, quadra rápida (24)
R2 v. El Aynaoui (MAR/68) 6:2, 6:2
R3 v. Philippoussis (AUS/16) 3:6, 7:6 (4), 6:2
Of v. Th. Johansson (25) 7:6, 5:7, 7:6
Qf p. Rafter (AUS/8) 3:6, 1:6
Neuenburg, Copa Davis, Qf, quadra coberta (21)
p. Escudé (FRA/34) 4:6, 7:6 (1), 3:6, 4:6
v. Clément (FRA/10) 6:4, 3:6, 7:6 (5), 6:4

53) Monte Carlo, MS, saibro (22)
R1 v. Chang (USA/33) 6:4, 6:3
R2 v. Sanguinetti (ITA/55) 7:6 (5), 7:6 (5)
Of v. Di Pasquale (FRA/67) 6:1, 6:2
Qf p. Grosjean (FRA/15) 4:6, 3:6

54) Roma, MS, saibro (18)
R1 v. Th. Johansson (24) 7:6, 4:6, 7:6
R2 v. Safin (RUS/2) 4:6, 6:4, 7:6 (5)
Of p. Ferreira (ZAF/19) 6:7 (4), 2:6

55) Hamburgo, MS, saibro (18)
R1 p. Squillari (ARG/19) 3:6, 4:6

56) Paris, Grand Slam, saibro (18)
R1 v. Galvani (ITA/239) 6:3, 6:3, 6:3
R2 v. Sargsian (115) 4:6, 3:6, 6:2, 6:4, 9:7
R3 v. D. Sanchez (ESP/89) 6:4, 6:3, 1:6, 6:3
Of v. Arthurs (AUS/59) 3:6, 6:3, 6:4, 6:2
Qf p. Corretja (ESP/13) 5:7, 4:6, 5:7

57) Halle, Intls. Series, grama (14)
R1 v. Portas (ESP/23) 6:7 (4), 6:4, 6:2
Of v. Prinosil (DEU/28) 7:6 (10), 7:5
Qf p. Rafter (AUS/10) 6:4, 6:7 (6), 6:7 (4)

58) Rosmalen, Intls. Series, grama (15)
R1 v. Dupuis (FRA/68) 7:6 (3), 6:4
Of v. van Lottum (NLD/193) 6:0, 6:1
Qf v. Sluiter (NLD/107) 6:7 (4), 6:4, 6:4
Sf. p. Hewitt (AUS/6) 4:6, 2:6

308   A biografia de Roger Federer

59) Wimbledon, Grand Slam, grama (15)
R1 v. Ch. Rochus (BEL/83) 6:2, 6:3, 6:2
R2 v. Malisse (BEL/53) 6:3, 7:5, 3:6, 4:6, 6:3
R3 v. Björkman (SWE/41) 7:6 (4), 6:3, 7:6 (2)
Of v. Sampras (6) 7:6, 5:7, 6:4, 6:7, 7:5
Qf p. Henman (11) 5:7, 6:7 (6), 6:2, 6:7 (6)

60) Gstaad, Intls. Series, saibro (14)
R1 p. Ljubicic (HRV/70) 2:6, 1:6

61) Nova York, Grand Slam, quadra rápida (13)
R1 v. Burgsmüller (DEU/72) 6:4, 6:4, 6:4
R2 v. Ginepri (USA/327) 6:2, 7:5, 6:1
R3 v. Schalken (NLD/24) 6:4, 7:5, 7:6 (3)
Of p. Agassi (USA/2) 1:6, 2:6, 4:6

62) Moscou, Intls. Series, quadra coberta (12)
R1 p. Kiefer (DEU/39) 3:6, 6:1, 6:7 (4)

63) Viena, Intls. Series, quadra coberta (12)
R1 v. Massu (CHL/78) 4:6, 7:6 (10), 6:4
Of v. Costa (ESP/33) 7:6 (1), 6:2
Qf p. Koubek (AUT/90) 6:7 (3), 5:7

64) Stuttgart, MS, quadra coberta (12)
R2* p. Ferreira (ZAF/36) 6:7 (1), 6:3, 2:6

65) Basileia, Intls. Series, quadra coberta (13)
R1 v. Costa (ESP/34) 6:3, 6:3
Of v. Malisse (BEL/39) 6:3, 6:4
Qf v. Roddick (USA/16) 3:6, 6:3, 7:6 (5)
Sf v. Boutter (FRA/64) 7:6 (3), 6:4
F v. Henman (GBR/11) 3:6, 4:6, 2:6

66) Paris, MS, quadra coberta (13)
R2* p. Novak (CZE/40) 4:6, 7:6 (4), 6:7 (2)

2002
67) Sydney, Intls. Series, quadra rápida (13)
R1 v. Robredo (ESP/34) 7:6 (5), 7:6 (5)
Of v. Malisse (BEL/ 31) 6:2, 6:4
Qf v. Rios (CHL/47) 6:7 (2), 7:6 (4), 6:3
Sf. v. Roddick (USA/15) 7:6 (3), 6:4
F v. Chela (ARG/67) 6:3, 6:3

Resultados de Roger Federer

68) Melbourne, Grand Slam, quadra rápida (12)
R1 v. Chang (USA/94) 6:4, 6:4, 6:3
R2 v. Savolt (HUN/93) 6:2, 7:5, 6:4
R3 v. Schüttler (DEU/41) 7:6 (6), 7:6 (5), 6:4
Of p. Haas (DEU/9) 6:7 (3), 6:4, 6:3, 4:6, 6:8

69) Milão, Intls. Series, quadra coberta (13)
R1 v. Koubek (AUT/50) 7:6 (2), 6:3
Of v. Dawidenko (RUS/84) 6:3, 6:7 (4), 7:5
Qf v. Sargsian (ARM/74) 4:6, 6:3, 6:2
Sf v. Rusedski (GBR/30) 7:6 (7), 7:6 (4)
F p. Sanguinetti (ITA/87) 6:7 (2), 6:4, 1:6
Moscou, Copa Davis, R1, quadra coberta/saibro (13)
v. Safin (RUS/7) 7:5, 6:1, 6:2
v. Kafelnikow (RUS/4) 7:6 (6), 6:1, 6:1

70) Roterdã, Intls. Series, quadra coberta (13)
R1 v. van Lottum (NLD/124) 6:3, 6:4
Of v. Enqvist (SWE/20) W.O.
Qf p. Escudé (FRA/22) 6:3, 6:7 (10), 5:7

71) Dubai, Intls. Series, quadra rápida (15)
R1 v. Voinea (ROM/78) 6:3, 6:4
Of p. Schüttler (DEU/40) 3:6, 1:6

72) Indian Wells, MS, quadra rápida (14)
R1 v. Malisse (BEL/33) 6:7 (5), 7:6 (3), 6:3
R2 v. Koubek (AUT/51) 6:4, 6:4
Of p. Enqvist (SWE/22) 4:6, 3:6

73) Miami, MS, quadra rápida (14)
R2* v. Morrison (USA/139) 6:1, 7:6 (6)
R3 v. Portas (ESP/25) 6:4, 6:1
Of v. Henman (GBR/5) 6:2, ret.
Qf v. Pavel (ROM/28) 6:1, 6:1
Sf v. Hewitt (AUS/1) 6:3, 6:4
F p. Agassi (USA/10) 3:6, 3:6, 6:3, 4:6

74) Monte Carlo, MS, saibro (11)
R1 v. Zabaleta (ARG/69) 7:6 (2), 6:4
R2 p. Nalbandian (ARG/38) 2:6, 1:6

310   A biografia de Roger Federer

75) Roma, MS, saibro (11)
R1 p. Gaudenzi (ITA/58) 4:6, 4:6

76) Hamburgo, MS, saibro (14)
R1 v. N. Lapentti (ECU/29) 6:1, 6:4
R2 v. Ulihrach (CZE/42) 6:3, 6:0
Of v. Voinea (ROM/67) 7:5, 6:4
Qf v. Kuerten (BRA/7) 6:0, 1:6, 6:2
Sf v. Mirnyi (BLR/39) 6:4, 6:4
F v. Safin (RUS/5) 6:1, 6:3, 6:4

77) Paris, Grand Slam, saibro (8)
R1 p. Arazi (MAR/45) 3:6, 2:6, 4:6

78) Halle, Intls. Series, grama (10)
R1 v. Dreekmann (DEU/-) 6:7 (5), 6:3, 6:4
Of v. Prinosil (DEU/206) 6:2, 6:4
Qf v. Juschni (RUS/67) 6:3, 6:4
Sf p. Kiefer (DEU/66) 6:4, 4:6, 4:6

79) Rosmalen, Intls. Series, grama (9)
R1 v. Krajicek (NLD/-) 6:2, 7:5
Of v. Heuberger (CHE/127) 6:4, ret.
Qf p. Schalken (NLD/31) 6:3, 5:7, 3:6

80) Wimbledon, Grand Slam, grama (9)
R1 p. Ancic (HRV/154) 3:6, 6:7 (2), 3:6

81) Gstaad, Intls. Series, saibro (11)
R1 v. Arazi (MAR/46) 6:4, 6:3
Of p. Stepanek (CZE/110) 6:3, 3:6, 2:6

82) Toronto, MS, quadra rápida (10)
R1 p. Canas (ARG/19) 6:7 (10), 5:7

83) Cincinnati, MS, quadra rápida (14)
R1 p. Ljubicic (HRV/34) 6:2, 4:6, 3:6

84) Long Island, Intls. Series, quadra rápida (13)
R2* p. Massu (CHL/65) 7:6 (5), 1:6, 3:6

85) Nova York, Grand Slam, quadra rápida (13)
R1 v. Vanek (CZE/157) 6:1, 6:3, 4:6, 7:5
R2 v. Chang (USA/132) 6:3, 6:1, 6:3
R3 v. Malisse (BEL/19) 4:6, 6:3, 6:4, 6:4
Of p. Mirnyi (BLR/34) 3:6, 6:7 (5), 4:6

Resultados de Roger Federer

Casablanca, Copa Davis, saibro (13)
v. Arazi (MAR/70) 6:3, 6:2, 6:1
v. El Aynaoui (MAR/19) 6:3, 6:2, 6:1

86) Moscou, Intls. Series, quadra coberta (13)
R1 v. Golowanow (RUS/167) 6:0, 6:1
Of v. Nieminen (FIN/35) 6:1, 6:4
Qf p. Safin (RUS/4) 5:7, 4:6

87) Viena, Intls. Series, quadra coberta (13)
R1 v. Krajan (HRV/115) 7:5, 6:1
Of v. Robredo (ESP/36) 6:2, 6:7 (5), 6:4
Qf v. Ulihrach (CZE/73) 6:3, 6:3
Sf v. Moya (ESP/9) 6:2, 6:3
F v. Novak (CZE/12) 6:4, 6:1, 3:6, 6:4

88) Madri, MS, quadra coberta (7)
R2* v. Rios (CHL/25) 6:4, 6:2
Of v. N. Lapentti (ECU/30) 6:3, 6:4
Qf p. Santoro (FRA/50) 5:7, 3:6

89) Basileia, Intls. Series, quadra coberta (8)
R1 v. Verkerk (NLD/92) 6:3, 6:3
Of v. Waske (DEU/143) 6:3, 7:6 (1)
Qf v. Roddick (USA/12) 7:6 (5), 6:1
Sf p. Nalbandian (ARG/18) 7:6 (2), 5:7, 3:6

90) Paris, MS, quadra coberta (8)
R2* v. Malisse (BEL/26) 6:2, 6:4
Of v. Haas (DEU/7) 6:2, 7:6 (2)
Qf p. Hewitt (AUS/1) 4:6, 4:6

91) Xangai, Masters Cup, quadra coberta (6)
RR v. Ferrero (ESP/4) 6:3, 6:4
RR v. Novak (CZE/7) 6:0, 4:6, 6:2
RR v. Th. Johansson (SWE/13) 6:3, 7:5
Of p. Hewitt (AUS/1) 5:7, 7:5, 5:7

2003

92) Doha, Intls. Series, quadra rápida (6)
R1 v. Stoliarow (RUS/135) 6:2, 6:7 (4), 6:4
Of v. Kratochvil (CHE/69) 6:4, 6:4
Qf p. Gambill (USA/42) 4:6, 5:7

312
A biografia de Roger Federer

93) Sydney, Intls. Series, quadra rápida (6)
R1 p. Squillari (ARG/81) 2:6, 3:6

94) Melbourne, Grand Slam, quadra rápida (6)
R1 v. Saretta (BRA/83) 7:6 (4), 7:5, 6:3
R2 v. Burgsmüller (DEU/76) 6:3, 6:0, 6:3
R3 v. Vinciguerra (SWE/145) 6:3, 6:4, 6:2
Of p. Nalbandian (12) 4:6, 6:3, 1:6, 6:1, 3:6
Arnhem, Copa Davis, R1, quadra coberta (6)
v. Sluiter (NLD/77) 6:2, 6:1, 6:3
v. Schalken (NLD/19) 7:6 (2), 6:4, 7:5

95) Marselha, Intls. Series, quadra coberta (6)
R1 v. Ljubicic (HRV/52) 7:6 (3), ret.
Of v. Nieminen (FIN/35) 6:3, 6:3
Qf v. Sluiter (NLD/78) 6:4, 4:6, 6:4
Sf v. Kucera (SVK/62) 7:6 (5), 6:3
F v. Björkman (SWE/86) 6:2, 7:6 (6)

96) Roterdã, Intls. Series, quadra coberta (5)
R1 v. Enqvist (SWE/71) 3:6, 6:3, 6:4
Of v. Santoro (FRA/32) 6:0, 6:4
Qf v. Schalken (NLD/19) 6:2, 6:4
Sf p. Mirnyi (BLR/46) 7:5, 3:6, 4:6

97) Dubai, Intls. Series, quadra rápida (5)
R1 v. Labadze (GEO/103) 6:3, 6:3
Of v. Abel (DEU/217) 6:4, 7:5
Qf v. Arazi (MAR/113) 7:5, 6:3
Sf v. Ljubicic (HRV/60) 6:3, 6:2
F v. Novak (CZE/10) 6:1, 7:6 (2)

98) Indian Wells, MS, quadra rápida (4)
R1 v. Mantilla (ESP/46) 6:7 (4), 6:4, 4:1
R2 p. Kuerten (BRA/24) 5:7, 6:7 (3)

99) Miami, MS, quadra rápida (4)
R2* v. Horna (PER/86) 6:2, 7:5
R3 v. Chela (ARG/33) 6:1, 3:6, 6:1
Of v. Schalken (NLD/14) 6:3, 6:2
Qf p. Costa (ESP/9) 6:7 (4), 6:4, 6:7 (7)

Resultados de Roger Federer

Toulouse, Copa Davis, Qf, quadra coberta (5)
v. Escudé (FRA/62) 6:4, 7:5, 6:2
v. Santoro (FRA/51) 6:1, 6:0, 6:2

100) Munique, Intls. Series, saibro (5)
R1 v. Krajan (HRV/103) 6:4, 6:3
Of v. Sluiter (NLD/66) 6:4, 6:3
Qf v. Juschni (RUS/30) 6:2, 6:3
Sf v. Koubek (AUT/63) 6:2, 6:1
F v. Nieminen (FIN/35) 6:1, 6:4

101) Roma, MS, saibro (5)
R1 v. Mathieu (FRA/43) 6:3, 7:5
R2 v. Zabaleta (ARG/39) 7:6 (4), 6:2
Of v. Robredo (ESP/19) 6:1, 6:1
Qf v. Volandri (ITA/100) 6:3, 5:7, 6:2
Sf v. Ferrero (ESP/3) 6:4, 4:2 ret.
F p. Mantilla (ESP/47) 5:7, 2:6, 6:7 (10)

102) Hamburgo, MS, saibro (5)
R1 v. Mirnyi (BLR/28) 6:3, 6:3
R2 v. Sargsian (ARM/72) 6:1, 6:1
Of p. Philippoussis (AUS/67) 3:6, 6:2, 3:6

103) Paris, Grand Slam, saibro (5)
R1 p. Horna (PER/88) 6:7 (6), 2:6, 6:7 (3)

104) Halle, Intls. Series, grama (5)
R1 v. Sargsian (ARM/61) 7:5, 6:1
Of v. Vicente (ESP/62) 4:6, 6:2, 6:1
Qf v. El Aynaoui (MAR/24) 7:5, 7:6 (3)
Sf v. Juschni (RUS/29) 4:6, 7:6 (4), 6:2
F v. Kiefer (DEU/73) 6:1, 6:3

105) Wimbledon, Grand Slam, grama (5)
R1 v. Lee (KOR/55) 6:3, 6:3, 7:6 (2)
R2 v. Koubek (AUT/70) 7:5, 6:1, 6:1
R3 v. Fish (USA/45) 6:3, 6:1, 4:6, 6:1
Of v. F. Lopez (ESP/52) 7:6 (5), 6:4, 6:4
Qf v. Schalken (NLD/12) 6:3, 6:4, 6:4
Sf v. Roddick (USA/6) 7:6 (6), 6:3, 6:3
F v. Philippoussis (48) 7:6 (5), 6:2, 7:6 (3)

314 A biografia de Roger Federer

106) Gstaad, Intls. Series, saibro (3)
R1 v. M. Lopez (ESP/190) 6:3, 6:7 (4), 6:3
Of v. Lisnard (FRA/99) 6:1, 6:2
Qf v. Sanchez (ESP/56) W.O.
Sf v. Gaudio (ARG/27) 6:1, 7:6 (6)
F p. Novak (10) 7:5, 3:6, 3:6, 6:1, 3:6

107) Montreal, MS, quadra rápida (3)
R1 v. Gaudio (ARG/28) 6:4, 3:6, 7:5
R2 v. Rusedski (GBR/60) 6:4, 6:3
Of v. Robredo (ESP/15) 6:4, 6:3
Qf v. Mirnyi (BLR/32) 6:2, 7:6 (3)
Sf p. Roddick (USA/7) 4:6, 6:3, 6:7 (3)

108) Cincinnati, MS, quadra rápida (2)
R1 v. Draper (AUS/114) 4:6, 6:3, 7:6 (10)
R2 p. Nalbandian (ARG/14) 6:7 (4), 6:7 (5)

109) Nova York, Grand Slam, quadra rápida (2)
R1 v. Acasuso (75) 5:7, 6:3, 6:3, 2:0, ret.
R2 v. Lisnard (FRA/94) 6:1, 6:2, 6:0
R3 v. Blake (USA/35) 6:3, 7:6 (4), 6:3
Of p. Nalbandian (13) 6:3, 6:7, 4:6, 3:6
Melbourne, Copa Davis, Sf, quadra rápida (3)
v. Philippoussis (AUS/15) 6:3, 6:4, 7:6 (3)
p. Hewitt (AUS/7) 7:5, 6:2, 6:7 (4), 5:7, 1:6

110) Viena, Intls. Series, quadra coberta (3)
R1 v. Ferrer (ESP/75) 6:2, 6:2
Of v. Beck (SVK/70) 6:3, 4:6, 6:4
Qf v. Nieminen (FIN/30) 6:3, 6:3
Sf v. Mirnyi (BLR/28) 6:2, 7:6 (2)
F v. Moya (ESP/7) 6:3, 6:3, 6:3

111) Madri, MS, quadra coberta (3)
R2* v. Corretja (ESP/127) 6:4, 6:3
Of v. Fish (USA/25) 6:3, 7:6 (4)
Qf v. F. Lopez (ESP/35) 4:6, 7:6 (3), 6:4
Sf p. Ferrero (ESP/1) 4:6, 6:4, 4:6

112) Basileia, Intls. Series, quadra coberta (3)
R1 v. Rosset (CHE/117) 6:1, 6:3
Of p. Ljubicic (HRV/47) 6:7 (5), 7:6 (5), 4:6

Resultados de Roger Federer

113) Paris, MS, quadra coberta (3)
R2* v. Ascione (FRA/106) 7:6 (5), 6:1
Of v. Verkerk (16) 6:7 (3), 7:6 (12), 7:6 (6)
Qf p. Henman (GBR/31) 6:7 (5), 1:6

114) Houston, Masters Cup, quadra rápida (3)
GS v. Agassi (USA/5) 6:7 (3), 6:3, 7:6 (7)
GS v. Nalbandian (ARG/8) 6:3, 6:0
GS v. Ferrero (ESP/2) 6:3, 6:1
Sf v. Roddick (USA/1) 7:6 (2), 6:2
F v. Agassi (USA/5) 6:3, 6:0, 6:4

2004

115) Melbourne, Grand Slam, quadra rápida (2)
R1 v. Bogomolov (USA/117) 6:3, 6:4, 6:0
R2 v. Morrison (USA/156) 6:2, 6:3, 6:4
R3 v. Reid (AUS/148) 6:3, 6:0, 6:1
Of v. Hewitt (AUS/11) 4:6, 6:3, 6:0, 6:4
Qf v. Nalbandian (ARG/8) 7:5, 6:4, 5:7, 6:3
Sf v. Ferrero (ESP/3) 6:4, 6:1, 6:4
F v. Safin (RUS/86) 7:6 (3), 6:4, 6:2
Bucareste, Copa Davis, R1, quadra coberta (1)
v. Hanescu (ROM/72) 7:6 (4), 6:3, 6:1
v. Pavel (ROM/53) 6:3, 6:2, 7:5

116) Roterdã, Intls. Series, quadra coberta (1)
R1 v. Clément (FRA/29) 6:4, 6:3
Of v. Pavel (ROM/52) 7:6 (2), 7:5
Qf p. Henman (GBR/11) 3:6, 6:7 (11)

117) Dubai, Intls. Series, quadra rápida (1)
R1 v. Safin (RUS/30) 7:6 (2), 7:6 (4)
Of v. Robredo (ESP/20) 6:3, 6:4
Qf v. Pavel (ROM/53) 6:3, 6:3
Sf v. Nieminen (FIN/34) 7:6 (7), 6:2
F v. F. Lopez (ESP/32) 4:6, 6:1, 6:2

118) Indian Wells, MS, quadra rápida (1)
R2* v. Pavel (ROM/49) 6:1, 6:1
R3 v. Gonzalez (CHL/27) 6:3, 6:2

316   A biografia de Roger Federer

Of v. Fish (USA/19) 6:4, 6:1
Qf v. Chela (ARG/34) 6:2, 6:1
Sf v. Agassi (USA/5) 4:6, 6:3, 6:4
F v. Henman (GBR/10) 6:3, 6:3

119) Miami, MS, quadra rápida (1)
R2* v. Dawidenko (RUS/54) 6:2, 3:6, 7:5
R3 p. Nadal (ESP/34) 3:6, 3:6
Lausanne, Copa Davis, R1, quadra coberta (1)
v. Escudé (FRA/81) 6:2, 6:4, 6:4
v. Clément (FRA/25) 6:2, 7:5, 6:4

120) Roma, MS, saibro (1)
R1 v. Björkman (SWE/26) 7:6 (4), 6:3
R2 p. Costa (ESP/39) 6:3, 3:6, 2:6

121) Hamburgo, MS, saibro (1)
R1 v. Gaudio (ARG/34) 6:1, 5:7, 6:4
R2 v. N. Lapentti (ECU/67) 6:3, 6:3
Of v. Gonzalez (CHL/14) 7:5, 6:1
Qf v. Moya (ESP/8) 6:4, 6:3
Sf v. Hewitt (AUS/17) 6:0, 6:4
F v. Coria (ARG/3) 4:6, 6:4, 6:2, 6:3

122) Paris, Grand Slam, saibro (1)
R1 v. Vliegen (BEL/110) 6:1, 6:2, 6:1
R2 v. Kiefer (DEU/34) 6:3, 6:4, 7:6 (6)
R3 p. Kuerten (BRA/30) 4:6, 4:6, 4:6

123) Halle, Intls. Series, grama (1)
R1 v. Th. Johansson (SWE/191) 6:3, 6:2
Of v. Juschni (RUS/34) 6:2, 6:1
Qf v. Clément (FRA/37) 6:3, 7:5
Sf v. Novak (CZE/19) 6:3, 6:4
F v. Fish (USA/23) 6:0, 6:3

124) Wimbledon, Grand Slam, grama (1)
R1 v. Bogdanovic (GBR/295) 6:3, 6:3, 6:0
R2 v. Falla (COL/138) 6:1, 6:2, 6:0
R3 v. Th. Johansson (SWE/123) 6:3, 6:4, 6:3
Of v. Karlovic (HRV/62) 6:3, 7:6 (3), 7:6 (5)
Qf v. Hewitt (AUS/10) 6:1, 6:7 (1), 6:0, 6:4
Sf v. Grosjean (FRA/13) 6:2, 6:3, 7:6 (6)
F s. Roddick (USA/2) 4:6, 7:5, 7:6 (3), 6:4

Resultados de Roger Federer

125) Gstaad, Intls. Series, saibro (1)
R1 v. Behrend (DEU/130) 6:1, 6:1
Of v. Karlovic (HRV/59) 6:7 (5), 6:3, 7:6 (4)
Qf v. Stepanek (CZE/72) 6:1, 5:7, 6:4
Sf v. Starace (ITA/145) 6:3, 3:6, 6:3
F v. Andrejew (RUS/62) 6:2, 6:3, 5:7, 6:3

126) Toronto, MS, quadra rápida (1)
R1 v. Arazi (MAR/36) 6:3, 7:5
R2 v. Söderling (SWE/50) 7:5, 6:1
Of v. Mirnyi (BLR/34) 7:6 (3), 7:6 (4)
Qf v. Santoro (FRA/58) 7:5, 6:4
Sf v. Th. Johansson (SWE/99) 4:6, 6:3, 6:2
F s. Roddick (USA/2) 7:5, 6:3

127) Cincinnati, MS, quadra rápida (1)
R1 p. Hrbaty (SVK/21) 6:1, 6:7 (7), 4:6

128) Atenas, Olimpíada, quadra rápida (1)
R1 v. Dawidenko (RUS/53) 6:3, 5:7, 6:1
R2 p. Berdych (CZE/79) 6:4, 5:7, 5:7

129) Nova York, Grand Slam, quadra rápida (1)
R1 v. Costa (ESP/44) 7:5, 6:2, 6:4
R2 v. Baghdatis (240) 6:2, 6:7 (4), 6:3, 6:1
R3 v. Santoro (FRA/34) 6:0, 6:4, 7:6 (7)
Of v. Pavel (ROM/18) W.O.
Qf v. Agassi (USA/7) 6:3, 2:6, 7:5, 3:6, 6:3
Sf v. Henman (GBR/6) 6:3, 6:4, 6:4
F v. Hewitt (AUS/5) 6:0, 7:6 (3), 6:0

130) Bangkok, Intls. Series, quadra coberta (1)
R1 v. Thomann (FRA/507) 6:4, 7:6 (4)
Of v. Heuberger (CHE/129) 6:1, 6:3
Qf v. Söderling (SWE/50) 7:6 (3), 6:4
Sf v. Srichaphan (THA/20) 7:5, 2:6, 6:3
F s. Roddick (USA/2) 6:4, 6:0

131) Houston, Masters Cup, quadra rápida (1)
RR v. Gaudio (ARG/10) 6:1, 7:6 (4)
RR v. Hewitt (AUS/3) 6:3, 6:4
RR v. Moya (ESP/5) 6:3, 3:6, 6:3
Sf v. Safin (RUS/4) 6:3, 7:6 (18)
F v. Hewitt (AUS/3) 6:3, 6:2

318   A biografia de Roger Federer

2005

132) Doha, Intls. Series, quadra rápida (1)
R1 v. Ferrer (ESP/49) 6:1, 6:1
Of v. Rusedski (GBR/46) 6:3, 6:4
Qf v. F. Lopez (ESP/25) 6:1, 6:2
Sf v. Dawidenko (RUS/28) 6:3, 6:4
F v. Ljubicic (HRV/22) 6:3, 6:1

133) Melbourne, Grand Slam, quadra rápida (1)
R1 v. Santoro (FRA/49) 6:1, 6:1, 6:2
R2 v. Suzuki (JPN/203) 6:3, 6:4, 6:4
R3 v. Nieminen (FIN/87) 6:3, 5:2, ret.
Of v. Baghdatis (CYP/155) 6:2, 6:2, 7:6 (4)
Qf v. Agassi (USA/8) 6:3, 6:4, 6:4
Sf p. Safin (RUS/4) 7:5, 4:6, 7:5, 6:7 (6), 7:9

134) Roterdã, Intls. Series, quadra coberta (1)
R1 v. Ulihrach (CZE/112) 6:3, 6:4
Of v. Wawrinka (CHE/128) 6:1, 6:4
Qf v. Dawidenko (RUS/15) 7:5, 7:5
Sf v. Ancic (HRV/31) 7:5, 6:3
F v. Ljubicic (HRV/19) 5:7, 7:5, 7:6 (5)

135) Dubai, Intls. Series, quadra rápida (1)
R1 v. Minar (CZE/119) 6:7 (5), 6:3, 7:6 (5)
Of v. Ferrero (ESP/98) 4:6, 6:3, 7:6 (6)
Qf v. Juschni (RUS/17) 6:3, 7:5
Sf v. Agassi (USA/10) 6:3, 6:1
F v. Ljubicic (HRV/14) 6:1, 6:7 (6), 6:3

136) Indian Wells, MS, quadra rápida (1)
R2* v. Fish (USA/49) 6:3, 6:3
R3 v. Muller (LUX/67) 6:3, 6:2
Of v. Ljubicic (HRV/13) 7:6 (3), 7:6 (4)
Qf v. Kiefer (DEU/31) 6:4, 6:1
Sf v. Canas (ARG/14) 6:3, 6:1
F v. Hewitt (AUS/2) 6:2, 6:4, 6:4

137) Miami, MS, quadra rápida (1)
R2* v. O. Rochus (BEL/40) 6:3, 6:1
R3 v. Zabaleta (ARG/51) 6:2, 5:7, 6:3

Resultados de Roger Federer   319

Of v. Ancic (HRV/20) 6:3, 4:6, 6:4
Qf v. Henman (GBR/7) 6:4, 6:2
Sf v. Agassi (USA/10) 6:4, 6:3
F v. Nadal (31) 2:6, 6:7 (4), 7:6 (5), 6:3, 6:1

138) Monte Carlo, MS, saibro (1)
R1 v. Rusedski (GBR/44) 6:3, 6:1
R2 v. Montanes (ESP/62) 6:3, 6:4
Of v. Gonzalez (CHL/26) 6:2, 6:7 (3), 6:4
Qf p. Gasquet (FRA/101) 7:6 (1), 2:6, 6:7 (10)

139) Hamburgo, MS, saibro (1)
R1 v. Verdasco (ESP/48) 6:4, 6:3
R2 v. Berdych (CZE/46) 6:2, 6:1
Of v. Robredo (ESP/16) 6:2, 6:3
Qf v. Coria (ARG/8) 6:4, 7:6 (3)
Sf v. Dawidenko (RUS/20) 6:3, 6:4
F v. Gasquet (FRA/56) 6:3, 7:5, 7:6 (4)

140) Paris, Grand Slam, saibro (1)
R1 v. Sela (ISR/246) 6:1, 6:4, 6:0
R2 v. Almagro (ESP/76) 6:3, 7:6, 6:2
R3 v. Gonzalez (CHL/26) 7:6 (11), 7:5, 6:2
Of v. Moya (ESP/15) 6:1, 6:4, 6:3
Qf v. Hanescu (ROM/90) 6:2, 7:6 (3), 6:3
Sf p. Nadal (ESP/5) 3:6, 6:4, 4:6, 3:6

141) Halle, Intls. Series, grama (1)
R1 v. Söderling (SWE/35) 6:7 (5), 7:6 (6), 6:4
Of v. Mayer (DEU/60) 6:2, 6:4
Qf v. Kohlschreiber (DEU/71) 6:3, 6:4
Sf v. Haas (DEU/23) 6:4, 7:6 (11)
F v. Safin (RUS/5) 6:4, 6:7 (6), 6:4

142) Wimbledon, Grand Slam, grama (1)
R1 v. Mathieu (FRA/58) 6:4, 6:2, 6:4
R2 v. Minar (CZE/99) 6:4, 6:4, 6:1
R3 v. Kiefer (DEU/26) 6:2, 6:7 (5), 6:1, 7:5
Of v. Ferrero (ESP/31) 6:3, 6:4, 7:6 (6)
Qf v. Gonzalez (CHL/24) 7:5, 6:2, 7:6 (2)
Sf v. Hewitt (AUS/2) 6:3, 6:4, 7:6 (4)
F v. Roddick (USA/4) 6:2, 7:6 (2), 6:4

320 A biografia de Roger Federer

143) Cincinnati, MS, quadra rápida (1)
R1 v. Blake (USA/70) 7:6 (3), 7:5
R2 v. Kiefer (DEU/38) 4:6, 6:4, 6:4
Of v. O. Rochus (BEL/34) 6:3, 6:4
Qf v. Acasuso (ARG/52) 6:4, 6:3
Sf v. Ginepri (USA/58) 4:6, 7:5, 6:4
F v. Roddick (USA/5) 6:3, 7:5

144) Nova York, Grand Slam, quadra rápida (1)
R1 v. Minar (CZE/77) 6:1, 6:1, 6:1
R2 v. Santoro (FRA/76) 7:5, 7:5, 7:6 (2)
R3 v. O. Rochus (BEL/29) 6:3, 7:6 (6), 6:2
Of v. Kiefer (DEU/38) 6:4, 6:7 (3), 6:3, 6:4
Qf v. Nalbandian (ARG/11) 6:2, 6:4, 6:1
Sf v. Hewitt (AUS/4) 6:3, 7:6 (0), 4:6, 6:3
F v. Agassi (USA/7) 6:3, 2:6, 7:6 (1), 6:1
Genebra, Copa Davis, saibro (1)
v. Mackin (GBR/262) 6:0, 6:0, 6:2

145) Bangkok, Intls. Series, quadra coberta (1)
R1 v. Daniel (BRA/133) 7:6 (4), 6:4
Of v. Gremelmayr (DEU/239) 6:3, 6:2
Qf v. Muller (LUX/66) 6:4, 6:3
Sf v. Nieminen (FIN/42) 6:3, 6:4
F v. Murray (GBR/109) 6:3, 7:5

146) Xangai, Masters Cup, quadra coberta (1)
RR s. Nalbandian (ARG/12) 6:3, 2:6, 6:4
RR s. Ljubicic (HRV/8) 6:3, 2:6, 7:6 (4)
RR s. Coria (ARG/6) 6:0, 1:6, 6:2
Sf v. Gaudio (ARG/9) 6:0, 6:0
F p. Nalbandian (ARG/12) 7:6 (4), 7:6 (11), 2:6, 1:6, 6:7 (3)

2006
147) Doha, Intls. Series, quadra rápida (1)
R1 v. Minar (CZE/73) 6:1, 6:3
Of v. Santoro (FRA/58) 7:6 (2), 7:6 (5)
Qf v. Baghdatis (CYP/55) 6:4, 6:3
Sf v. Haas (DEU/45) 6:3, 6:3
F v. Monfils (FRA/30) 6:3, 7:6 (5)

Resultados de Roger Federer

321

148) Melbourne, Grand Slam, quadra rápida (1)
R1 v. Istomin (UZB/195) 6:2, 6:3, 6:2
R2 v. Mayer (DEU/69) 6:1, 6:4, 6:0
R3 v. Mirnyi (BLR/34) 6:3, 6:4, 6:3
Of v. Haas (DEU/41) 6:4, 6:0, 3:6, 4:6, 6:2
Qf v. Dawidenko (5) 6:4, 3:6, 7:6, 7:6
Sf v. Kiefer (DEU/25) 6:3, 5:7, 6:0, 6:2
F v. Baghdatis (CYP/54) 5:7, 7:5, 6:0, 6:2

149) Dubai, Intls. Series, quadra rápida (1)
R1 v. Wawrinka (CHE/57) 7:6 (3), 6:3
Of v. Al Ghareeb (KWT/488) 7:6 (5), 6:4
Qf v. Vik (CZE/75) 6:3, 6:2
Sf v. Juschni (RUS/52) 6:2, 6:3
F p. Nadal (ESP/2) 6:2, 4:6, 4:6

150) Indian Wells, MS, quadra rápida (1)
R2* v. Massu (CHL/47) 6:3, 7:6 (4)
R3 v. O. Rochus (BRL/32) 3:6, 6:3, 7:5
Of v. Gasquet (FRA/18) 6:3, 6:4
Qf v. Ljubicic (HRV/6) 6:2, 6:3
Sf v. Srichaphan (THA/61) 6:2, 6:3
F v. Blake (USA/14) 7:5, 6:3, 6:0

151) Miami, MS, quadra rápida (1)
R2* v. Clément (FRA/53) 6:2, 6:7 (4), 6:0
R3 v. Haas (DEU/28) 6:1, 6:3
Of v. Tursunow (RUS/36) 6:3, 6:3
Qf v. Blake (USA/9) 7:6 (2), 6:4
Sf v. Ferrer (ESP/11) 6:1, 6:4
F v. Ljubicic (6) 7:6 (5), 7:6 (4), 7:6 (6)

152) Monte Carlo, MS, saibro (1)
R1 v. Djokovic (SRB/67) 6:3, 2:6, 6:3
R2 v. Martin (ESP/66) 6:0, 6:1
Of v. Balleret (MCO/351) 6:3, 6:2
Qf v. Ferrer (ESP/15) 6:1, 6:3
Sf v. Gonzalez (CHL/21) 6:2, 6:4
F p. Nadal (ESP/2) 2:6, 7:6 (2), 3:6, 6:7 (5)

153) Roma, MS, saibro (1)
R1 v. Chela (ARG/30) 6:2, 6:1

R2 v. Starace (ITA/81) 6:3, 7:6 (2)
Of v. Stepanek (CZE/18) 6:1, 6:4
Qf v. Almagro (ESP/54) 6:3, 6:7 (2), 7:5
Sf v. Nalbandian (ARG/3) 6:3, 3:6, 7:6 (5)
F p. Nadal (ESP/2) 7:6 (0), 6:7 (5), 4:6, 6:2, 6:7 (5)

154) Paris, Grand Slam, saibro (1)
R1 v. Hartfield (ARG/157) 7:5, 7:6 (2), 6:2
R2 v. Falla (COL/139) 6:1, 6:4, 6:3
R3 v. Massu (CHL/35) 6:1, 6:2, 6:7 (4), 7:5
Of v. Berdych (CZE/20) 6:3, 6:2, 6:3
Qf v. Ancic (HRV/12) 6:4, 6:3, 6:4
Sf v. Nalbandian (ARG/3) 3:6, 6:4, 5:2, ret.
F p. Nadal (ESP/2) 6:1, 1:6, 4:6, 6:7 (4)

155) Halle, Intls. Series, grama (1)
R1 v. Bopanna (INDEU/267) 7:6 (4), 6:2.
Of v. Gasquet (FRA/51) 7:6 (7), 6:7 (7), 6:4
Qf v. O. Rochus (BEL/29) 6:7 (2), 7:6 (11), 7:6 (5)
Sf v. Haas (DEU/26) 6:4, 6:7 (4), 6:3
F v. Berdych (CZE/15) 6:0, 6:7 (4), 6:2

156) Wimbledon, Grand Slam, grama (1)
R1 v. Gasquet (FRA/50) 6:3, 6:2, 6:2
R2 v. Henman (GBR/64) 6:4, 6:0, 6:2
R3 v. Mahut (FRA/77) 6:3, 7:6 (2), 6:4
Of v. Berdych (CZE/14) 6:3, 6:3, 6:4
Qf v. Ancic (HRV/10) 6:4, 6:4, 6:4
Sf v. Björkman (SWE/59) 6:2, 6:0, 6:2
F v. Nadal (ESP/2) 6:0, 7:6 (5), 6:7 (2), 6:3

157) Toronto, MS, quadra rápida (1)
R1 v. Mathieu (FRA/36) 6:3, 6:4
R2 v. Grosjean (FRA/33) 6:3, 6:3
Of v. Tursunow (RUS/27) 6:3, 5:7, 6:0
Qf v. Malisse (BEL/41) 7:6 (4), 6:7 (5), 6:3
Sf v. Gonzalez (CHL/16) 6:1, 5:7, 6:3
F v. Gasquet (FRA/51) 2:6, 6:3, 6:2

158) Cincinnati, MS, quadra rápida (1)
R1 v. Srichaphan (THA/45) 7:5, 6:4
R2 p. Murray (GBR/21) 5:7, 4:6

Resultados de Roger Federer

159) Nova York, Grand Slam, quadra rápida (1)
R1 v. Wang (TWN/109) 6:4, 6:1, 6:0
R2 v. Henman (GBR/62) 6:3, 6:4, 7:5
R3 v. Spadea (USA/84) 6:3, 6:3, 6:0
Of v. Gicquel (FRA/79) 6:3, 7:6 (2), 6:3
Qf v. Blake (USA/7) 7:6 (7), 6:0, 6:7 (9), 6:4
Sf v. Dawidenko (RUS/6) 6:1, 7:5, 6:4
F v. Roddick (USA/10) 6:2, 4:6, 7:5, 6:1
Genebra, Copa Davis, Playoff, Quadra rápida
v. Tipsarevic (SRB/92) 6:3, 6:2, 6:2
v. Djokovic (SRB/21) 6:3, 6:2, 6:3

160) Tóquio, Intls. Series, quadra rápida (1)
R2 v. Troicki (SRB/276) 7:6 (2), 7:6 (3)
Of v. Moodie (ZAF/73) 6:2, 6:1
Qf v. Suzuki (JPN/1078) 4:6, 7:5, 7:6 (3)
Sf v. Becker (DEU/72) 6:3, 6:4
F v. Henman (GBR/55) 6:3, 6:3

161) Madri, MS, quadra coberta (1)
R2 v. Massu (CHL/45) 6:3, 6:2
Of v. Söderling (SWE/29) 7:6 (5), 7:6 (10)
Qf v. Ginepri (USA/47) 6:3, 7:6 (4)
Sf v. Nalbandian (ARG/4) 6:4, 6:0
F v. Gonzalez (CHL/10) 7:5, 6:1, 6:0

162) Basileia, Intls. Series, quadra coberta (1)
R1 v. Zib (CZE/151) 6:1, 6:2
Of v. Garcia-Lopez (ARG/75) 6:2, 6:0
Qf v. Ferrer (ESP/15) 6:3, 7:6 (14)
Sf v. Srichaphan (THA/54) 6:4, 3:6, 7:6 (5)
F v. Gonzalez (CHL/7) 6:3, 6:2, 7:6 (3)

163) Xangai, Masters Cup, quadra coberta (1)
RR v. Nalbandian (ARG/7) 3:6, 6:1, 6:1
RR v. Roddick (USA/5) 4:6, 7:6 (8), 6:4
RR v. Ljubicic (HRV/4) 7:6 (2), 6:4
Sf v. Nadal (ESP/2) 6:4, 7:5
F v. Blake (USA/8) 6:0, 6:3, 6:4

324   A biografia de Roger Federer

2007

164) Melbourne, Grand Slam, quadra rápida (1)
R1 v. Phau (DEU/82) 7:5, 6:0, 6:4
R2 v. Björkman (SWE/50) 6:2, 6:3, 6:2
R3 v. Juschni (RUS/25) 6:3, 6:3, 7:6 (5)
Of v. Djokovic (SRB/15) 6:2, 7:5, 6:3
Qf v. Robredo (ESP/6) 6:3, 7:6 (2), 7:5
Sf v. Roddick (USA/7) 6:4, 6:0, 6:2
F v. Gonzalez (CHL/9) 7:6 (2), 6:4, 6:4

165) Dubai, Intls. Series, quadra rápida (1)
R1 v. Pless (DNK/86) 7:6 (2), 3:6, 6:3
Of v. Bracciali (ITA/88) 7:5, 6:3
Qf v. Djokovic (SRB/14) 6:3, 6:7 (6), 6:3
Sf v. Haas (DEU/9) 6:4, 7:5
F v. Juschni (RUS/18) 6:4, 6:3

166) Indian Wells, MS, quadra rápida (1)
R2* p. Cañas (ARG/60) 5:7, 2:6

167) Miami, MS, quadra rápida (1)
R2* v. Querrey (USA/69) 6:4, 6:3
R3 v. Almagro (ESP/34) 7:5, 6:3
Of p. Cañas (ARG/55) 6:7 (2), 6:2, 6:7 (5)

168) Monte Carlo, MS, saibro (1)
R2* v. Seppi (ITA/101) 7:6 (4), 7:6 (6)
Of v. Lee (KOR/49) 6:4, 6:3
Qf v. Ferrer (ESP/16) 6:4, 6:0
Sf v. Ferrero (ESP/21) 6:3, 6:4
F p. Nadal (ESP/2) 4:6, 4:6

169) Roma, MS, saibro (1)
R2* v. Almagro (ESP/40) 6:3, 6:4
Of p. Volandri (ITA/53) 2:6, 4:6

170) Hamburgo, MS, saibro (1)
R2* v. Monaco (ARG/48) 6:3, 2:6, 6:4
Of v. Ferrero (ESP/19) 6:2, 6:3
Qf v. Ferrer (ESP/14) 6:3, 4:6, 6:3
Sf v. Moya (ESP/36) 4:6, 6:4, 6:2
F v. Nadal (ESP/2) 2:6, 6:2, 6:0

Resultados de Roger Federer

171) Paris, Grand Slam, areia (1)
R1 v. Russell (USA/68) 6:4, 6:2, 6:4
R2 v. Ascione (FRA/168) 6:1, 6:2, 7:6 (10)
R3 v. Starace (ITA/57) 6:2, 6:3, 6:0
Of v. Juschni (RUS/15) 7:6 (3), 6:4, 6:4
Qf v. Robredo (ESP/9) 7:5, 1:6, 6:1, 6:2
Sf v. Dawidenko 7:5, 7:6 (5), 7:6 (7)
F p. Nadal (ESP/2) 3:6, 6:4, 3:6, 4:6

172) Wimbledon, Grand Slam, grama (1)
R1 v. Gabaschwili (RUS/86) 6:3, 6:2, 6:4
R2 v. Del Potro (ARG/56) 6:2, 7:5, 6:1
R3 v. Safin (RUS/24) 6:1, 6:4, 7:6 (4)
Of v. Haas (DEU/10) W.O.
Qf v. Ferrero (ESP/18) 7:6 (2), 3:6, 6:1, 6:3
Sf v. Gasquet (FRA/14) 7:5, 6:3, 6:4
F v. Nadal 7:6 (7), 4:6, 7:6 (3), 2:6, 6:2

173) Montreal, MS, quadra rápida (1)
R2* v. Karlovic (HRV/34) 7:6 (2), 7:6 (3)
Of v. Fognini (ITA/139) 6:1, 6:1
Qf v. Hewitt (AUS/21) 6:3, 6:4
Sf v. Stepanek (CZE/60) 7:6 (6), 6:2
F p. Djokovic (SRB/4) 6:7 (2), 6:2, 6:7 (2)

174) Cincinnati, MS, quadra rápida (1)
R2* v. Benneteau (FRA/68) 6:3, 6:3
Of v. Baghdatis (CYP/18) 7:6 (5), 7:5
Qf v. Almagro (ESP/32) 6:3, 3:6, 6:2
Sf v. Hewitt (AUS/20) 6:3, 6:7 (7), 7:6 (1)
F v. Blake (USA/8) 6:1, 6:4

175) Nova York, Grand Slam, quadra rápida (1)
R1 v. Jenkins (USA/319) 6:3, 6:2, 6:4
R2 v. Capdeville (CHL/120) 6:1, 6:4, 6:4
R3 v. Isner (USA/184) 6:7 (4), 6:2, 6:4, 6:2
Of v. Lopez (ESP/60) 3:6, 6:4, 6:1, 6:4
Qf v. Roddick (USA/5) 7:6 (5), 7:6 (4), 6:2
Sf v. Dawidenko (RUS/4) 7:5, 6:1, 7:5
F v. Djokovic (SRB/3) 7:6 (4), 7:6 (4), 6:4

326   A biografia de Roger Federer

176) Madri, MS, quadra coberta (1)
R2* v. Ginepri (USA/72) 7:6 (2), 6:4
Of v. Cañas (ARG/14) 6:0, 6:3
Qf v. Lopez (ESP/42) 7:6 (4), 6:4
Sf v. Kiefer (DEU/112) 6:4, 6:4
F p. Nalbandian (ARG/25) 6:1, 3:6, 3:6

177) Basileia, Intls. Series, quadra coberta (1)
R1 v. Berrer (DEU/56) 6:1, 3:6, 6:3
Of v. Del Potro (ARG/49) 6:1, 6:4
Qf v. Kiefer (DEU/64) 6:3, 6:2
Sf v. Karlovic (HRV/25) 7:6 (6), 7:6 (5)
F v. Nieminen (FIN/29) 6:3, 6:4

178) Paris, MS, quadra coberta (1)
R2* v. Karlovic (HRV/24) 6:3, 4:6, 6:3
Of p. Nalbandian (ARG/21) 4:6, 6:7 (3)

179) Xangai, Masters Cup, quadra coberta (1)
RR p. Gonzalez (CHL/7) 6:3, 6:7 (1), 5:7
RR v. Dawidenko (RUS/4) 6:4, 6:3
RR v. Roddick (USA/5) 6:4, 6:2
Sf v. Nadal (ESP/2) 6:4, 6:1
F v. Ferrer (ESP/6) 6:2, 6:3, 6:2

2008
180) Melbourne, Grand Slam, quadra rápida (1)
R1 v. Hartfield (ARG/107) 6:0, 6:3, 6:0
R2 v. Santoro (FRA/36) 6:1, 6:2, 6:0
R3 v. Tipsarevic 6:7 (5), 7:6 (1), 5:7, 6:1, 10:8
Of v. Berdych (CZE/13) 6:4, 7:6 (7), 6:3
Qf v. Blake (USA/15) 7:5, 7:6 (5), 6:4
Sf p. Djokovic (SRB/3) 5:7, 3:6, 6:7 (5)

181) Dubai, Intls. Series, quadra rápida (1)
R1 p. Murray (GBR/11) 7:6 (6), 3:6, 4:6

182) Indian Wells, MS, quadra rápida (1)
R2* v. Garcia-Lopez (ESP/62) 6:3, 6:2
R3 v. Mahut (FRA/44) 6:1, 6:1
Of v. Ljubicic (HRV/23) 6:3, 6:4

Resultados de Roger Federer

327

Qf v. Haas (DEU/36) W.O.
Sf p. Fish (USA/98) 3:6, 2:6

183) Miami, MS, quadra rápida (1)
R2* v. Monfils (FRA/65) 6:3, 6:4
R3 v. Söderling (SWE/39) 6:4, 3:0, ret.
Of v. Acasuso (ARG/45) 7:6 (5), 6:2
Qf p. Roddick (USA/6) 6:7 (4), 6:4, 3:6

184) Estoril, Intls. Series, saibro (1)
R1 v. O. Rochus (BEL/77) 4:6, 6:3, 6:2
Of v. Hanescu (ROM/68) 6:3, 6:2
Qf v. Gil (PRT/146) 6:4, 6:1
Sf v. Gremelmayr (DEU/104) 2:6, 7:5, 6:1
F v. Dawidenko (RUS/4) 7:6 (5), 1:2, ret.

185) Monte Carlo, MS, saibro (1)
R2* v. Ramirez Hidalgo 6:1, 3:6, 7:6 (1)
Of v. Monfils (FRA/64) 6:3, 6:4
Qf v. Nalbandian (ARG/7) 5:7, 6:2, 6:2
Sf v. Djokovic (SRB/3) 6:3, 3:2, ret.
F p. Nadal (ESP/2) 5:7, 5:7

186) Roma, MS, saibro (1)
R2* v. Cañas (ARG/30) 6:3, 6:3
Of v. Karlovic (HRV/22) 7:6 (4), 6:3
Qf p. Stepanek (CZE/27) 6:7 (4), 6:7 (7)

187) Hamburgo, MS, saibro (1)
R2* v. Nieminen (FIN/27) 6:1, 6:3
Of v. Söderling (SWE/48) 6:3, 6:2
Qf v. Verdasco (ESP/28) 6:3, 6:3
Sf v. Seppi (ITA/43) 6:3, 6:1
F p. Nadal (ESP/2) 5:7, 7:6 (3), 3:6

188) Paris, Grand Slam, saibro (1)
R1 v. Querrey (USA/40) 6:4, 6:4, 6:3
R2 v. Montanes 6:7 (5), 6:1, 6:0, 6:4
R3 v. Ancic (HRV/46) 6:3, 6:4, 6:2
Of v. Benneteau (FRA/55) 6:4, 7:5, 7:5
Qf v. Gonzalez (CHL/25) 2:6, 6:2, 6:3, 6:4
Sf v. Monfils (FRA/59) 6:2, 5:7, 6:3, 7:5
F p. Nadal (ESP/2) 1:6, 3:6, 0:6

328
A biografia de Roger Federer

189) Halle, Intls. Series, grama (1)
R1 v. Berrer (DEU/83) 6:4, 6:2
Of v. Vacek (CZE/342) 7:5, 6:3
Qf v. Baghdatis (CYP/23) 6:4, 6:4
Sf v. Kiefer (DEU/38) 6:1, 6:4
F v. Kohlschreiber (DEU/40) 6:3, 6:4

190) Wimbledon, Grand Slam, grama (1)
R1 v. Hrbaty (SVK/273) 6:3, 6:2, 6:2
R2 v. Söderling (SWE/41) 6:3, 6:4, 7:6 (3)
R3 v. Gicquel (FRA/53) 6:3, 6:3, 6:1
Of v. Hewitt (AUS/27) 7:6 (7), 6:2, 6:4
Qf v. Ancic (HRV/43) 6:1, 7:5, 6:4
Sf v. Safin (RUS/75) 6:3, 7:6 (3), 6:4
F p. Nadal 4:6, 4:6, 7:6 (5), 7:6 (8), 7:9

191) Toronto, MS, quadra rápida (1)
R2* p. Simon (FRA/22) 6:2, 5:7, 4:6

192) Cincinnati, MS, quadra rápida (1)
R2* v. Ginepri 6:7 (2), 7:6 (5), 6:0
Of v. Karlovic (HRV/22) 6:7 (6), 6:4, 6:7 (5)

193) Pequim, Olimpíada, quadra rápida (1)
R1 v. Tursunow (RUS/29) 6:4, 6:2
R2 v. Arevalo (SLV/447) 6:2, 6:4
Of v. Berdych (CZE/20) 6:3, 7:6 (4)
Qf p. Blake (USA/7) 4:6, 6:7 (2)

194) US Open, Grand Slam, quadra rápida (2)
R1 v. M. Gonzalez (ARG/118) 6:3, 6:0, 6:3
R2 v. Alves (BRA/137) 6:3, 7:5, 6:4
R3 v. Stepanek (CZE/30) 6:3, 6:3, 6:2
Of v. Andrejew 6:7 (5), 7:6 (5), 6:3, 3:6, 6:3
Sf v. Djokovic (SRB/3) 6:3, 5:7, 7:5, 6:2
F v. Murray (GBR/6) 6:2, 7:5, 6:2
Lausanne, Copa Davis, Playoff, quadra coberta (2)
v. Vliegen (BEL/95) 7:6 (1), 6:4, 6:2

195) Madri, MS, quadra coberta (2)
R2* v. Stepanek (CZE/30) 6:3, 7:6 (6)

Resultados de Roger Federer

329

Qf v. Tsonga (FRA/15) 6:4, 6:1
Qf v. Del Potro (ARG/9) 6:3, 6:3
Sf p. Murray (GBR/4) 6:3, 3:6, 5:7

196) Basileia, Intls. Series, quadra coberta (2)
R1 v. Reynolds (USA/86) 6:3, 6:7 (6), 6:3
Of v. Nieminen (FIN/29) 7:6 (6), 7:6 (1)
Qf v. Bolelli (ITA/42) 6:2, 6:3
Sf v. F. Lopez (ESP/39) 6:3, 6:2
F v. Nalbandian (ARG/8) 6:3, 6:4

197) Paris, MS, quadra coberta (2)
R2* v. Söderling (SWE/18) 6:4, 7:6 (7)
Of v. Cilic (HRV/25) 6:3, 6:4
Qf p. Blake (USA/11) W.O.

198) Xangai, Masters Cup, quadra coberta (2)
RR p. Simon (FRA/9) 6:4, 4:6, 3:6
RR v. Stepanek (CZE/27) 7:6 (4), 6:4
RR p. Murray (GBR/4) 6:4, 6:7 (3), 5:7

2009

199) Doha, Intls. Series, quadra rápida (2)
R1 v. Starace (ITA/71) 6:2, 6:2
Of v. Seppi (ITA/34) 6:3, 6:3
Qf v. Kohlschreiber (DEU/28) 6:2, 7:6 (6)
Sf p. Murray (GBR/4) 7:6 (6), 2:6, 2:6

200) Melbourne, MS, quadra rápida (2)
R1 v. Seppi (ITA/35) 6:1, 7:6 (4), 7:5
R2 v. Korolew (RUS/118) 6:2, 6:3, 6:1
R3 v. Safin (RUS/27) 6:3, 6:2, 7:6 (5)
Of v. Berdych 4:6, 6:7 (4), 6:4, 6:4, 6:2
Qf v. Del Potro (ARG/6) 6:3, 6:0, 6:0
Sf v. Roddick (USA/9) 6:2, 7:5, 7:5
F p. Nadal (ESP/1) 5:7, 6:3, 6:7 (3), 6:3, 2:6

201) Indian Wells, MS, quadra rápida (2)
R2* v. Gicquel (FRA/52) 7:6 (4), 6:4
R3 v. Karlovic (HRV/28) 7:6 (4), 6:3
Of v. Gonzalez (CHL/17) 6:3, 5:7, 6:2
Qf v. Verdasco (ESP/10) 6:3, 7:6 (5)
Sf p. Murray (GBR/4) 3:6, 6:4, 1:6

330

A biografia de Roger Federer

202) Miami, MS, quadra rápida (2)
R2* v. Kim (USA/107) 6:3, 6:2
R3 v. Kiefer (DEU/29) 6:4, 6:1
Of v. Dent (USA/467) 6:3, 6:2
Qf v. Roddick (USA/6) 6:3, 4:6, 6:4
Sf p. Djokovic (SRB/3) 6:3, 2:6, 3:6

203) Monte Carlo, MS, saibro (2)
R2* v. Seppi (ITA/40) 6:4, 6:4
Of p. Wawrinka (CHE/16) 4:6, 5:7

204) Roma, MS, saibro (2)
R2* v. Karlovic (HRV/24) 6:4, 6:4
Of v. Stepanek (CZE/19) 6:4, 6:1
Qf v. Zwerew (DEU/76) 7:6 (3), 6:2
Sf p. Djokovic (SRB/3) 6:4, 3:6, 3:6

205) Madri, MS, saibro (2)
R2* v. Söderling (SWE/23) 6:1, 7:5
Of v. Blake (USA/16) 6:2, 6:4
Qf v. Roddick (USA/6) 7:5, 6:7 (5), 6:1
Sf v. Del Potro (ARG/5) 6:3, 6:1
F v. Nadal (ESP/1) 6:4, 6:4

206) Paris, Grand Slam, saibro (2)
R1 v. Martin (ESP/98) 6:4, 6:3, 6:2
R2 v. Acasuso 7:6 (8), 5:7, 7:6 (2), 6:2
R3 v. Mathieu (FRA/35) 4:6, 6:1, 6:4, 6:4
Of v. Haas (DEU/63) 6:7 (4), 5:7, 6:4, 6:0, 6:2
Qf v. Monfils (FRA/10) 7:6 (6), 6:2, 6:4
Sf v. Del Potro 3:6, 7:6 (2), 2:6, 6:1, 6:4
F v. Söderling (SWE/25) 6:1, 7:6 (1), 6:4

207) Wimbledon, Grand Slam, grama (2)
R1 v. Yen-Hsun Lu (THA/65) 7:5, 6:3, 6:2
R2 v. Garcia-Lopez (ESP/42) 6:2, 6:2, 6:4
R3 v. Kohlschreiber 6:3, 6:2, 6:7 (5), 6:1
Of v. Söderling (SWE/12) 6:4, 7:6 (5), 7:6 (5)
Qf v. Karlovic (HRV/36) 6:3, 7:5, 7:5 (3)
Sf v. Haas (DEU/34) 7:6 (3), 7:5, 6:3
F v. Roddick 5:7, 7:6 (6), 7:6 (5), 3:6, 16:14

Resultados de Roger Federer

208) Montreal, MS, quadra rápida (1)
R2* v. Niemeyer (CAN/487) 7:6 (3), 6:4
Of v. Wawrinka (CHE/22) 6:3, 7:6 (5)
Qf p. Tsonga (FRA/7) 7:6 (5), 6:1, 6:7 (3)

209) Cincinnati, MS, quadra rápida (1)
R2* v. Acasuso (ARG/51) 6:3, 7:5
Of v. Ferrer (ESP) 3:6, 6:3, 6:4
Qf v. Hewitt (AUS/42) 6:3, 6:4
Sf v. Murray (GBR/2) 6:2, 7:6 (8)
F v. Djokovic (SRB/4) 6:1, 7:5

210) US Open, GS, quadra rápida (1)
R1 v. Britton (USA/1370) 6:1, 6:3, 7:5
R2 v. Greul (DEU/65) 6:3, 7:5, 7:5
R3 v. Hewitt (AUS/32) 4:6, 6:3, 7:5, 6:4
Of v. Robredo (ESP/15) 7:5, 6:2, 6:2
Qf v. Söderling 6:0, 6:3, 6:7 (6), 7:6 (6)
Sf v. Djokovic (SRB/4) 7:6 (3), 7:5, 7:5
F p. Del Potro 6:3, 6:7 (5), 6:4, 6:7 (4), 2:6
Gênova, Copa Davis, Playoff, areia
v. Bolelli (ITA/64) 6:3, 6:4, 6:1
v. Starace (ITA/90) 6:3, 6:0, 6:4

Panorâmica da carreira

Ano	T.	Tít.	V.	D.	CD	Total		Pr. dinheiro	Ranking
					V-D	V	D		
1997	0							650	700
1998	3	0	2	3		2	3	27.305	302
1999	14	0	12	14	1–3	13	17	225.139	64
2000	28	0	33	29	2–1	36	30	623.782	29
2001	21	1	46	20	3–1	49	21	865.425	13
2002	25	3	54	22	4–0	58	22	1.995.027	6
2003	23	7	73	16	5–1	78	17	4.000.680	2
2004	17	11	70	6	4–0	74	6	6.357.547	1
2005	15	11	80	4	1–0	81	4	6.137.018	1
2006	17	12	90	5	2–0	92	5	8.343.885	1
2007	16	8	68	9	2–0	70	9	10.130.620	1
2008	19	4	65	15	1–0	66	15	5.886.879	2
2009	15	4	61	12	2–0	63	12	8.761.806	1
2010	18	5	65	13	0–0	65	13	7.685.303	2
2011	16	4	64	12	3–0	67	12	6.320.726	3
2012	17	6	71	12	2–1	73	13	8.584.843	2

2013	17	1	45	17	0–0	45	17	3.193.912	6
2014*	17	5	73	12	6–1	79	13	9.343.989	2
2015	13	5	53	8	2–0	55	8	6.125.909	2
Total**	311	87	1049	235	40–8	1064	237	94.746.573	

Legenda:
T. = torneios (ATP Tour, Grand Slams, Olimpíadas)
Tít. = títulos ganhos
V. = vitórias
D. = derrotas
CD = Copa Davis
Pr. dinheiro = prêmios oficiais em dólar
Ranking = posição na ATP no final do ano

*   Ano da conquista da Copa Davis.

** Posição no final de setembro de 2015.

Suas finais

Legenda:
MS = Master Series
GS = Grand Slam
v. = venceu
p. = perdeu para

2000 (sem títulos)
Marselha	quadra coberta	p. Rosset 6:2, 3:6, 6:7
Basileia	quadra coberta	p. Enqvist 2:6, 6:4, 6:7, 6:1, 1:6

2001 (1 título)
Milão	quadra coberta	v. Boutter 6:4, 6:7, 6:6
Roterdã	quadra coberta	p. Escude 5:7, 6:3, 6:7
Basileia	quadra coberta	p. Henman 3:6, 4:6, 2:6

2002 (3 títulos)
Sydney	quadra rápida	v. Chela 6:3, 6:3
Milão	quadra coberta	p. Sanguinetti 6:7, 6:4, 1:6
Key Biscayne (MS)	quadra rápida	p. Agassi 3:6, 3:6, 6:3, 4:6
Hamburgo (MS)	saibro	v. Safin 6:1, 6:3, 6:4
Viena	quadra coberta	v. Novak 6:4, 6:1, 3:6, 6:4

336 A biografia de Roger Federer

2003 (7 títulos)

Marselha	quadra coberta	v. Björkman 6:2, 7:6
Dubai	quadra rápida	v. Novak 6:1, 7:6
Munique	saibro	v. Nieminen 6:1, 6:4
Roma (MS)	saibro	p. Mantilla 5:7, 2:6, 6:7
Halle	grama	v. Kiefer 6:1, 6:3
Wimbledon (GS)	grama	v. Philipoussis 7:6, 6:2, 7:6
Gstaad	saibro	p. Novak 7:5, 3:6, 3:6, 6:1, 3:6
Viena	quadra coberta	v. Moya 6:3, 6:3, 6:3
Masters Houston	quadra rápida	v. Agassi 6:3, 6:0, 6:4

2004 (11 títulos)

Melbourne (GS)	quadra rápida	v. Safin 7:6, 6:4, 6:2
Dubai	quadra rápida	v. Lopez 4:6, 6:1, 6:2
Indian Wells (MS)	quadra rápida	v. Henman 6:3, 6:3
Hamburgo (MS)	saibro	v. Coria 4:6, 6:4, 6:2, 6:3
Halle	grama	v. Fish 6:0, 6:3
Wimbledon (GS)	grama	v. Roddick 4:6, 7:5, 7:6, 6:4
Gstaad	saibro	v. Andrejew 6:2, 6:3, 5:7, 6:3
Toronto (MS)	quadra rápida	v. Roddick 7:5, 6:3
Nova York (GS)	quadra rápida	v. Hewitt 6:0, 7:6, 6:0
Bangkok	quadra rápida	v. Roddick 6:4, 6:0
Masters Houston	quadra rápida	v. Hewitt 6:3, 6:2

2005 (11 títulos)

Doha	quadra rápida	v. Ljubicic 6:3, 6:1
Roterdã	quadra coberta	v. Ljubicic 5:7, 7:5, 7:6
Dubai	quadra rápida	v. Ljubicic 6:1, 6:7, 6:3
Indian Wells (MS)	quadra rápida	v. Hewitt 6:2, 6:4, 6:4
Key Biscayne (MS)	quadra rápida	v. Nadal 2:6, 6:7, 7:6, 6:3, 6:1
Hamburgo (MS)	saibro	v. Gasquet 6:3, 7:5, 7:6
Halle	grama	v. Safin 6:4, 6:7, 6:4
Wimbledon (GS)	grama	v. Roddick 6:2, 7:6, 6:4
Cincinnati (MS)	quadra rápida	v. Roddick 6:3, 7:5
Nova York (GS)	quadra rápida	v. Agassi 6:3, 2:6, 7:6, 6:1
Bangkok	quadra coberta	v. Murray 6:3, 7:5
Masters Xangai	quadra coberta	p. Nalbandian 7:6, 7:6, 2:6, 1:6, 6:7

2006 (12 títulos)

Doha	quadra rápida	v. Monfils 6:3, 7:6

Suas finais

Melbourne (GS)	quadra rápida	v. Baghdatis 5:7, 7:5, 6:0, 6:2
Dubai	quadra rápida	p. Nadal 6:2, 4:6, 4:6
Indian Wells (MS)	quadra rápida	v. Blake 7:5, 6:3, 6:0
Miami (MS)	quadra rápida	v. Ljubicic 7:6 (5), 7:6 (4), 7:6 (6)
Monte Carlo (MS)	saibro	p. Nadal 2:6, 7:6 (2), 3:6, 6:7 (5)
Roma (MS)	saibro	p. Nadal 7:6 (0), 6:7 (5), 4:6, 6:2, 6:7 (5)
Paris (GS)	saibro	p. Nadal 6:1, 1:6, 4:6, 6:7 (4)
Halle	grama	v. Berdych 6:0, 6:7 (4), 6:2
Wimbledon (GS)	grama	v. Nadal 6:0, 7:6 (5), 6:7 (2), 6:3
Toronto (MS)	quadra rápida	v. Gasquet 2:6, 6:3, 6:2
Nova York (GS)	quadra rápida	v. Roddick 6:2, 4:6, 7:5, 6:1
Tóquio	quadra rápida	v. Henman 6:3, 6:3
Madri (MS)	quadra coberta	v. Gonzalez 7:5, 6:1, 6:0
Basileia	quadra coberta	v. Gonzalez 6:3, 6:2, 7:6
Masters Xangai	quadra coberta	v. Blake 6:0, 6:3, 6:4

2007 (8 títulos)

Melbourne (GS)	quadra rápida	v. Gonzalez 7:6 (2), 6:4, 6:4
Dubai	quadra rápida	v. Juschni 6:4, 6:3
Monte Carlo (MS)	saibro	p. Nadal 4:6, 4:6
Hamburgo (MS)	saibro	v. Nadal 2:6, 6:2, 6:0
Paris (GS)	saibro	p. Nadal 3:6, 6:4, 3:6, 4:6
Wimbledon (GS)	grama	v. Nadal 7:6 (7), 4:6, 7:6 (3), 2:6, 6:2
Montreal (MS)	quadra rápida	p. Djokovic 6:7 (2), 6:2, 6:7 (2)
Cincinnati (MS)	quadra rápida	v. Blake 6:1, 6:4
US Open (GS)	quadra rápida	v. Djokovic 7:6 (4), 7:6 (4), 6:4
Madri (MS)	quadra coberta	p. Nalbandian 6:1, 3:6, 3:6
Basileia	quadra coberta	v. Nieminen 6:3, 6:4
Masters Xangai	quadra coberta	v. Ferrer 6:2, 6:3, 6:2

2008 (4 títulos)

Estoril	saibro	v. Davidenko 7:6 (5), 1:2, desist.
Monte Carlo (MS)	saibro	p. Nadal 5:7, 5:7
Hamburgo (MS)	saibro	p. Nadal 5:7, 7:6 (3), 3:6
Paris (GS)	saibro	p. Nadal 1:6, 3:6, 0:6
Halle	grama	v. Kohlschreiber 6:3, 6:4
Wimbledon (GS)	grama	p. Nadal 4:6, 4:6, 7:6 (5), 7:6 (8), 7:9
US Open (GS)	quadra rápida	v. Murray 6:2, 7:5, 6:2
Basileia	quadra coberta	v. Nalbandian 6:3, 6:4

2009 (4 títulos)*

Melbourne (GS)	quadra rápida	p. Nadal 5:7, 6:3, 6:7 (3), 6:3, 2:6
Madri (MS)	saibro	v. Nadal 6:4, 6:4
Paris (GS)	saibro	v. Söderling 6:1, 7:6 (1), 6:4
Wimbledon (GS)	grama	v. Roddick 5:7, 7:6 (6), 7:6 (5), 3:6, 16:14
Cincinnati (MS)	quadra rápida	v. Djokovic 6:1, 7:5
US Open (GS)	quadra rápida	p. Del Potro 6:3, 6:7 (5), 6:4, 6:7 (4), 2:6

* Posição no final de outubro de 2009.

Recordes e séries

As mais longas séries de vitórias de Roger Federer:

Vitórias	Início	Final
41	Nova York 06	Indian Wells 07
35	Halle 05	Xangai 05
26	Nova York 04	Melbourne 05
25	Roterdã 05	Monte Carlos 05
23	Halle 04	Toronto 04

Os principais recordes e séries de Federer

Títulos de Grand Slam, 1: Com seu título, em 2009, ele desbancou Pete Sampras como recordista.

Títulos de Grand Slam, 2: Único jogador que ganhou 2 torneios de Grand Slam em sequência (Wimbledon, de 2003 a 2007, e o US Open, de 2004 a 2008).

Títulos de Grand Slam, 3: Primeiro jogador a ganhar, em 3 anos, 3 dos 4 títulos de Grand Slam (2004, 2006 e 2007).

Finais de Grand Slam, 1: Com sua vigésima final em Wimbledon, em 2009, desbancou Ivan Lendl como o mais frequente finalista de Grand Slams. E, no US Open, deslocou esse recorde para 21 jogos.

Finais de Grand Slam, 2: De Wimbledon 2005 até o US Open 2009, chegou a 17 de todas as 18 finais de Grand Slam. A única derrota anterior a uma final nessa fase aconteceu no Australian Open de 2008, contra Novak Djokovic. Em 2006, 2007 e 2009, participou de todas as finais de Grand Slam.

Semifinais de Grand Slam: No US Open 2009, alcançou pela 22ª vez em sequência as semifinais em um dos 4 grandes torneios. O recorde anterior era compartilhado entre Rod Laver e Ivan Lendl.

Carreira no Grand Slam: Com sua vitória em Roland-Garros 2009, ele se tornou o 6º atleta a ganhar, pelo menos uma vez, cada um dos 4 maiores torneios e o segundo atleta, depois de Andre Agassi, a atingir esse número nos 4 diferentes tipos de piso (antes só se jogava na grama e no saibro).

342 A biografia de Roger Federer

Número 1: Federer se manteve, entre fevereiro de 2004 e agosto de 2008, durante mais tempo como número 1 (237 semanas). O antigo recorde era de 160 semanas (Jimmy Connors).

Prêmios em dinheiro, 1: Em 2008, ele ultrapassou Pete Sampras (43,28 milhões de dólares) como o recordista em prêmios em dinheiro. No ano de 2009, ele contabilizava mais de 50 milhões de dólares.

Prêmios em dinheiro, 2: Em 2007, foi o primeiro atleta profissional do tênis a ganhar mais de 10 milhões de dólares em uma única temporada.

Série de títulos: Foi o primeiro tenista a ganhar, pelo menos, 10 torneios em 3 temporadas seguidas (2004, 11; 2005, 11; 2006, 12).

Série na grama: De 2003 a 2008, conquistou uma série de 65 vitórias na grama, sendo 40 em Wimbledon.

Série Top 10: Nos anos de 2003, 2004 e 2005, ganhou uma sequência de 24 partidas contra jogadores listados entre os 10 melhores.

Série de finais, 1: Nos anos de 2003, 2004 e 2005, permaneceu invicto em 24 finais consecutivas. A série terminou ao final da Masters Cup 2005, em Xangai, contra David Nalbandian.

Série de finais, 2: De Halle, em 2005, até Toronto, em 2006, chegou às finais de todos os 17 torneios que disputou, vencendo 12 deles.

Série dupla: Em 2006, tornou-se o primeiro jogador a conseguir a dobradinha Wimbledon/US Open por 3 anos consecutivos, repetindo a façanha em 2007. Em 2009, conquistou a difícil dobradinha Roland-Garros/Wimbledon pela primeira vez.

Série americana: Nos anos de 2004, 2005 e 2006, ganhou 55 partidas consecutivas nos Estados Unidos, resultando em 9 torneios – 2 em Indian Wells, 2 em Miami e 2 em Nova York (US Open), 1 em Cincinnati, Toronto e Houston (Masters Cup). A série terminou em Cincinnati, com um 5:7 e 4:6, contra Andy Murray.

Série alemã: De 2003 a 2008, ganhou 14 partidas na Alemanha e 7 torneios na sequência. A série terminou na final de Hamburgo, em 2008, contra Nadal.

Série da Taça Davis: De 2004 a 2009, permaneceu invicto em simples na Copa Davis (12:0). Sua retrospectiva nas simples era de 27 vitórias e 6 derrotas. Obteve êxito em 22 de suas últimas 23 simples.*

---

* Posição no final de outubro de 2009.

Semanas como número 1* **

Roger Federer (SUI)	302
Pete Sampras (USA)	286
Ivan Lendl (CZE)	270
Jimmy Connors (USA)	268
Novak Djokovic (SRB)	180
John McEnroe (USA)	170
Rafael Nadal (ESP)	141
Björn Borg (SWE)	109
Andre Agassi (USA)	101
Lleyton Hewitt (AUS)	80
Stefan Edberg (SWE)	72
Jim Courier (USA)	58
Rafael Nadal (ESP)	46
Gustavo Kuerten (BRA)	43
Ilie Nastase (ROM)	40

* Posição no final de outubro de 2009.
** O ranking da ATP foi divulgado pela primeira vez em 23 de agosto de 1973.

Mats Wilander (SWE)	20
Andy Roddick (USA)	13
Boris Becker (ALE)	12
Marat Safin (RUS)	9
Juan Carlos Ferrero (ESP)	8
John Newcombe (AUS)	8
Jewgeni Kafelnikow (RUS)	6
Thomas Muster (AUT)	6
Marcelo Rios (CHI)	6
Carlos Moya (ESP)	2
Patrick Rafter (AUS)	1

A maioria dos títulos de Grand Slam*

Legenda:
AO = Australian Open (Melbourne)
RG = Roland-Garros (Paris)
WI = Wimbledon (Londres)
US = US Open (Nova York)

		AO	RG	WI	US
17	Roger Federer (SUI)	4	1	7	5
14	Pete Sampras (USA)	2	-	7	5
	Rafael Nadal (ESP)	1	9	2	2
12	Roy Emerson (AUS)	6	2	2	2
11	Björn Borg (SWE)	-	6	5	-
	Rod Laver (AUS)	3	2	4	2

* Posição no final de setembro de 2015.

10 Bill Tilden (USA)	–	–	3	7
Novak Djokovic	5	–	3	2
8 Andre Agassi (USA)	4	1	1	2
Jimmy Connors (USA)	1	–	2	5
Ivan Lendl (CZE)	2	3	–	3
Fred Perry (GBR)	1	1	3	3
Ken Rosewall (AUS)	4	2	–	2
7 Henri Cochet (FRA)	–	4	2	1
René Lacoste (FRA)	–	3	2	2
Bill Larned (USA)	–	–	–	7
John Newcombe (AUS)	2	–	3	2
John McEnroe (USA)	–	–	3	4
William Renshaw (GBR)	–	–	7	–
Richard Sears (USA)	–	–	–	7
Mats Wilander (SWE)	3	3	–	1

Glossário

Ace
Um saque (serviço) que o rebatedor não alcança e que significa ganhar diretamente o ponto. Se o devolvedor tocar a bola, mas não conseguir rebatê-la, fala-se em um "saque winner".

ATP Tour
A Associação de Tênis Profissional (ATP) foi fundada em 1972, como uma organização dos jogadores. Em 1990, o ATP Tour substituiu o circuito Grand Prix como série de torneiros profissionais no mundo todo. A instância superior é a diretoria (Board of Directors), composta por 3 representantes dos jogadores e seu presidente (desde o final de 2005, Etienne de Villiers). Em 2006, o ATP Tour englobava 64 torneios com 60 milhões de dólares de prêmios em dinheiro em 31 países (sem os torneios de Grand Slam).

Break point
Possibilidade de se alcançar uma quebra por meio da vitória do ponto.

Circuito profissional
Termo geralmente usado para os torneios de tenistas profissionais que distribuem pontos para o ranking mundial.

Circuito satélite

Série de torneios de segundo escalão nos quais é possível ganhar pontos para o ranking mundial. Engloba geralmente 3 torneios em sequência e um torneio final (Masters).

Classificação nacional na Suíça

O sistema de classificação da Swiss Tênis, a Federação Suíça de Tênis, tem 13 categorias: 9 regionais (R9 até R1) e 4 nacionais (N4 até N1), nas quais lista seus jogadores de acordo com os resultados obtidos em torneiros. Cerca de 5 mil jogadores são R5 ou têm uma classificação mais alta, enquanto as 4 classes nacionais englobam apenas 150 jogadores e são numeradas.

Contagem

A contagem curiosa (15 — 30 — 40) tem sua provável origem nos depósitos de dinheiro e apostas de jogos da França do século XIV. Apostava-se, por exemplo, 1 "gros denier", que valia 15 "denier". Eram apostados 4 vezes 15 "deniers": 15 — 30 — 45 — 60. No século XVI, o "45" foi substituído pelo "40", supostamente por comodidade. Quando os 2 jogadores têm o mesmo número de pontos depois de pelo menos 6 trocas de bolas, chamamos o empate de "iguais" (inglês: "deuce"; francês: "égalité"). Um jogo (game) só é decidido quando um jogador tem 2 pontos de vantagem. Quem faz 6 jogos primeiro ganha o set, caso tenha 2 jogos de vantagem (por exemplo: 6:0, 6:4, 7:5). Se a contagem estiver em 6:6, o tie break decide. As partidas podem ser melhor de 3 ou melhor de 5. A famosa expressão de vitória nasce daí: *game, set and match*.

Copa Davis

Campeonato por equipes da FIT (Federação Internacional de Tênis) disputado desde 1900. Em 2006, de 133 países participantes, os 16 melhores fazem parte do grupo mundial. Oitavas de final, quartas de final, semifinais e finais, bem como as rodadas de acesso e descenso, são jogadas em 4 datas. Um confronto corresponde a 4 simples e uma dupla.

Corrida dos Campeões

Competição iniciada em 2000, na qual todos os jogadores iniciam o ano com zero pontos. Reflete o transcorrer da temporada e, no final do ano, é idêntica ao ranking mundial. Decide quais jogadores podem participar do Masters.

Glossário

Dupla falta

Dois saques errados em seguida, o que dá o ponto ao adversário.

Erro não forçado

Ação fracassada, que leva à perda do ponto sem grande influência do adversário (inglês: *unforced error*).

Grand Slam

Vitória nos quatro torneios de Grand Slam (Australian Open, Roland-Garros, Wimbledon e US Open) no mesmo ano.

Jogo

No tênis, significa tanto a partida como um todo (confronto, *match*) quanto apenas uma parte (em inglês, *game*) de um set. Ver *Contagem*.

Lob

Bola jogada para o alto e que ultrapassa em muito o adversário.

Love

Contagem. Significa "zero" no inglês. Origina-se provavelmente de "to do something for love" — fazer algo de graça. Outras fontes supõem a sua origem na palavra francesa "l'œuf", ovo, cuja forma assemelha-se a um zero.

Masters

Final da temporada do ano tenístico, que desde 2000 se chama oficialmente Masters Cup e que, nos anos 1990, acontecia como Campeonato Mundial da ATP em Frankfurt e Hannover. Podem participar apenas os 8 melhores jogadores da temporada. Até 2008, foi disputado em Xangai. O torneio é organizado em conjunto com a ATP Tour, os 4 torneiros de Grand Slam e a Federação Internacional de Tênis.

Masters Series

Os 9 torneios mais importantes da ATP Tour. São jogados em Indian Wells, Miami (Key Biscayne), Monte Carlo, Roma, Hamburgo, Cincinnati, Toronto/Montreal (alternadamente), Madri e Paris-Bercy. Os outros torneios da ATP Tour fazem parte da série internacional.

Match point

Ponto que pode significar o fim da partida.

Melhor de 3

Uma partida que termina depois de um jogador ganhar 2 sets.

Melhor de 5

Uma partida que termina depois de um jogador ganhar 3 sets. Essa modalidade é aplicada, via de regra, na Copa Davis, nos torneios de Grand Slam, assim como em algumas outras finais importantes.

Orange Bowl

Torneio mundial juvenil não oficial, que acontece em dezembro, em Miami (Key Biscayne).

Quebra

Quando um jogador consegue ganhar o game de saque do adversário, algo que muitas vezes decide antecipadamente a vitória do set.

Ranking mundial

O ranking mundial dos jogadores (também chamado de ranking de entradas) é organizado pela ATP desde 1973. Ele reflete os resultados das 52 semanas anteriores. No caso dos jogadores de ponta, são levados em conta os resultados dos 4 torneios de Grand Slam e os 9 torneios Masters Series, mais os 5 melhores resultados de seus outros torneios (com exceção dos da Copa Davis). Eventuais vitórias no Masters contam como bônus na pontuação.

Saque (serviço)

A primeira jogada de uma troca de bolas. Depois de cada game, ocorre a troca do sacador. Via de regra, o sacador está em vantagem.

Set

Um set é composto de, pelo menos, 6 jogos (games). Para o jogador ganhar o set, é preciso ter, ao menos, 2 jogos de vantagem (por exemplo: 6:4, 7:5). No 6:6, a contagem geralmente é decidida por um tie break.

Glossário

Slice

Rotação para trás. A bola recebe um efeito de rotação para trás com a puxada da raquete para baixo, alterando sua trajetória e seu comportamento ao quicar no solo.

Torneios Challenger

Torneios menores, organizados pela ATP, com prêmios de 25 mil a 150 mil dólares ou euros. Segundo escalão do ATP Tour, para jogadores de menor classificação.

Torneios Future

Torneios que contam pontos para o ranking mundial, normalmente com prêmios em dinheiro de 10 mil a 15 mil dólares ou euros, que, via de regra, são organizados pelas confederações nacionais.

Torneios de Grand Slam

Os 4 torneios maiores, mais importantes e tradicionais do ano. Têm a duração de 2 semanas e começam com 128 jogadores cada nas chaves masculina e feminina. São realizados em Melbourne (Australian Open), Paris (Roland-Garros), Londres (Wimbledon) e Nova York (US Open).

Tie break

Abreviação introduzida em 1970, usada para decidir o set quando o placar está em 6:6. Cada erro dá um ponto ao oponente. Quem chegar primeiro aos 7 pontos, com 2 pontos de vantagem, ganha o tie break e o set. O set termina com 7:6, e o resultado do tie break é registrado entre parênteses (por exemplo: 7:5 ou 5, 7:4 ou 4, 9:7 ou 7, 12:10 ou 10). No tie break, o jogador da vez dá o primeiro saque. Em seguida, os saques vão se alternando, sempre depois de 2 pontos.

Topspin

Rotação para frente. A bola recebe um efeito de rotação para a frente pela puxada da raquete para cima, alterando sua trajetória e seu comportamento ao quicar no solo.

Wildcard

Convite para participação em um torneio oferecido a um tenista que, de outro modo, não estaria qualificado para tanto.

Winner

Golpe que leva ao ganho do ponto sem que o adversário toque na bola.

WTA

Associação das tenistas profissionais. Elas jogam a WTA Tour e são classificadas no ranking da WTA.

Este livro foi impresso pela Prol Gráfica em papel Polen Bold 90 g.